Kautz, Gyula; Schille

Entwickelungs-Ge
volkswirthschaftlichen Ideen in Ungarn

Kautz, Gyula; Schiller, Sigmund

Entwickelungs-Geschichte der volkswirthschaftlichen Ideen in Ungarn

Inktank publishing, 2018

www.inktank-publishing.com

ISBN/EAN: 9783747792483

(ello. XVIII. 22.)

ENTWICKELUNGS-GESCHICHTE

DER

VOLKSWIRTHSCHAFTLICHEN IDEEN IN UNGARN

UND DEREN

EINFLUSS AUF DAS GEMEINWESEN.

PREISSCHRIFT DER UNGARISCHEN ACADEMIE DER WISSENSCHAFTEN.

NACH DEM UNGARISCHEN, MIT EINEM EINLEITENDEN VORWORTE

VON

PROF. D? JULIUS KAUTZ

DEUTSCH BEARBEITET VON

D? SIGMUND SCHILLER.

BUDAPEST, 1876.

CARL GRILL'S HOF-BUCHHANDLUNG.

Das vorliegende Buch ist eine Bearbeitung des umfang-
reicheren Werkes, welches der Gefertigte vor einigen
Jahren unter dem Titel „Entwickelungs-Geschichte der
volkswirthschaftlichen Ideen in Ungarn, und deren Einfluss
auf das Gemeinwesen" * in ungarischer Sprache erscheinen
liess; dieses Werk wurde durch die ungar. Academie der
Wissenschaften mit dem grossen Fáy-Preise gekrönt.

Der Zweck, welcher dem Verfasser bei Ausarbeitung
des Buches vorschwebte, war einerseits einen Pendant zu
seiner (zuerst in deutscher, dann auszugsweise auch in
ungarischer Sprache veröffentlichten) „Geschichtliche Entwickelung der National-Oekonomik und ihrer Literatur"
— zu liefern; andererseits ein möglichst zusammenhängen-
des Gesammtbild jener staats- und volkswirthschaftlichen
Ideen, Bestrebungen und Grundsätze zu entrollen, die in
der Literatur, der Gesetzgebung, der Publicistik, und in
der Verwaltung Ungarns von den frühesten Zeiten bis zur
Gegenwart zum Ausdrucke gelangten, und einen näheren
Einblick in das Staats- und Culturwesen eines Volkes
ermöglichen, welches als ein Hüter der Civilisation im Osten,
vom Auslande so wenig gekannt, oft sehr hart und unbillig
beurtheilt wird, und doch den einzigen Zweig des grossen
ural-altaischen Menschenstammes bildet, der sich durch

---

* „A nemzetgazdasági eszmék fejlődési története és befolyása a köz-
viszonyokra Magyarországon." A magy. tudom. Akadémia által a Fáy-alapit-
ványból koszoruzott pályamü, irta Kautz Gyula. Pest. Heckenast Gustav,
1868. gr. 8. 602 und XVI.

seine staatenbildende Kraft, durch seinen unausgesetzten Kampf um Freiheit, nationale Selbständigkeit und Unabhängigkeit in dem Geschichtsbuche der europäischen Culturstaaten einen unvergänglichen Namen und einen ansehnlichen Platz errungen hat.

Diesen näheren Einblick zu vermitteln, und die ebenso interessanten als lehrreichen Resultate der Untersuchung auch dem gebildeten Auslande zugänglich zu machen, war der Zweck der vorliegenden (die wesentlichen Momente des Originals erfassenden) Bearbeitung, deren Verfasser, Herr Dr. Sigmund Schiller, als einstiger Schüler des Gefertigten, und als anerkannt tüchtige publicistische und fachmännische Kraft alle jene Eigenschaften in sich vereinigt, die zur Lösung der gestellten Aufgabe erforderlich waren.

Darum möge das Buch der Aufmerksamkeit und dem Wohlwollen aller Gebildeten, und insbesondere den Freunden literargeschichtlicher Studien bestens empfohlen sein.

Budapest, 1. Juli 1875.

Dr. *Julius Kautz,*

o. ö. Professor an der Budapester Universität, ord. Mitglied der Academie der Wissenschaften &c. &c.

Vorrede.

In seiner Geschichte der „Nationalökonomie" hat Professor Kautz den Beweis geführt, dass auch auf volkswirthschaftlichem Gebiete die geistige Thätigkeit des Menschengeschlechtes ein organisches, der Entwickelung unterworfenes Ganzes ist. Die „Entwickelungsgeschichte der volkswirthschaftlichen Ideen in Ungarn" bildet die detaillirte Ausführung des früher allgemein aufgestellten Principes in seiner Anwendung auf die volkswirthschaftliche Ideenentwickelung einer einzigen Nation, der ungarischen; und zwar in einer Weise, wie dies bis zum Erscheinen des Kautz'schen Werkes (1867) selbst in den literarisch vorgeschrittensten Ländern nicht geschehen war. — Der ungemeine Fortschritt, den die historische Behandlung volkswirthschaftlicher Fragen in den letzten Jahren gemacht, die von Tag zu Tag sich mehrende Anzahl der Anhänger dieser Behandlungsmethode, ferner die ungetheilte Anerkennung, welche den in den letzten Jahren erschienenen Werken gleichartigen Inhaltes anderer Culturvölker zu Theil ward, berechtigten mich zu der Annahme, dass es nicht verlorene Mühe und keine überflüssige Arbeit sei, das in ungarischer Sprache geschriebene, daher nur einem verhältnissmässig geringen Kreise von Lesern zugängliche Werk des Professors Kautz durch eine deutsche Bearbeitung einem grössern Leserkreise zugänglich zu machen.

Ich hielt mich hierzu um so eher berechtigt, als die Thatsache feststeht, dass die volkswirthschaftliche Ideenentwickelung in Ungarn dem Auslande bis auf den heutigen Tag eine wahre terra incognita ist, die aber, wie es jeder unbefangene Leser

7

nach dem Durchblättern dieses Buches eingestehen muss, verdient, gekannt zu werden, und das zwar schon aus dem Grunde, weil es unmöglich ist, ein Bild von den öffentlichen Verhältnissen in Ungarn zu gewinnen, ohne die volkswirthschaftlichen Elemente zu kennen, welche diesem Bilde sein eigenthümlich nationales Gepräge verleihen. Denn mehr wie in allen übrigen Ländern Europas stehen in Ungarn die volkswirthschaftlichen Factoren mit denen des ganzen socialen und politischen Lebens in engster Wechselwirkung. Ja, der mächtige Zug, welcher das ganze öffentliche Leben in Ungarn mit allen seinen Bestrebungen charakterisirt, ist in der Thätigkeit ausgedrückt, welche die Anforderungen der modernen Volkswirthschaft mit den Jahrhunderte alten Rechten, mit der Verfassung und der Freiheit der Nation in Einklang zu bringen sucht. Zu welchen Resultaten diese Thätigkeit in den früheren Jahrhunderten führte, das wird aus diesem Buche ersichtlich; aber auch die Ereignisse in unsren, und das in den allerletzten Tagen zeigen, wie sich die staatsrechtlichen und politischen, die socialen und Culturfragen in Ungarn unter dem mächtigen und zwingenden Einflusse der finanziellen und andern volkswirthschaftlichen Thatsachen gestalten und umgestalten. Während ich diese Zeilen schreibe, hat die Wahlagitation in dem ganzen Lande ihr flatterndes Banner entfaltet; an allen Orten legen die Abgeordneten des letzten Reichstages ihren Wählern den Rechenschaftsbericht und das Programm für ihre Thätigkeit im nächsten Reichstage vor. Wie sehr sie aber auch in ihren Anschauungen und Principien auseinander gehen mögen: in dem einen Punkte stimmen sie alle überein, dass die gegenwärtige Situation, die ewig denkwürdige Fusion der Parteien, das unausbleibliche Resultat der volkswirthschaftlichen Zustände gewesen, und dass auch in den nächsten Jahren nur dieser Boden die Arena für den friedlichen politischen und socialen Kampf der Nation zu bilden habe.

Diese Erscheinung, welche in dem ungarischen volkswirthschaftlichen Ideenkreise in allen Jahrhunderten zu Tage tritt, musste auch bei der Abfassung dieses Werkes ihren Einfluss geltend machen. So kam es, dass die „Entwickelungsgeschichte der volkswirthschaftlichen Ideen in Ungarn" sich nicht nur auf die Behandlung und Aufarbeitung der einschlägigen Literatur beschränkte; sondern dass sie mit scharfem Blick und kundiger Hand hineingriff in das volle, offene Leben der Nation, dass sie sich bestrebte, in allen Manifestationen des Volkslebens, mögen diese nun politischer, socialer oder rein cultureller Natur sein, den Zusammenhang zu entdecken und zu schildern, in welchem es mit den herrschenden volkswirthschaftlichen Principien gestanden, und die verwandten Punkte bloszulegen, auf denen ihre wechselseitige Einflussnahme klar zu Tage tritt.

Deshalb hielt ich dieses Buch für so sehr geeignet, dem unparteiischen Ausländer ein klares Bild der ungarischen Zustände in Vergangenheit und jüngster Gegenwart zu entrollen; deshalb auch war ich bei einer deutschen Bearbeitung desselben bestrebt, alles das auszuscheiden, was abseits lag und nicht nothwendigerweise in den Kreis seiner eigentlichen Aufgabe fiel. Mich strenge an die Eintheilung des Originalwerkes haltend, bin ich dem Verfasser durch acht Jahrhunderte der ungarischen Geschichte gefolgt, und indem ich insbesondere bestrebt war, in den Anmerkungen ein ziemlich ausführliches Bild der Literatur zu bieten, habe ich ihn auf seinen Forscherwegen durch das bisher ungesichtete Material der reichstäglichen Debatten, der allgemeinen und Fachliteratur begleitet, um mit ihm beim Jahr 1865 Halt zu machen.

Bezüglich des letztern Umstandes leitete mich die Ansicht, dass es nicht gerathen sei, in den Rahmen der geschichtlichen, objectiven Darstellung aufzunehmen, was noch unabgeschlossen, im Flusse sich befindet und „von der Parteien Gunst und Hass verwirrt" unfertig noch im Schoosse der Zukunft schwankt.

Die volkswirthschaftlichen Ereignisse und Bestrebungen in Ungarn seit der Wiederherstellung der Verfassung, seitdem die Nation wieder zur constitutionellen Herrschaft über ihre eigenen Angelegenheiten gelangte, gehören noch zu sehr dem alltäglichen Leben an, als dass sie schon jetzt den Gegenstand unparteiischer Kritik und geschichtlich-wissenschaftlicher Behandlung bilden könnten. Gerade der Ausgleich mit Oesterreich vom Jahre 1867, welcher in der Geschichte der Monarchie einen solch' mächtigen Wendepunkt bedeutet, bot die passendste Gelegenheit, um zwischen der dem geschichtlichen Urtheile unterworfenen fest gewordenen Vergangenheit und der noch in historischer Strömung sich befindlichen Gegenwart die Grenze zu ziehen.

Trotzdem aber können wir es uns nicht versagen, wenigstens

mit einigen Worten auf die volkswirthschaftliche Thätigkeit der Gegenwart hinzudeuten; und ausser der ganz allgemeinen Constatirung der Thatsache, dass die literarischen Producte auf dem Gebiete der Volkswirthschaft im Grossen· und Ganzen ein schärferes Eingehen auf die Detailfragen und eine sorgfältigere Behandlung der Wissenschaft wie in den frühern Zeiträumen bekunden, auch noch auf die ungemeine Thätigkeit hi nzuweien, welche der bedeutendste Factor unseres öffentlichen Lebens, die Legislative, gerade auf dem Felde der volkswirthschaftlichen Einrichtungen entfaltete.

War auch diese Thätigkeit in ihren Folgen leider nicht immer eine segensreiche, so kann ihr doch nicht das Verdienst abgeläugnet werden, dass sie der Nation einen klaren Einblick in den Status ihres Soll und Habens gewährte, dass sie ihr Einsicht verschaffte in die wahre Lage der nationalen Erwerbsquellen, kurz dass sie das Land zur v o l k s w i r t h s c h a f t l i c h e n S e l b s t - e r k e n n t n i s s f ü h r t e, ein Verdienst, das wohl nicht augenblicklich, aber in Zukunft unausbleiblich schöne Früchte tragen wird.

Was der Reichstag und mit ihm die Regierung auf dem Gebiete der Communication, der Industrie und des Handels, der Gewerbe und des Ackerbaues, der Finanzen und des Zollwesens geleistet, was er zur Corrigirung der Grundsteuer und zur Hebung des vaterländischen Credites gethan, wird wohl nicht auf allseitigen Beifall treffen und auch nicht als das Mass dessen bezeichnet werden, was zur gänzlichen Reform der ungarischen volkswirthschaftlichen Verhältnisse zu leisten unbedingt nothwendig ist. Immerhin aber kann es als Beweis jenes mächtigen Aufschwunges gelten, den die volkswirthschaftlichen Verhältnisse genommen und darf dort nicht übersehen werden, wo es sich um die Schilderung einer rapiden Fortentwickelung des volkswirthschaftlichen Ideenkreises handelt.

Das einst so arg vernachlässigte volkswirthschaftliche Interesse hat gerade in unsern Tagen in Ungarn seine der ganzen Nation zum Wohle gereichende Genugthuung erhalten; es ist zur dominirenden Rolle im ganzen öffentlichen Leben gelangt; einst in stiefmütterlicher Behandlung unter dem schweren Szepter der mittelalterlichen socialen Irrthümer gestanden; sitzt es heute gebieterisch auf dem Throne und seinem Machtgebote fügen sich die Satzungen der Politik, des Staatsrechtes und der Gesellschaft. Allüberall ist heute der fiscalische Gesichtspunkt massgebend, und die Nation hat es einsehen gelernt, dass ihr von so vielen Feinden und Neidern hart angegriffener nationaler und staatlicher Bestand in allererster Reihe von dem Fortschritte und dem Aufschwunge, von der Reform ihrer volkswirthschaftlichen Interessen abhängt.

Budapest, am 8. Juni 1875.

Dr. Sigmund Schiller.

Inhalts-Verzeichniss.

Zweiter Zeitraum.

Von 1715—1790 oder die ersten Versuche einer volkswirthschaftlichen Organisation.

ERSTES KAPITEL.

ZWEITES KAPITEL.

DRITTES KAPITEL.

VIERTES KAPITEL.

Dritter Zeitraum.

Von 1790—1825 oder die ersten Anklänge einer selbständigeren Ideenentwickelung.

ERSTES KAPITEL

XII

ZWEITES KAPITEL.

DRITTES KAPITEL.

VIERTES KAPITEL.

FÜNFTES KAPITEL.

Fünfter Zeitraum.

Von 1840—1849. Die nationalen Reformpläne und Kämpfe.

ERSTES KAPITEL.

ZWEITES KAPITEL.

DRITTES KAPITEL.

Sechster Zeitraum.

Von 1850—1865. Die Erhebung des volkswirthschaftlichen Ideenkreises auf ein universelles Niveau.

ERSTES KAPITEL.

ZWEITES KAPITEL.

DRITTES KAPITEL.

VIERTES KAPITEL.

Die Ideenbewegung um die practischen Fragen der Volkswirthschaft, namentlich in der Literatur, in der Tagespresse, in den Vereinen und in der Legislative.

I.

Einleitung.

I. Entstehung, Entwickelung und Einwirkung der politischen und volkswirthschaftlichen Ideen im Allgemeinen und ihr Vorhandensein in Ungarn isbe-
sondere. — II. Quellen, Bedeutung und Behandlungsmethode der Geschichte
der volkswirthschaftlichen Ideen in Ungarn.

I. Die Idee und das Leben stehen in harmonischer Wechselwirkung. Wie sich in der Mitte des vielgestaltigen Lebens und
aus dem Schosse desselben die abgezogene Idee entwickelt, wirkt
diese wieder gestaltend und umgestaltend auf das Leben ein. Wie
die Blüthe die Vollendung des Pflanzenlebens darstellt, die Pflanze
selber am deutlichsten charakterisirt und dabei schon den Keim
einer neuen Pflanze in ihrem Kelche birgt, so ist die herrschende
Idee in einem gegebenen Zeitpunkte und auf einem bestimmten
Culturgebiete der Menschheit einerseits der reinste Spiegel der
lebendigen und selbständig gewordenen Verhältnisse, andererseits
wieder zeigt sie vorwärtsdrängend auf die Zukunft hin und wird
dadurch zum Musterbilde, oft zum unerreichbaren Ideale.

Das Naturgesetz der Entwickelung bringt es nun mit sich,
dass sich innerhalb des grossen, Ein organisches Ganzes bildenden
Ideenkreises die einzelne Idee für den beschränkten Menschengeist
als vollendetes, abgeschlossenes Ganzes darstellt, wiewohl sie doch
nur ein Entwicklungsstadium des ganzen Ideenorganismus ist, und
einen vom Selbstbewusstsein und der Erkenntniss der menschlichen
Gemeinschaft aufgegriffenen Faden bildet in dem unzerstörbaren
Gewebe, das der Genius unseres Denkens um uns gezogen. Der
menschliche Geist vermag diese Grenze durch schaffenden Fleiss
vorwärts zu schieben und wird dadurch zu neuen Anschauungen

gelangen; bitter aber rächt sich das übermenschliche, oft leider unmenschliche Streben, diese Grenze gänzlich zerstören zu wollen.

Was wir hier im Allgemeinen gesagt, das gilt auch im Besonderen von den national-ökonomischen Ideen. In historischen Zeiten bilden sie ein scheinbares Ganzes, Abgeschlossenes; sie entstehen aus dem Leben und gestalten dasselbe um; bewusst oder unbewusst schafft die Gegenwart unter ihrem mächtigen Einflusse; sie endlich stecken Ziele für die Zukunft.

Will man daher nicht einseitig vorgehen, so darf man bei dem aufrichtigen Streben nach einem Ueberblick über die Entwickelung der national-ökonomischen Ideen nicht nur die einschlägigen Geistesproducte der Literatur berücksichtigen, sondern man muss eingreifen in das volle, bewegte Leben und an der Hand der objectiven Beobachtung dasselbe n a c h a l l e n s e i n e n v i e l - g e s t a l t i g e n M a n i f e s t a t i o n e n hin kühn durchschreiten, um mit sicherem Blicke den Punkt zu erfassen, wo die Geschehnisse ineinandergreifen, den Ringen an der Kette gleich und dem mächtigen Gesetze der Causalität gehorchend.

* * *

Auch in Ungarn kam dieses Gesetz in allen Zeiten zur Geltung; auch hier sind Theorie und Praxis unzertrennlich mit einander verbunden; auch hier schreitet die Theorie vorwärts, wenn das Leben höhere Bahnen betritt; auch hier werden Wendepunkte und Perioden bemerkbar, in welchen die Idee und das Leben zu gleicher Zeit und in gleichen Verhältnissen auf einander organisirend und umgestaltend einwirken; auch hier giebt sich ein ewiges Streben nach Fortschritt und Vervollkommnung kund als bestes Zeichen dafür, dass Ungarn, trotz der vielen und fast unüberwindlichen Hemmnisse, die seinem nationalen, socialen und staatlichen Leben entgegengesetzt wurden, dennoch höhern Zielen zusteuerte und die Entwickelungsbahn aller Culturvölker dahinschritt.

Aber während andere europäische, tonangebende Völker sich des Glückes erfreuten, schon frühe ein verwickelteres und gestaltenreicheres wirthschaftliches Leben zu führen; während sich bei ihnen Kunst und Wissenschaft schon frühe eingebürgert hatten; musste sich in Ungarn wegen seiner geographischen und physikalischen Verhältnisse das wirthschaftliche Leben nur langsam aus der bitteren Hülle der Einfachheit herausschälen; musste

Ungarn in Kunst und Wissenschaft um viele Jahrzehnte zurückbleiben und vorzüglich in Hinsicht auf eine systematische und
literarische Behandlung der ewigen Wahrheiten und Prinzipien
der Nationalökonomie hinter den übrigen, westeuropäischen Nationen um ein Bedeutendes zurückstehen. Darum ist es aber doch
ungerecht, wenn man mit geringschätzender Leichtfertigkeit den
Ungarn alle Originalität und Selbständigkeit abspricht und sie zu
blossen Nachbetern europäischer Ideen und fremder Institutionen
degradirt. Nein, die Ungarn haben, wenn auch nicht in ihrer Literatur, so doch in ihrer Gesetzgebung, in ihren öffentlichen Einrichtungen Beweise ihrer Selbständigkeit und Ursprünglichkeit zu
Tage geliefert, und eine Hauptaufgabe dieses Werkes soll es sein,
der verleumdeten Nation Gerechtigkeit widerfahren zu lassen und
auf jene Punkte hinzudeuten, wo sie sich den europäischen Völkern
nicht nur fördernd angeschlossen hatte, sondern auch denselben
zuvorgekommen war.

II. Nur langsam fliesset die Quelle, welche das Material zu einer
Entwickelungsgeschichte der ungarischen national-ökonomischen
Ideen liefert; denn die Literatur hatte sich speciell diesem Zweige
noch niemals zugewendet, und die allgemeinen Hilfsmittel, wie die
Universalgeschichte, bieten in ihren bisherigen Bearbeitungen für
den Forscher nach dem Entwickelungsgange des volkswirthschaftlichen Ideenganges ebenfalls nur wenige Anhaltspunkte. Dennoch
steht uns ein nicht zu verachtendes Materiale zu Gebote. Zu demselben gehören:

Erstens die Landesgesetze, die Regierungs-Verordnun-
gen und die Schriften und Tagebücher der Reichstage
(Acta et Diaria Comitiorum). Treffend bemerkt der Historiker
Horváth; „Es giebt keinen interessantern und lehrreichern
Theil in der Geschichte Ungarns, als die Geschichte seiner Reichs-
tage. Die Reichstage sind die Schlagadern des nationalen Lebens,
der nationalen Cultur; der Spiegel geistigen und moralischen
Lebens, der Zeiger seiner materiellen und socialen Verhältnisse. '

An zweiter Stelle steht die Zeitungs-Literatur, d. i.
die periodische Tagespresse. Sie ist der getreue Ausdruck der
öffentlichen Meinung und bildet da, wo sich eine Fachliteratur

---

¹ Vergleiche: Akad. Jahrbücher 1846. VII. B. p. 126.

1*

nur spärlich entwickelt hat, den besuchtesten Kampfplatz für die competenteren Fechter und Vertreter der einheimischen Ideen. In dritter Reihe muss die eigentliche Fachliteratur erwähnt werden. Sie ist darum von höchster Wichtigkeit, weil ihre Vertreter zugleich den meisten Einfluss auf die practische Ausführung und Geltendmachung volkswirthschaftlicher Ideen nehmen. Diese Fachliteratur ist erst auf die grossartige Initiative Széchenyi's hin im zweiten Viertel unseres Jahrhunderts zu einer Bedeutung gelangt und zerfällt in zwei Klassen. Die eine umfasst die grössern systematischen Arbeiten. (Hierher gehören z. B. Berzeviczy: De commercio et industria Hungariae; Graf Széchenyi: „Hitel", „Stadium", „Világ"; Graf Emil Desewffy: „Alföldi levelek", „Vámügy", „Függő pénzügyi kérdések"; Erdélyi: „Nemzeti iparunk"; Melchior von Lónyai: „Anyagi érdekeink", „A közügyekről"; Kautz: „Vámpolitika" und sein Lehrbuch der Nationalökonomie; Karvassy: „Nemzetgazdasági tan- és kézikönyv".) Die andere enthält grössere Abhandlungen in periodischen Zeitschriften. (So z. B. die Arbeiten Széchenyi's, Korizmics', Érkövy's, Csengery's, Keleti's, Szathmáry's, Hollán's, Kautz', Veninger's, Lónyai's von den jüngern, Podmaniczky's Tessedik's, Wuchetich', Skerletz' und Szapáry's von den ältern Autoren.)

Eine andere nicht zu unterschätzende Quelle bilden diejenigen Arbeiten, die anlässlich einzelner, gerade aufgetauchter Fragen ausgearbeitet wurden und in Form von Vorschlägen erschienen sind. Hierher sind zu zählen die Arbeiten der Reichstagsausschüsse, insbesondere der von den Jahren 1715, 1723, 1790—91, 1825—27, dann der reichstäglichen Fachcommissionen vom Jahre 1843—44 und die Memoranda der wirthschaftlichen Vereine und Innungen, die Abhandlungen Kollárs, Berzeviczy's und Skerletz', schliesslich noch die Aeusserungen der Fachcorporationen und die Pläne Einzelner betreffend die Umgestaltung der volkswirthschaftlichen Verhältnisse, von denen wir hier nur das „Einrichtungswerk" Kolonics' vom Jahre 1689 hervorheben wollen.

Erhellend und aufklärend wirken auch die grössern historischen Werke eines Katona und Fessler, eines Horváth und Szalay; die staatswissenschaftlichen Arbeiten Kovachich'

und Fejér's, Bartals und Cziráky's, Virozsil's und
, Récsy's, Szalay's und Deák's, Szlemenics' und Wenzel's,
so auch die noch erst keimbildenden culturhistorischen Schriften
Kerékgyártó's, Salamon's, Frankl's, Wenzel's und
Vass'. Nicht ohne allen Einfluss blieben die Lehrkanzeln der
Hochschule und Academien, indem sie den Samen der Aufklärung
und des Fortschrittes in das empfängliche Gemüth der Jugend
streuten, der mehr wie einmal keimte, spross und in spätern Tagen
reichliche Früchte trug.

Bezüglich des nur karg gepflegten Gebietes allgemeiner Entwickelungsgeschichte der-Nationalökonomie, auf dem gewiss auch
manche Aehre für unsere Arbeit zu sammeln ist, wollen wir nur
nennen: Kautz: „Die geschichtliche Entwickelung der Nationalökonomie und ihrer Literatur"; einige Arbeiten Tréfort's; Erdélyi: „A bölcsészet Magyarországon" (im Budapesti Szemle
1866); Toldy: „Magyar irodalomtörténet"; Biedermann:
„Das Studium der politischen Oekonomie und ihrer Hilfswissenschaften" (Kaschau 1859, als Manuscript erschienen) und Érkövy: „Nemzetgazdasági Magyar irók" (eine Artikelreihe in
dem 1866er Jahrgange der Zeitschrift „Magyar Világ").

Von welcher Bedeutung eine Entwickelungsgeschichte des
volkswirthschaftlichen Ideenkreises in Ungarn ist, das ergiebt sich
aus folgenden Umständen. Erstens wirft sie erhellende Streif-
lichter auf das ganze öffentliche Leben und Treiben in Vergangenheit und Gegenwart, und während sie so die dunklen Räume des
Verflossenen erleuchtet, zeigt sie zugleich den Weg für die Zukunft an. Zweitens ergiebt sich aus ihr die wichtige Thatsache,
dass auch die Ungarn Hand in Hand mit den andern europäischen
Nationen höhern Zielen nachgestrebt, einen Entwickelungsgang
durchgemacht, vom Einfachern zum Zusammengesetztern über-
gingen und daher mit vollem Rechte auf den Namen eines Cultur-
volkes Anspruch erheben. Endlich ist sie von allgemein wissenschaftlicher Bedeutung, indem sie das Streben zeigt, eine Lücke
in der grossen Entwickelungskette der Völker und Nationen auszufüllen, um so die höhere Einheit der menschlichen Ideen nachzuweisen.

Was endlich die Behandlungsmethode des in Frage stehenden
Gegenstandes in diesem Werke betrifft, so haben wir letzteres den

Entwickelungsphasen des volkswirthschaftlichen Ideenkreises entsprechend in sechs Bücher getheilt, von denen das erste den Zeitraum behandelt, in welchem die ersten Anklänge volkswirthschaftlicher Ideen auftauchten, und der sich bis zum Beginne des acht-
zehnten Jahrhunderts erstreckte. Das zweite Buch umfasst den
Zeitraum von 1715—1790; das dritte enthält die volkswirthschaftliche Thätigkeit in den Jahren 1790—1825; im vierten Buche wird
die volkswirthschaftliche Entwickelung während des Zeitraumes
1825—1840 behandelt; das fünfte Buch dehnt sich über die Vier-
zigerjahre und die folgenschweren Ereignisse des 1848er Jahres
aus; endlich das sechste Buch zeichnet die volkswirthschaftlichen
Zustände in Theorie und Leben vom Jahre 1850—1866.

Erster Zeitraum.

Bis zum Beginne des 18. Jahrhunderts, oder die ersten Anklänge volkswirthschaftlicher Ideen in Theorie und Leben.

ERSTES KAPITEL.

Die ersten Grundlagen und Anklänge der volkswirthschaftlichen Ideenentwickelung in den ältern Jahrhunderten. —
I. Der national-ökonomische Zustand Ungarns in den Zeiten vor dem acht-
zehnten Jahrhunderte. — II. Die volkswirthschaftlichen Ideen in der altungarischen Staatsverfassung und in den Institutionen König Stefans' des Ersten. —
III. Der volkswirthschaftliche Ideenkreis in den Gesetzen der übrigen Könige
aus dem Árpádischen Geschlechte. — IV. Die volkswirthschaftlichen Prinzipien und Institutionen von der Thronbesteigung der Könige aus dem
Hause Anjou bis zum Zeitalter der Hunyadi's. — V. Das Zeitalter der
Hunyadi's und des nationalen Verfalles bis zur Schlacht bei Mohács.

I. Ungarn war von der Landnahme durch die Magyaren bis
zum Anfange des 18. Jahrhunderts ein fast ausschliesslich auf
Urproduction beruhender Staat, dessen private und öffentliche Verhältnisse fast durchgängig den Stempel und den Charakter eines
Agriculturstaates an sich trugen. Wohl hatte man auch damals
schon den Handel, die Manufacturen und Gewerbe gekannt und
gepflegt, ja sie erfreuten sich sogar von Seiten der ungarischen
Könige und Reichstage einer warmen Unterstützung; aber es ist
doch sicher, dass sich die Gewerbe nur auf einfache, technisch
fehlerhafte und die nothwendigsten Lebensbedürfnisse deckende
Producte erstreckten, wenn wir etwa die Zeit eines Ludwig des
Grossen, Sigismunds und Matthias Corvinus' ausnehmen; dass der
Handel (mit Ausnahme einiger Jahrzehnte) durchaus kein intensiver und activer gewesen, ja dass er sich sogar zum grössten
Theile in fremden Händen befand; dass die Communicationsmittel
selbst den bescheidensten Ansprüchen nicht genügten; dass die
Credit- und Finanzoperationen jener Zeit kaum einer Erwähnung

werth sind. Aber auch die L a n d w i r t h s c h a f t war noch vielfach gefesselt und im freien Aufblühen gehindert. Die an die
Scholle gebundenen Arbeiter, der Mangel an Capitalien, Be-
triebsmitteln und technischem Wissen haben die Landwirthschaft
Jahrhunderte hindurch an eine und dieselbe Entwickelungsstufe
festgebannt; der Mangel an den potenzirenden und belebenden
Elementen des Handels, der Gewerbe und erleichternden Verkehrsmittel, sowie auch die kraftlose Unterwürfigkeit unter die schädlichen Launen der physischen Elemente haben einen Aufschwung
der Agricultur nicht nur gestört, sondern fast ganz unmöglich
gemacht. [1]

So dauerte in Ungarn das l a n d w i r t h s c h a f t l i c h e
M i t t e l a l t e r mit seiner Naturalwirthschaft und allen seinen
übrigen Gebrechen bis in die ersten Jahre des 18. Jahrhundertes
hinein; so war es Ungarn, wo im Vergleiche zu andern Staaten —
mit Ausnahme weniger und kurzer Zeitabschnitte — der volks-
wirtshchaftliche Fortschritt der langsamste und schwerfälligste
gewesen.

Forschen wir nach den Ursachen dieser Erscheinungen, so
werden wir dieselben theils in der geographischen Lage und in der
Verfassung, theils in dem nationalen Charakter und der Weltanschauung, theils hingegen in der Geschichte der Ungarn auf-
finden. — Ungarn war vom Meere abgeschlossen und bei dem
Mangel an befördernden Verkehrsmitteln von den damaligen Cul-
turvölkern Europas abgeschnitten; Einfälle wilder Horden und
ländersüchtiger Feinde zwangen es, zum Schutze seiner staatlichen
Unabhängigkeit beständig mit dem Schwerte gegürtet dazustehen;
Bürgerkriege wühlten im Innern; die aristokratische Staatsverfassung verhinderte das Aufkommen einer gesunden, auf realer
Basis ruhenden Mittelklasse, das Ansammeln mobiler Capitalien
und beschränkte die Freiheit der Bewegung; Gerichte, Legislative,
Verwaltung, Polizei und Erziehung waren lückenhaft und nur
wenig organisirt; die Nation zerfiel in Berechtigte und Unberech-
tigte; das lustige, freie Ritterhandwerk bevorzugte Schwert und
Bogen vor der Pflugschar und der Spindel; Luxus und Ver-

---

[1] Vergleiche: Fessler's, M. Horváth's, Ladislaus Szalay's
historische Werke; dann Schwartner: Statistik von Ungarn (1809. Ed. II.)
I. Band p. 397 und die Details weiter unten.

schwendung lebten ihr rohestes Zeitalter, so dass die Ungarn bis in die neueste Zeit eine schwache, ohnmächtige, um nicht zu sagen arme Nation bleiben mussten.

In Verbindung hiermit wird es augenscheinlich, warum auch die Volkswirthschaft Ungarns und ihr Ideenkreis bis zu dem Anfange des 18. Jahrhunderts den Charakter des Primitiven, Unvollkommenen und Mangelhaften an sich tragen musste, warum sie sich zu keinem systematischen Ganzen gestalten konnte. Alles, was wir daher im Leben und der Literatur jenes Zeitalters antreffen, muss als ein blosses Aggregat von Principien und Thesen angesehen werden, welche die mechanische Beobachtung ohne Rücksicht auf ihren Zusammenhang von der Praxis abstrahirte. [2]

Eine Ausnahme bildet nur die zweite Hälfte des 17. Jahrhunderts, jene Zeit, wo in England und Frankreich, Holland und Italien, ferner auf dem classischen Boden wissenschaftlicher Forschungen, in Deutschland die ersten, unsterblichen Verfechter ewig wahrer, national-ökonomischer Principien auftraten, wo A d a m S m i t h eine neue Wissenschaft begründete, wo die Merkantilisten klarere Ansichten über die Volkswirthschaft zu verbreiten anfingen, wo endlich einzelne Tieferblickende (wie Dudley North, W. Petty, Temple, theilweise auch Hobbes u. A.) die noch einseitigen Lehren des Merkantilismus erschütterten und eine natürlichere, den Thatsachen eher entsprechende Auffassung zu verbreiten suchten [3] Ungarn aber, welches abseits vom Herde westeuropäischer Cultur gelegen, nur noch von den letzten Wellenschlägen des mächtigen Geistesstromes berührt worden, musste noch lange in seinem verrosteten und finstern Ideenkreise dahinsiechen, wenn schon im Westen frisches Leben blühte und der blinkende Stern des Fortschrittes auftauchte und die Nacht zerstreute.

Doch wäre es eine nicht zu verantwortende Verkehrtheit, wollte man behaupten, dass Ungarn vor dem 18. Jahrhunderte gänzlichen Mangel an national-ökonomischen Ideen litt. Wie sollte dies bei einer Nation auch möglich sein, die eine den

---

[2] Vergleiche Kautz: Geschichtliche Entwickelung der National-ökonomie und ihrer Literatur (Wien 1860) p. 180—242.
[3] Vergleiche hierüber Roscher: Zur Geschichte der englischen Volksw.-Lehre, 1851; p. 40 ff.; Kautz l. c. p. 305—335.

Zeitumständen angemessene, freie Constitution besass, die von so vielen ausgezeichneten Königen regiert worden, die so viele berühmte Staatsmänner und Feldherren hervorbrachte, deren militärische Organisation mehr wie einmal die Aufmerksamkeit von ganz Europa auf sich zog, die so oft berufen war, in der Reihe der europäischen Mächte eine glänzende Machtrolle zu spielen und die daher n o t h w e n d i g e r w e i s e in ihrem Haushalte ein gewisses System, einen gewissen Principienkreis zur Grundlage haben m u s s t e? [4] Die nationale Tradition, die Ueberreste der Cultur und Literatur und endlich ein Ueberblick über die Gesetzgebung und politischen Einrichtungen jener Zeit erheben auch lautes Zeugniss dagegen.

In den folgenden zwei Abschnitten soll uns oft Gelegenheit geboten werden nachzuweisen, dass sowohl in den ersten Jahrhunderten des Bestandes des ungarischen Staates, sowie auch im Verlaufe des 14., 15., 16. und 17. Säculums, Ideen und Ansichten auftauchen, welche als vielversprechende Vorläufer einer geläuterten, modernen Anschauung angesehen werden müssen.

II. In dem Zeitraume, welcher von der Landnahme bis zur Errichtung des Königthumes dahinfloss, hatte man sich in Ungarn, wie in andern Ländern unter ähnlichen Umständen, dem ruhmreichen aber unproductiven Kriegshandwerke ergeben; [5] die materielle A r b e i t, der Handel und der Betrieb von Gewerben wurden als Beschäftigungen angesehen, welche den freien Mann schänden. [6] Andererseits aber stund man damals doch nicht auf

---

[4] Sehr richtig bemerkt Wolfgang D e á k: „A nemzet gazdaság története" (Pest 1865, VI—VII). „Es würde sehr irren, wer in unserer ältern Geschichte die Herrschaft der modernen national-ökonomischen Principien suchen wollte, als ob ein Theil unserer Vorfahren z. B. zu den Physiocraten, ein anderer zu den Mercantilisten gehört haben würde u. s. w."

[5] Vergleiche hierüber M. H o r v á t h: „Ipar- és kereskedés története" p. 181—183 und 232—233; K o s s o v i c h gleichnamiges Werk p. 36 und 37; T o l d y: „A magyar nemzet müveltsége" in „Magyar Muzeum" Jahrg. 1850, p. 1—42; Frankl: A magyar nemzet müveltségi állása u. s. w." Pest 1861 p. 205 ff.

[6] Das „Pigrum et iners videtur sudore adquirere quod possis sanguine parere" des Tacitus war daher ein wichtiges Credo in den national-ökonomischen Ansichten jener Zeit. Ein interessantes Moment der altungarischen socialen Verhältnisse ist es, dass jene ungarischen Einwohner f r e i und e h r l i c h (liberi et honesti) genannt wurden, die durch Andere nicht zu Unterthanenarbeiten gezwungen werden konnten und sich eines freien Besitzrechtes erfreuten. Vergleiche B a r t a l: Commentariorum ad Hist. Jurisque publici D. Hung. Poson. 1844 etc. 1. §. p. 26—28 und 136. — Dass die alten Magyaren und Hunnen vor jeder wie immer gearteten Steuer sehr zurückschauderten, ist eine ebenfalls aus Quellen nachweisbare Thatsache.

einer so niedrigen Stufe der Wirthschaftlichkeit, 'wie dies einige
fremdländische Schriftsteller glauben machen wollen. Zu Geiza's
Zeiten wurden schon Gewerbe und ständige Landwirthschaft in
ziemlichem Umfange betrieben; die Häuslichkeit und Haushaltung
wurden hoch in Ehren gehalten; Sprichwörter, die damals im
Munde des Volkes lebten, verrathen eine gesunde, mit den Principien des Rechtes und der Moral übereinstimmende Auffassung;
einzelne Fürsten haben mit Nachdruck auf den Vorzug hingewiesen, welchen die Bereicherung auf dem Wege des Handels und
des Gewerbes vor der vermittelst blutiger Waffenerfolge besitzt.
Aus den Schriften Leo des Weisen ist ersichtlich, dass die damaligen Ungarn Geld, Schätze und Edelmetalle hochhielten; auch
besassen sie schon in Verbindung mit ihrer militärischen Organisation eine Art von Finanzsystem, dessen-Organisations-Prinzipien,
wie die Leitung der Geldangelegenheiten durch einen besondern
Beamten, das bestimmte Einkommen der Landesschatzkammer, die
entschiedene Trennung der Kriegssteuer und Contributionen, der
Einnahmen des Staates von denen des Fürsten u. s. w. die Ueberzeugung gewähren, dass man die Nothwendigkeit und die Interessen
eines geordneten Finanzwesens genau kannte. In dem zweiten Punkte
des mit Álmos abgeschlossenen „Blutvertrages" kam das Princip
zum Ausdrucke: quidquid boni per labores eorum adquirere
possent nemo eorum expers fieret". [7] Der Grundbesitz wurde nicht
unter die Einzelnen, sondern unter die Stämme (nemzetségek) vertheilt; dieser Besitz blieb ungetheilt und noch bis in Stefans Zeiten
genossen alle Stammesmitglieder die Früchte desselben, mit Ausnahme derjenigen Güter, welche Einzelne im Kriege ausschliesslich
für sich erwarben, die sie daher auch ganz nach ihrem Belieben be-
nutzen konnten. [8]

Eine neue Richtung gibt sich kund, wenn wir die Thätigkeit
Stefan I. in Anbetracht ziehen. Er sah es ein, dass er sein beab-
sichtigtes Regenerationswerk nur durch richtigere und sichere
Befestigung der landwirthschaftlichen Verhältnisse bewerkstelligen
könne. In seinen Gesetzen wird der früher bestandene Commu-

[7] Oder wie es in der Székler-Chronik heisst: „quod unita vis adqui-
sierit, ex aequo inter adquirentes dividatur".
[8] Die volkswirthschaftlichen Zustände Ungarns glichen also in Vielem
denen der übrigen mittelalterlichen Völker. Vergl. Held: „Staat und Gesellschaft". II. p. 70 ff.

nismus vom Privateigenthume verdrängt; Jeder kann nun über sein Eigenthum nach Belieben verfügen; das Erbrecht gelangt zu wohlverdienter Geltung und die gewaltsame Störung des rechtlichen Besitzes wird streng geahndet; nur Vaterlandsverräther oder Majestätsverbrecher werden ihrer Güter verlustig erklärt. [9] So wurden die Fesseln zerschlagen, welche die Freiheit der Güter gefangen hielten, so wurde die bisher schwerfällige wirthschaftliche Entwickelung eine ungleich lebhaftere und schnellere. [10]

In den Schriften an seinen Sohn Emerich legte er es ihm an's Herz dafür zu sorgen, dass fremde Einwanderer in Ungarn freundliche Aufnahme finden, damit sie, die doch neue Werthe und Güter dem Lande bringen, an dasselbe gefesselt werden. [11] Stefan wollte dadurch dem Lánde fleissige Handelsleute und Gewerbetreibende verschaffen, die ihm doch fast gänzlich abgingen. Ein Hauptaugenmerk wandte er auf die Linderung der Knechtschaft, ja sogar auf die mögliche Beseitigung derselben. Im 20. Kap. seines II. Decr. heisst es: „Quoniam igitur deo dignum est et hominibus optimum unumquemque in suae industriae libertate vitae cursum ducere, statutum est" u. s. w. Auch die Idee der Freizügigkeit fand in seinen Verordnungen wenigstens in Bezug auf die Gewerbsleute und Industriellen einen beredten Ausdruck. Die Zehnten, eine natürliche Folge der Naturalwirthschaft, überliess er der von ihm bevorzugten Kirche; [12] die Städte und ihre Bürger beschenkte er mit vielen Vorrechten und einer grossen Autonomie, sicherte ihnen freie Bewegung, was ihren Handel betraf, und setzte ihre Steuerbeiträge auf ein geringes Mass herab.

Fasst man dies Alles zusammen, so muss Stefan I. ebenso als erster Staatsmann der Ungarn gelten, wie er ihr erster König, ihr erster Philosoph, ihr erster Gesetzgeber war; mehr wie wahrscheinlich ist es daher, was Bartal sagt, dass Stefan seine dies-

---

[9] Decret. II. Cap. 5: decrevimus regali nostra potentia, ut unusquisque habeat facultatem sua dividendi tribuendi uxoris, filiis etc. und II. 35: concessimus igitur petitioni totius senatus ut unusquisque dominetur propriorum similiter et donorum regis u. s. w.

[10] Matlekovics: „Magyarország törvényei u. s. w. nemzetgazdasági tekintetben. Pest 1865. p. 5—6.

[11] Decret : Lib, I. Cap. 6. Vergleiche auch Kerékgyártó: Müvelödés története II. B. p. 166—170.

[12] Decr. II. Cap. 52. „Si eui Deus decem dederit in anno decimam Deo dat, et si quis decimam suam abscondit, noveni solvat, et si quis decimationem episeopo separatam, furatus fuerit, judicetur ut fur."

bezüglichen gründlichen Kenntnisse ebenso aus den unsterblichen
Werken des gekrönten Gelehrten des Alterthumes, Aristoteles,
schöpfte, wie er in seinen politischen Institutionen den unsterblichen und gekrönten König des Westens, Karl den Grossen, zum
Vorbilde hatte. [13]

III. Wieder sind es nur die Landesgesetze und Verordnungen
der Fürsten, aus welchen wir die Daten für den volkswirthschaftlichen Ideenkreis der Periode von Stefan dem Ersten bis zum Tode
Andreas III. (1038—1293) schöpfen können.

Auch Ungarn konnte sich der Herrschaft mittelalterlicher
Ideen und Principien nicht verschliessen; wie in den meisten Ländern des damaligen Europas hatte sich auch hier in allen Zweigen
des Lebens ein religiöser Geist geltend gemacht, Tausch und Verkehr wurden unter polizeiliche Obhut gestellt, die Regalrechte
fanden immer mehr Verbreitung, der Staat und die königliche
Gewalt bevormundeten die Bürger in allen Richtungen; in dem
System der Principien und Ansichten hingegen zeigte sich nur
ein schwacher Schimmer von Entwickelung.

Unter Andreas I. wird das Princip ausgesprochen, dass
„derjenige, welchem der Boden gehört, zugleich
auch Eigenthümer der auf ihm sich befindlichen
und denselben cultivirenden Personen ist." — Béla I.
liess neue und bessere Silber-Münzen prägen; der Geldverkehr
wurde unter ihm lebhafter, der Handel hob sich und der Wirth-
schaftsverkehr erhielt neue Wege geöffnet. Ein classisches Zeichen
seiner mittelalterlichen Auffassung bietet sein Bestreben, den Werth
und Preis der Güter festsetzen zu wollen, als ob das organische
Leben der Wirthschaft dem Machtgebote eines Königes Folge
leisten würde! — Ladislaus der Heilige befiehlt sogar,
dass Verkaufsgeschäfte vor den Richtern und Zöllnern abgeschlossen werden sollen; er verbietet die Feilbietung gestohlener
Sachen, setzt besondere Marktrichter ein und lässt die betrüge-
rischen Händler und Mäkler streng überwachen; in Ladislaus'

---

[13] Das von Stefan in Constantinopel gegründete Hospital verfolgte
wahrscheinlich Handelszwecke (Hüllmann: Gesch. d. byzant. Handels, p. 79;
Horváth: Ipar és keresk. tört. p. 189). Nach Einigen benutzte er die
Märkte als ersten Ausgangspunkt für eine gewisse Verkehrssteuer, indem
die Handelsleute nach den daselbst verkauften Waaren eine gewisse Zollgebühr leisten mussten.

Gesetzen treffen wir das erste Ausfuhrverbot an: „nullus mercator eqyum aut bovem vendere vel emere praesumat, sed equum solum ad expeditionem necessarium aut boves ad arandum aptos si voluerit emat" etc.; es wurden zu diesem Zwecke besondere „Comites confiniorum" aufgestellt und so erhielt das Zollsystem seine erste Grundlage. — Die Zehnten wurden herabgesetzt und die mit der Steuereinnahme betrauten Pristalden angewiesen: „interroget possessorem, quantum habeat, et si crediderit verbis illius accipiat secundum hoc quod dixit, si vero non crediderit, faciat illum jurare." — König Koloman beschränkte wieder das Eigenthumsrecht und die freie Verfügung über dasselbe; andererseits stellte er Acquisitionen ganz in das Belieben des Erwerbenden. Die Zehnten erhielten unter ihm wieder eine grössere Ausdehnung; den Sclavenhandel verbot er, so auch den Export von Pferden. Der Handelsmann wurde ganz im patrsitischen Sinne überall dem Ackerbauer und Gewerbetreibenden nachgesetzt; Ersterer musste grössere Steuern zahlen; war er ein Jude und trieb er Handel mit einem Christen, so war er einer strengen, staatlichen Inspection unterworfen; in demselben Sinne lautet auch das Decr. II. 13, wo es heisst: Si quis die festo vendiderit pretium acceptum quadruplo restituat, ipse vero poenitentiae subjaceat etc." Andererseits blieb Koloman's Regierung doch nicht ohne Einfluss auf die Ausbreitung des ungarischen Handels, indem er die Grenzen des Reiches durch Unterwerfung Dalmatiens bis an das adriatische Meer ausdehnte. — Unter der Regierung Geiza II. und Emerichs liessen sich in Siebenbürgen und in einigen Gegenden Ungarns die Sachsen oder Flanderer nieder, welche die Gewerbe hoben, durch ihren Fleiss das Aufblühen der Städte beförderten, den Bergbau erfolgreich begannen und im Allgemeinen der realistischern Weltansicht in Ungarn Vorschub leisteten. Die Zünfte erhoben sich zu einer höhern Bedeutung und der dritte Stand erhielt in jenen Tagen die allerersten Grundlagen zu seinem spätern staatlichen Einflusse. — Béla III. organisirte die Schatzkammer; ferner löste er die abgenutzten Scheidemünzen sehr oft ein, wobei nicht nur immer der Schlagschatz, sondern auch noch ein sogenannter Cameralgewinn gezahlt werden musste. — Von ungemeinem Einflusse auf das ganze öffentliche Leben war die „Goldene Bulle" Andreas II.

Der 4. Art. derselben regelt die Besitzverhältnisse, befreit die adeligen Güter von den alten Erb-Beschränkungen und sichert das Recht der letztwilligen Verfügung. Art. 20 gestattet die Bezahlung der Zehnten in Naturalien, verbietet aber die Einlösung derselben durch Geld; [14] andere Art. beziehen sich auf das Steuer-, Geld- und Regalienwesen; im 26. Art. heisst es, dass liegende Güter niemals an Ausländer verkauft werden dürfen; sollte aber ein solcher Verkauf schon stattgefunden haben, dann müssen die Güter wieder zurückgestellt oder zurückgekauft werden; der 16. Art. verbietet es, fernerhin ganze Comitate als Privatbesitz und Lehen zu verschenken. Welch' unruhige Verhältnisse und Missbräuche mussten in einem Lande anzutreffen sein, wo solche Gesetze gegeben werden! [15] — Béla IV. ertheilte zahlreiche Privilegien an die Städte und den Handel und beförderte den Verkehr, indem er rationellere Zolltarife festsetzte und die Gewerbe und Manufacturen thatkräftig unterstützte. — Ladislaus der Kumanier und Stefan V. thaten nur wenig zur Hebung der materiellen Interessen. Andreas III. hingegen berief schon die Handels- und Gewerbeklasse in den Reichstag, sicherte den ausländischen Handelsleuten einen freiern Spielraum und verwandte auf die Entwickelung der Schifffahrt grosse Sorgfalt.

Halten wir nun eine kurze Rückschau über alles das, was unter den Königen aus dem Hause Árpád in volkswirthschaftlicher Beziehung geleistet worden, so werden wir finden, dass einzelne Könige mit Liebe und Verständniss die Beförderung der materiellen Interessen angestrebt; doch konnten ihre Gesetze und Institutionen wegen der unentwickelten Volkskräfte, der Lückenhaftigkeit des Regierungs- und Verwaltungssystemes, der ausschliesslichen Herrschaft der Naturalwirthschaft, der Privilegien des Adels und der Unordnung im Staatshaushalte nur zu sehr

<hr>

[14] Sehr richtig bemerkt M a t l e k o v i c s: „Das wird uns vielleicht heute als eine verkehrte Einrichtung erscheinen; doch wenn man bedenkt, dass in jenen Zeiten das Geld eine seltene Erscheinung war und der Ueberfluss an Producten die Bezahlung der Zehnten in Naturalien zu einer bequemen Steuerart machte, dann werden wir erst im Stande sein die Verordnung zu würdigen, und wir werden uns überzeugen, dass die Principien der Nationalökonomie in abstractem Sinne nicht überall angewendet werden können. (Magyarország törvényei nemzetgazdasági tekintetben" p. 11—12.)

[15] Den lateinischen und ungarischen Text der Goldenen Bulle siehe bei T o l d y: Sylloge Legum Hungariae 1861. p. 6—23.

'geringen Resultaten führen, so dass der volkswirthschaftliche Entwickelungsgang Ungarns ein langsamerer ist, als dies in Folge seines
politischen Zustandes für seine Interessen wünschenswerth war. [16]

IV. Von dem Regierungsantritte der Könige aus dem Hause
Anjou bis zur Schlacht bei Mohács hatte sich Ungarn zweimal zu
einer Höhe emporgeschwungen, die den Gipfelpunkt seiner Macht,
seiner Cultur und seines Glanzes bildete, bald aber, namentlich
unter dem Regimente Sigismunds und der Jagellonen, war es wieder
in die Reihe eines europäischen Staates mindern Ranges herabge-
kommen. Demgemäss hat sich auch das volkswirthschaftliche Leben
mächtig emporgehoben, die Harmonie der volkswirthschaftlichen
und politischen Interessen verschaffte sich von Tag zu Tag grössere Geltung, und durch die Annäherung an fremde, fortgeschrit-
tene Staaten lernte man auch in Ungarn die Nothwendigkeit
neuerer und heilsamer Institutionen kennen. Aber auch in diesem
Zeitabschnitte stehen uns keine andern Quellen als die Landesgesetze und königlichen Verordnungen zu Gebote, der wir unsere
folgende Skizze entlehnen.

Den grössten Theil während des 14. Jahrhundertes hindurch
sassen Könige aus dem Hause Anjou [17] auf dem ungarischen
Throne. Die gesunkene Autorität des Königs wieder herzustellen
und Ungarn zu einem mächtigen, in der Reihe der europäischen
Staaten zu einem massgebenden Lande zu erheben, war das wich-
tigste Ziel, das sie zu erreichen gesucht. Es ist nur eine natürliche
Folge hiervon, wenn sie die Entwickelung der Volkswirthschaft
nicht aus den Augen verloren und eifrig bestrebt waren, den
Staatshaushalt auf eine bessere Basis zu stellen. Dieses Streben
trug auch bald reichliche Früchte. Handel, Gewerbe und Ackerbau nahmen schnell einen mächtigen Aufschwung; vernachlässigte
Erwerbsquellen fingen an reichlich zu fliessen; Bergbau, Schifffahrt,
der internationale Verkehr und das Communicationssystem hoben
sich zusehends; die Schatzkammer füllte sich allmälig und

---

[16] Zum Zwecke der Bereicherung der Schatzkammer hatten die Könige — besonders Béla III. und Andreas II. — schlechte Münzen in Verkehr gebracht und eine unter dem Namen „lucrum camerae" bekannte
Steuer eingeführt, die oft einer Grundsteuer glich. Vergl. Fessler: II. 211 ff;
753 ff; Csengery: Budapesti Szemle XII. B. p. 35—41.

[17] Eine in vielen Beziehungen classische Arbeit über das Zeitalter
der Anjou's lieferte Josef Vass in der Budapesti Szemle XII. B. p. 1—65;
241—302. Vergl. auch Fessler: III. Band.

befähigte Ludwig, einen der glänzendsten Plätze in der Reihe der Souveräne Europas einzunehmen.

Wie stand es nun mit den volkswirthschaftlichen Ideen?

Vor Allem ist die erfreuliche Thatsache zu constatiren, dass das Loos der Bauernklasse und die sociale Stellung der Unterthanen dadurch eine Verbesserung erhielt, indem Vielen das Recht der Freizügigkeit ertheilt und die fast unerträglich gewordene Macht der Herren eingeschränkt wurde. Wie in dem übrigen Europa aber, wo die Bürgerklasse vor dem mächtig gewordenen Adel beim Könige Schutz suchte, der sich ebenfalls bedroht sah, mussten die Bauern auch in Ungarn für den ihnen gewährten Schutz neue Steuern zahlen und die Neunten entrichten, so dass sie financiell einbüssten, was sie sociell gewonnen hatten. Die Gewerbe und Manufacturen hingegen erfreuten sich von Seiten der Anjous der wärmsten Pflege; sowohl Karl Robert als auch Ludwig der Grosse liessen den Städten und ihren bürgerlichen Bewohnern einen mächtigen Schutz angedeihen, eine Folge hiervon ist der den italienischen und deutschen Städten ähnliche municipale Entwickelungsgang vieler ungarischer Städte; Ludwig regelte 1376 das Zunftwesen, so dass dieses nun wenigstens nach einzelnen Richtungen hin auf die Entwickelung des bürgerlichen Lebens und des Gemeingeistes wohlthätig einwirkte. — Den mittelalterlichen Ansichten vollkommen entsprechend war es, wenn die Könige aus dem Hause Anjou die verschiedensten Statute erliessen, um den Verkehr der Gewerbetreibenden und Industriellen zu regeln und ihn in gewisse Formalitäten zu zwängen. Durch Privilegien, welche man den Städten verlieh, suchte man den innern Handel auf eine höhere Stufe zu bringen, während man durch Verträge mit fremden Nationen den Handel nach aussen hin beförderte. Der Reichstag von 1351 hob alle Zölle auf, mit Ausnahme des Brücken-, Ufer- und Thorzolles; im Allgemeinen hatte sich das Princip einer freien Communication Bahn gebrochen, und wie sehr man die Vermehrung und das intensive Anwachsen der Bevölkerung für erwünscht hielt, beweist am besten der oft vorkommende Ausdruck: „propter ampliationem civitatis et augmentationem populi", wo es sich um die Bedingungen zur Hebung und Blüthe der Städte handelt. Güter und Grundstücke wurden für ein baares Darlehen

oft gänzlich als Pfand hingegeben und wurde die Zeit versäumt,
wo das Pfand hätte ausgelöst werden sollen, so wuchs die Schuld
um das Doppelte ihrer ursprünglichen Grösse, oder das Pfand
ging ohne irgend eine richterliche Vermittelung direct in das
Eigenthum des Gläubigers über. Dass Zinsen gezahlt worden
wären, darüber findet sich in den auf uns gekommenen Verträgen
aus jener Zeit nichts erwähnt. In Bezug auf den Staatshaushalt
kann Ungarn unter der Regierung der Anjous füglich in die Reihe
jener ersten Staaten gezählt werden, die sich einer innerlich
zusammenhängenden Finanzorganisation erfreuten; der Bergbau
wurde einer bisher ungekannten Entwickelung entgegengeführt,
das Salzregale auf eine bessere Basis gestellt; gesündere Principien
der Gewinnung und Benutzung der Edelmetalle, die diesbezüglichen Rechte der Krone wurden festgesetzt; ferner theilte man
das Land in Kameralbezirke (camerae comitatus), denen je ein
Kameralgraf vorstand. Karl und Ludwig brachten, in Folge der
vielfachen Klagen von Seiten des Reichstages, bessere Münzen in
den Verkehr, regelten die Manipulirung und Prägung der Münzen
und stellten besondere Einlöseümter für schlechte und falsche
Münzsorten auf. Nach Fessler (Geschichte der Ungarn, III. B.
p. 659) war Karl Robert der erste ungarische König, welcher den
Münzfuss in einem allgemein giltigen Gesetze feststellte. Andererseits hatten derselbe König und sein Nachfolger den ordentlichen Quellen zur Bereicherung der Schatzkammer keine kleine
Sorgfalt zugewendet, die Regalien erhielten eine breitere Basis,
das Lucrum Camerae wurde eine wahre, regelmässige öffentliche
Steuer; Zoll- und Dreissigstgebühren, reoccupirte Staatsgüter,
Intercalareinkünfte aus unbesetzten geistlichen Aemtern und
vorzüglich der Erwerb aus neueingeführten Steuern (Accisen
u. s. w.) wurden zu diesem Zwecke verwendet. Wer die Steuern
verweigerte, erlitt Execution. Dabei nahmen Reichthum und
Wohlstand überall zu, Alles blühte und gedieh, ein beglückender
Segen ruhte auf dem Lande und der königliche Hof war voll
Licht und Glanz, denn die Könige verstanden es, „die strengste
Sparsamkeit mit königlicher Freigebigkeit zu einigen".

Nach den Anjous kam das Haus Luxemburg in den Besitz
des ungarischen Thrones. Die Zeit seiner Regierung ist nicht mit
goldenen Lettern in die ungarische Geschichte eingetragen, aber

in volkswirthschaftlicher Beziehung hat es doch manches Erwähnenswerthe geleistet. Ein Decret Sigismunds — der übrigens vom Wirthschaften blutwenig verstund — vom Jahre 1405 enthält eine ganze Reihe für die volkswirthschaftliche Entwickelung hochwichtiger Beschlüsse. Einige Artikel dieses Decretes bezwecken die Hebung des innern Handels und das Fernhalten ausländischer Handelsleute vom Lande; Art. 17 setzt die von in- oder exportirten Waaren zu leistenden Dreissigstgebühren als eine bedeutende Staatseinnahmenquelle fest; Art. 15 und 21 verbieten bei Strafe der Confiscirung die Ausfuhr von Edelmetall; [18] Art. 18 und 19 verbieten das Beschneiden der geprägten Münzen und befehlen die Annahme des in Umsatz gebrachten Geldes (also ein Zwangscurs auf Metallgeld). Im Interesse der Bereicherung der Schatzkammer wird der Import ausländischen Salzes verboten und während Art. 10 alle Staatsangehörigen zur Bezahluug der k. Collecten zwingt, bringen andere wieder die Gleichheit der Masse, die Unverletzlichkeit der Stadtbürger u. s. w. zum Ausdrucke. — Um diese Zeit endlich wurden bei den Dreissigstämtern Revisionen, Stempel und eine strengere Ueberwachung eingeführt, damit das Interesse des Fiscus weniger gefährdet werde. [19]

Die Regierung Albrechts ist in volkswirthschaftlicher Beziehung nur insoferne von Interesse, als auch er fremde Handelsleute vom ungarischen Markte fernzuhalten bestrebt war, die Prägung eines vollwerthigern Geldes anordnete, seinen Werth bestimmte, die Einfuhr von Salz und Geld, so auch die Veräusserung von Krongütern unter allen Umständen verbot. Der 1444er Reichstag schied bestimmt das Einkommen des Königs von dem des Staates, während viele Gesetze vom 1445er Reichstage deutlich den Beweis liefern, dass man in Ungarn zu begreifen anfing, wie nothwendig es sei, Gewerbe und Handel auf eine breitere Basis zu fundiren, den Verkehr mit dem Auslande zu erleichtern und auf dem Gebiete der Volkswirthschaft im Allgemeinen mehr Freiheit in der Bewegung zu gestatten. In derselben Richtung war auch der Reichstag unter der Regentschaft Johann Hunyadi's thätig, wenn

[18] Das ist das erstemal, dass sich in der ungar. Gesetzgebung mercantilistische Principien eine Geltung verschaffen.
[19] Ueber die Zinsenregelung zwischen Juden und Christen in jener Zeit siehe S c h w a r t n e r: Statistik I. p. 148.

2*

man noch das Verbot hinzugibt, falsche und schlechte Münzen in
Umsatz zu bringen und ausländische zu importiren. In Mathias Corvinus war der ungarischen Nation, nach
einem fast 80jährigen Dahinsiechen unter den Luxenburgern, ein
mächtiger, talentvoller, für alles Grosse und Edle begeisterter König
erstanden, der eine neue Aera des staatlichen, materiellen und
Culturlebens begründete, und unter dessen glanzvoller Regierung
alle Zweige der öffentlichen Verhältnisse einem ungeahnten Aufblühen entgegengingen. Leider aber haben wie nach den Anjous
die Luxemburger, nach Mathias die schwachen Jagellonen das
Land vom Glanze in die Finsterniss, von der Blüthe zum Siechthume geführt.

Im Auslande erzogen und mit dem Geiste der modernen,
anti-aristarchischen Regierungsprincipien der fortgeschritteneren
europäischen Dynastien wohl vertraut, suchte er, zur Regierung
gelangt, Ungarn auf das Niveau eines modernen Staates zu stellen,
weshalb er die Bevorzugung und Begünstigung des städtischen
Elements, die Befestigung des Staatshaushaltes und der Einnahmsquellen, dann die Reorganisation der Staats- und Gerichtsver-
waltung zu den leitenden Principien seiner Herrscherthätigkeit
machte. [20]

Wir müssten uns in eine wiederholende Aufführung des
schon früher Gesagten einlassen, wollten wir nur annähernd die
volkswirthschaftliche Thätigkeit des grossen Königs skizziren.
Diese wird genug charakterisirt, wenn wir erwähnen, dass Mathias
das Princip aussprach, nur evidente Schuldner sollen durch persönliche Haft zur Bezahlung ihrer Schuld gezwungen werden
können, eine Einrichtung, die als der Anfangspunkt eines Wechsel-
oder Handelsgerichtes gelten kann. Der 32 : 1486 verbietet, Vene-
tianern und Polen Güter zu verkaufen; auch soll Mathias mit der
Idee einer Verbindung der Donau und der Theiss umgegangen sein.

[20] In seinen Urkunden heisst es: „Ex debito nostri regii regiminis
officio tenemur ad ea nostrae mentis aciem dirigere, unde et quibus Regno
et Regnicolis nostris commoda et utilitates provenire conseverunt, ut
iidem ex inde locupletati, fortuna et divitiis possint abundare." — Wir
können mit Recht behaupten, dass Mathias demzufolge nicht nur der erste
und gösste Nationalökonom Ungarns in den Tagen vor dem Széchenyi-
schen Zeitalter, sondern auch insofern der grösste europäische Monarch
der Renaissancezeit war, als er der Einzige gewesen, der die national-
ökonomischen Interessen und Aufgaben von einem so hohen Standpunkte
aus aufgefasst hatte.

Zur Bereicherung des Fiscus wurde eine besondere Fiscussteuer eingeführt, von der nur die wahren Adeligen und Geistlichen befreit waren; die Dreissigstgebühren wurden in Kronzölle umgewandelt; so erhielt das Princip der Gleichbelastung und der Steuerallgemeinheit wenigstens insoferne eine weitere Anerkennung, als auch die bisher befreit gewesenen städtischen und bürgerlichen Elemente in dasselbe mit hineingezogen wurden. Andererseits war der durch den wahrhaft königlichen Staat und unermessliche Kriegskosten immer tiefer in Schulden gerathende König gezwungen, ausser den ordentlichen Steuern auch noch Subsidien in Anspruch zu nehmen, welche grösstentheils der Adel zu leisten hatte, der sich gegen dieselben auf den Reichstagen auch mehr wie einmal mürrisch erhob. Sehr oft mussten auch Comitatscassen zur Deckung des Staatshaushaltes herhalten und nicht immer hatte der dem Absolutismus sehr zugeneigte Fürst die ihm votirten Summen zu den vorgeschriebenen Zwecken verwendet. Das überstieg das Mass der reichstäglichen Geduld und 1490 brachte der Reichstag den hochwichtigen Beschluss, dass der König in Geldangelegenheiten ohne Wissen und Zustimmung des hohen Adels nichts verändern könne. Durch die Linderung des Leibeigenenloses und die Beschränkung der Herrengewalt gelang es Mathias die Liebe, ja die Vergötterung von Seiten der untern Volksschichten sich in dem Masse zu gewinnen, dass sein Andenken, als das des Gerechtesten, unverlöschbar in dem Munde der spätesten Enkel leben wird.

Wären nach Mathias ihm ebenbürtige Fürsten gefolgt, wie anders hätte sich da nicht das öffentliche Leben in Ungarn entfaltet; aber nach der Periode des höchsten Glanzes folgte die der grössten Finsterniss, auf die Blüthe der staatlichen Entwickelung folgte der Verfall, auf Mathias folgten die Jagellonen. Die Ohnmächtigkeit der Könige, die Zügellosigkeit des Adels, der bittere Krieg im innern Volksleben, jeder Mangel an echter Vaterlandsliebe, das Alles wirkte zusammen, um Ungarn nahe an den Abgrund des Unterganges und der politischen Abhängigkeit zu schleudern. Und wenn auch hie und da eine hochwichtige und an und für sich gute, volkswirthschaftliche Einrichtung getroffen wurde, so konnte sie doch, von siechen und faulen Verhältnissen umgeben, nicht zur heilsamen Blüthe gelangen, so dass Alles fruchtlos, ja fast schädlich war, was unter gesunden Umständen fruchtbar und heilsam hätte sein können.

Der Mercantilismus erhielt in den ungarischen Gesetzen einen klaren Ausdruck; der Export von Edelmetallen, Pferden und Hornvieh wurde strengstens verboten [21]; hingegen erfreute sich der inländische Handel einer freieren Bewegung, wie je zuvor. Fremde Handelsleute wurden vom Lande ferngehalten; nur auf einzelnen Plätzen und an den Grenzen durfte ein Waarenaustausch mit ihnen stattfinden; für exportirte Waaren mussten die Ausländer den Zoll erlegen. Die Dreissigstgebühren wurden in Landesgrenzzölle umgewandelt, während andere Zollabgaben entweder ganz aufgehoben oder doch vermindert worden sind. Der 17: 1504 behandelt die Gleichheit der Masse und sagt, der Preis der Güter werde durch den Ueberfluss oder die Seltenheit der zu verkaufenden und kaufenden Gegenstände bestimmt. Auch in Bezug auf die Sicherheit der Freiheit der Person wurden einige bedeutende Gesetze gebracht, und man beschloss, die Städte und ihre Bewohner wie die übrigen Stände in ihren Rechten und Freiheiten unverletzt zu belassen. Besondere Sorgfalt wurde dem Bergbau zugewendet, man zeigte das lebhafteste Streben, denselben zu fördern und zu heben, der Betrieb desselben wurde Jedem freigestellt, und aus dem Auslande holte man tüchtige Arbeiter herbei, die man mit besondern Vorrechten ausstattete. Das Geldwesen wurde gesetzlich geregelt und unter den constitutionellen Einfluss der Legislative gebracht. — Für die Zerfahrenheit der volkswirthschaftlichen Zustände sprechen übrigens die vielfachen Warnungen gegen Geldfälscher und gegen den Handel mit alten, entwertheten Münzen; auch meinte man noch das volkswirthschaftliche Leben in seiner freien Entwickelung durch Staatsgesetze und Verordnungen regeln zu können, ein Umstand, der sich durch eine Handelskrisis und eine Gelddevalvation bitter rächte.

Durch eine schlechte und nachlässige Finanzverwaltung wurde der Staat zu Anlehensoperationen (!) gezwungen, wobei er Zölle, Krongüter, Steuern, Bergwerke verpfändete und dadurch den politischen und financiellen Bankerott herbeiführte.

[21] Viele Gesetze bezwecken geradezu die Verbesserung der Handelsbilanz für Ungarn.

Von weittragender Bedeutung war es, wenn der 1 : 1504 festsetzte,
dass ausser dem Reichstage Niemand der Regierung Steuern oder
Subsidien votiren dürfe; trotzdem geizten die Reichstage aber
doch nicht, wenn es zum Steuervotiren kam und der 1521er
Reichstag besteuerte sogar die Adeligen.

In diese Zeit fällt der ungarische Bauernkrieg, dessen Ende
für das volkswirthschaftliche Leben insoferne von Wichtigkeit ist,
als es die Bauernklasse wieder jener wenigen Rechte beraubte, die
sie sich unter den Anjous und Mathias erworben, dem Streben nach
Unabhängigkeit und Freiheit folgte die Tyrannei der Herren und
die Willkür des Adels. Der Bauer wurde wieder an die Scholle
gebunden, seine Freizügigkeit verlor er, aber seine Lasten wurden
noch erschwert, während man ihm alle staatlichen Rechte entzog.
Es war nur eine natürliche Folge hiervon, wenn der Ackerbau
wieder in Verfall gerieth, wenn der Same der Zwietracht zwischen
den einzelnen Staatselementen zur Lockerung der Verhältnisse, zu
ewigen Reibungen und Zwistigkeiten nach innen und zu gänzlicher
Entnervung und Schwächung nach aussen hin führte.

ZWEITES KAPITEL.

Die volkswirthschaftlichen Ideen in der vaterländischen Gesetzgebung und in den ersten Anklängen der
Literatur, von der Thronbesteigung der Habsburger
bis zum Anfange des 18. Jahrhunderts. — I. Die volkswirthschaftlichen Ideen und Richtungen in den Gesetzen des 16. und 17. Jahrhunderts. — II. Die ersten Anklänge der politischen Literatur und die in
ihnen zum Ausdrucke gelangten volkswirthschaftlichen Ansichten. —
III. Rückblick auf die Ideenentwickelung in diesem Zeitraume.

I. Es war ein trauriger Zustand, welcher sich nach dem Un-
glückstage bei Mohács in Ungarn dem Beschauer darbot. Siebenbürgen war dem Schwesterlande untreu geworden, die Türken
hatten sich im Herzen des Landes festgesetzt und nach allen Richtungen hin ihre verheerenden Blutarme ausgestreckt; schon begann
die religiöse Reformation die Nation in neue Parteien zu spalten
und der im übrigen Europa sich breitmachende Absolutismus
verfehlte nicht, seinen eigennützigen Principien auch in Ungarn
bittere Geltung zu verschaffen. Es war unter diesen Umständen
fast unmöglich aus dem Verfalle herauszukommen, zumal als das

der Entwickelung am meisten fähige Element, der Ackerbau treibende Theil der Bevölkerung, noch immer unter dem hemmenden Joche der aristokratisch-feudalen Institutionen von 1514 litt und beim geringsten Aufschwunge, den es zu nehmen suchte, wieder niedergedrückt wurde.

Wie sollte da die Gesetzgebung ihre Aufmerksamkeit den materiellen Interessen, der Beförderung volkswirthschaftlicher Ideen zuwenden, wo man die staatliche Unabhängigkeit zu vertheidigen hatte, wo religiöse Zerklüftungen Aller Sinne in Anspruch nahmen? Die Staatskassen stunden fast leer, während das gedrückte Volk seinen Steuerverpflichtungen nicht nachkommen konnte, und hatte man schon ein heilsames Gesetz gebracht, so fehlten alle Mittel, um es heilsam und erfolgreich zu effectuiren, und hatte man auch die Lebensfähigkeit eines neuen Principes erkannt, so fehlten doch die günstigen Verhältnisse, unter denen sich diese Lebensfähigkeit hätte bewähren können. So lag Ungarn noch tief in den mittelalterlichen Banden gefangen, während andere europäische Staaten gerade in Bezug auf ihre materiellen Interessen mit Riesenschritten vorwärts kamen und die Fesseln des Mittelalters mit Macht von sich abstreiften.

Nebstbei hatte Ungarn noch seine staatliche Unabhängigkeit verloren; um sich von den Türken zu befreien, warf es sich den Habsburgern in die Arme. So wurde es zu einer Provinz des österreichischen Staates degradirt, dessen Centralregierung wahrlich nicht immer die nationalen Interessen Ungarns vor Augen schweben hatte. Vielmehr wurde Ungarn durch den Verband mit den übrigen österreichischen Kronländern mit allen jenen Fehlern und Gebrechen behaftet, mit denen man diesseits der Leitha die Finanzen zu regeln und den Staatshaushalt zu leiten von jeher gewohnt gewesen. Ja noch mehr, Ungarn musste es sich von der Handels- und Zollpolitik Oesterreichs gefallen lassen, dass man seine Interessen zu Gunsten der andern Kronländer schmälerte und gefährdete. [1]

Kann es uns da Wunder nehmen, wenn in Ungarn sowohl in der Theorie als auch in der Praxis kein einziger Fachmann aufstand, um den volkswirthschaftlichen Ideen eine neue Richtung

---

[1] Vergleiche hierüber F e s s l e r: Geschichte VIII. B. p. 5—250.

zu geben, wenn Alles in seinen verrosteten Verhältnissen blieb,
während in England und Frankreich, in Italien und Holland, in
Spanien und Deutschland mächtige Vorkämpfer und Beförderer
der Neuzeit das Rad der volkswirthschaftlichen Ideenentwickelung
aus seinen alten Geleisen herausrissen und es auf einer lichtern,
ebenern Bahn zum Rollen brachten?

Doch, wenn wir dies Alles auch anerkennen, so dürfen wir
hierbei nicht verschweigen, dass Regierung und Gesetzgebung
keinen einzigen Zweig der Volkswirthschaft unberücksichtigt
liessen, und wenn auch ihre Bestrebungen nicht auf dem Niveau
der damals modernern Ansichten stunden und auch nicht von glänzenden Erfolgen gekrönt waren, so beweisen sie doch, dass man
von der Wichtigkeit der materiellen Interessen und der Wechselwirkung zwischen ihnen und dem allgemeinen öffentlichen Staatsleben vollauf durchdrungen war.

Von den Grundprincipien der Nationalökonomie hatte man
noch keine klare Ansicht gewonnen; der echte Erwerbstrieb und
der industrielle Geist waren nicht nur nicht entwickelt, sondern
befanden sich fast noch ganz in den Kinderschuhen, und während
anderswo in Europa sich ein systematischer Organismus der volkswirthschaftlichen Ideen zusammenfügte, blieb in Ungarn Alles
nur ein Aggregat, ein Nebeneinander ohne organischen Zusammenhang; deshalb ist es möglich, dass die Legislative in kurzer Zeit-
folge principiell entgegengesetzte Verordnungen trifft. Selbst der
Mercantilismus, der als System fast das ganze übrige Westeuropa
beherrschte, konnte in Ungarn nicht so ausschliesslich zur Geltung
gelangen, einmal weil das zähe Festhalten an dem Constitutionalismus das mercantilistische Bevormundungssystem nie zur Blüthe
kommen liess, zweitens weil Gewerbe und Fabriksindustrie sammt
dem Handel nur eine geringe Stufe der Entwickelung erreicht
hatten, und endlich drittens, weil es den Ungarn an solch' bedeutenden Staatsmännern und Nationalökonomen fehlte, wie Colbert,
Cromwell u. A., die durch ihre Autorität dem durch sie vertretenen
Systeme auch Ansehen zu verschaffen wussten.

Auch die Habsburger waren eifrigst bestrebt, durch mög-
lichste Unterstützung der bürgerlichen, gewerbetreibenden Klasse
den mächtig und fast unbezähmbar gewordenen Adel zu schwächen.
Das ungarische Staatsrecht hat aus jener Zeit eine ganze Reihe

von Gesetzartikeln aufzuweisen, welche alle die Befestigung des socialen Ansehens der Gewerbetreibenden und Industriellen bezwecken. [2] Bezüglich des damals in höchster Blüthe stehenden Zunftwesens verordnete die Legislative, dass dem Monopole der Zunftmeister gegenüber in der Zukunft die C o m i t a t s b e h ö r d e den Preis der Manufacturen bestimmen soll, also eine wahre Preislimitation! Bemerkenswerth ist es, dass die Zünfte seit dem Anfange des 17. Jahrhunderts immer mehr einander beneideten und anfeindeten, dass sie ausser ihren socialen Vortheilen auch noch immer sonstige Monopole und Privilegien von der Regierung erlangen wollten, welche aber, klug genug, dieselben stets verweigerte.

Durch den Verband Ungarns mit den übrigen Ländern der österreichischen Monarchie musste in der Handels- und Zollpolitik eine Wendung eintreten, und es ist interessant zu bemerken, welche Schwankungen dieselbe durchgemacht, wie bald — und das besonders an der österreichischen, polnischen und mährischen Grenze — das Princip des Verbotes und der Beschränkung, bald das des freien Austausches die Uebermacht erhielt; auch fühlte man die Nothwendigkeit eines Handelsvertrages zwischen den beiden Hälften der Monarchie schon ganz lebendig. Eigenthümlich ist es, dass es Inländern verboten war, Wein zu Handelszwecken auszuführen, während Ausländer im Inlande Wein nach Belieben kaufen und ihn auch über die Grenze bringen konnten, wenn sie nur die Dreissigstgebühr erlegten. Der Producent zahlte nämlich diese Gebühr nicht, weshalb man bestrebt war, sich dieselbe vom ausländischen Consumenten ersetzen zu lassen. Im Z o l l w e s e n hat sich trotz der mehrfachen Organisation, die es erfahren, nichts gebessert, als höchstens die Technik desselben. Mehrfach schon hört man im Reichstage die Klage aussprechen, dass die Erhöhung des Zolles der Regel nach eine Verminderung des Handels, eine Stockung des Verkehrs im Gefolge hat. Selbst reichstägliche Commissionen wurden zur Regelung dieser Angelegenheit entsendet, sie konnten aber nur wenige Erfolge ernten.

In der Mitte des 16. Jahrhunderts begegnen wir mehreren

<hr>

[2] Vergleiche M i c h a e l H o r v á t h : „Az ipar- és kereskedelem története az utóbbi három század alatt." Pest 1840, p. 23—28, und in Bezug auf die frühern Jahrhunderte den II. Band der Akad. tört. pályamunkák p. 248—258 und 279—280.

einschlägigen Gesetzen, welche den Zöllnern befehlen, ein besonders wachsames Auge auf die a u s l ä n d i s c h e n Handelsleute zu haben, damit diese ihre Zölle gehörig bezahlen; übrigens aber wurde den Letztern im Handel freier Spielraum gewährt, ja man versprach ihnen sogar, sie gegen Wegelagerer und Räuber zu schützen. [3] Im ungarischen Küstenland, von dem ein Theil im Besitze der Familie Zrinyi war, wurde eine sehr freie Zollpolitik befolgt; weshalb hier ein starker Export von Rohproducten und eine lebhafte Einfuhr von Industrieproducten stattfand. Dies erklärt auch, warum einzelne Reichstagsbeschlüsse direct das ungestörte Aufrechtbestehen der Rechte jener Familie anstreben. Die ersten Gesetze auf dem Gebiete des Communicationswesens, welche in diese Zeit fallen, bezwecken die Beseitigung der Hindernisse, welche der Schifffahrt entgegenstanden; es wurden Commissionen behufs Regulirung der Ströme entsendet, ja es wurden sogar schon Anstalten getroffen, um den Verheerungen der Theissfluthen vorzubeugen.

Nicht weniger Aufmerksamkeit wurde der Regelung der Geld- und Tauschmittel zugewendet. Vor Allem war man bestrebt, Ungarn mit einem unentwertheten Verkehrsmittel zu versehen. So wurde unter Anderem festgesetzt, dass die Prägung des Geldes einem Andern sicherer überlassen werden könne, als dem Könige, dass ein dem Gesetze entsprechendes vollwichtiges und vollwerthiges Geld geprägt werde, dass dieses Geld auch in den österreichischen Ländern ohne Abzug cursire, und dass fremde Münze im Lande entweder gar nicht, oder doch nur auf ihren wahren Werth reducirt im Verkehre bleibe. Viele Gesetze beschliessen in mercantilistischer Anwandlung das Ausfuhrverbot von Gold und Silber und verordnen, dass Scheidemünze in g e n ü g e n d e r Q u a n t i t ä t, nicht aber gar zu gehaltlos geprägt werde. Endlich können wir es uns nicht versagen, hier noch eine wichtige Stelle aus dem 144: 1647 anzuführen, dieselbe lautet: a d j u s t u m i n t e r e s s e, s e x p e r c e n t u m c o m p u t a n d o, tam debitores sese obligare, quam creditores exigere deinceps possent.

[3] Der ungarische Adel brauchte keine Zölle zu zahlen; auch war er wie die Bewohner der k. Freistädte und Bergstädte von der Dreissigstgebühr befreit, wenn er zu eigenem Gebrauche Waaren aus dem Auslande einführte; wenn die Adeligen aber Handel trieben, so mussten auch sie diese Gebühr erlegen.

Von der Wichtigkeit eines selbständigen, nationalen Finanzwesens durchdrungen, wurde von Seiten der Reichstage schon
gleich im Anfange der Habsburgischen Periode die Organisation
eines u n g a r i s c h e n Schatzkammeramtes angestrebt, dessen
Aufgabe es sei, die ungarischen Steuern, die öffentlichen Einnahmen und Krongüter zu verwalten; andere Gesetze sichern der
Legislative die Mitthätigkeit bei der Regelung und Verwaltung
jedes wichtigern Finanzzweiges. Aber die Wiener Finanz-Cen-
tralbehörden fanden doch oft Gelegenheit, die k. ung. Kammer
von sich abhängig zu machen und sie in eine untergeordnete
Stellung zu bringen, welchem Umstande man in Ungarn durch
die Ernennung eines besondern Schatzkämmerers und besonderer
Schatzkammer-Beamteten abhelfen wollte, was aber trotzdem
nicht zum erwünschten Ziele führte.

Das Einkommen des Landes blieb dasselbe wie in der
vorigen Periode; betreffend die Güter der Krone verbieten einige
Gesetze deren Veräusserung, andere bestimmen sie zum Zwecke
von Schenkungen für erworbene Verdienste. Der Bergbau erfreute
sich ebenfalls einer grossen Sorgfalt von Seiten der Nation sowohl,
als auch von Seiten der Krone. Der 1545er Reichstag richtete eine
Adresse an den Monarchen die Reform des Montanwesens betreffend, mehre Reichstage tadeln geradezu die Verpfändung von
Bergwerken, 1573 erliess Kaiser Maximilian seine Bergwerks-
ordnung; im Ganzen genommen hatte aber das Bergwerksregal
des Königs nur insoferne eine Einschränkung erlitten, als auch
Private bei Entrichtung der Bergwerkssteuer auf ihrem eigenen
Boden frei schürfen konnten.

Das wichtige Gesetz von 1504 wurde auch in dieser Periode
aufrechterhalten; übrigens aber behielt das ganze Steuerwesen
noch seinen mittelalterlichen Zuschnitt bei; und die in Folge
innerer Unruhen und Erpressungen von Seiten der Türken
erschöpften Volkskräfte machten es andererseits wieder dem
Staate unmöglich, den politischen, volkswirthschaftlichen oder
socialen Interessen einen solchen Beistand zu leisten, wie dies
wünschenswerth und nöthig gewesen wäre. [*]

[*] Es ist kein volkswirthschaftlich gleichgiltiges Moment, wenn wir
hier noch erwähnen, dass die Ungarn niemals die Tugend der Sparsamkeit
in übertriebenem Masse geübt hatten: daher kommt die mittelalterliche

II. Sowie die Kraft der ungarischen Nation in ihren äussern Bethätigungen auf dem Gebiete der politischen Selbständigkeit gebrochen wurde; hatte sie sich in das innere Leben zurückgezogen, wurde sie auf dem Felde der Wissenschaft und Literatur bemerkbar, wo sich eine selbständigere, individualistische Anschauungsweise, eine höhere, idealere Richtung geltend machte. Und wahrlich, fast in keinem Jahrhunderte sonst hatte sich in Ungarn eine solche Rührigkeit in der Wissenschaft, namentlich in der Theologie, Philosophie und Geschichte (theilweise auch in der Naturlehre, in den Rechts- und Staatswissenschaften) gezeigt, wie in dem Zeitraume, der zwischen dem Mohácser Trauertage bis zum Szathmarer Friedensschlusse dahinfloss und 185 Jahre umfasste, so dass diese Zeit mit Recht als die Periode der ersten Blüthe und des allgemeinen Aufschwunges der nationalen Literatur bezeichnet wird.

Unter solchen Umständen konnte auch die volkswirthschaftliche Theorie nicht ganz vernachlässigt bleiben, und wirklich wird der ernste Forscher in den literarischen Producten des 16. und 17. Jahrhunderts auf geistige Werke stossen, die wohl ihrem grössten Theile nach nur wenig Platz den volkswirthschaftlichen Ideen widmen, und sich dafür mehr mit Rechts- und Staatswissenschaft beschäftigen, die aber in jedem Falle als die ersten Anklänge der vaterländischen Fachliteratur, als die bescheidenen Keime einer unter günstigern Auspicien später zu höherer Entfaltung gelangten Wissenschaft angesehen werden müssen. Es ist dabei nicht zu vergessen, dass die Volkswirthschaftslehre eine practische Wissenschaft ist, die nur auf dem practischen Boden gegebener und entwickelter Industrie- und Verkehrsverhältnisse leicht gedeihen und schnell fortkommen kann; in Ungarn also, wo diese lebensspendende Unterlage noch fehlte, oder doch unentwickelt und unorganisch vorhanden war, konnte die Nationalökonomie nur langsamen Schrittes vorwärtskommen, während sie in den grossen Industrie-, Handels- und Culturstaaten erfolgreichere und behendere Fortschritte machte.

Betrachten wir nun die einzelnen Klassen von Schriftstellern

Sitte, Vieles und massenweise zu consumiren, die ausserordentliche Gastlichkeit und der Luxus, welche Sitte in der socialen Geschichte Ungarns eine ständige Erscheinung bildet: Vergl. Schwartner: Statistik II. B. p. 497, 506—507.

näher, die mittelbar oder unmittelbar einen Einfluss auf die Entwickelung der volkswirthschaftlichen Ideen in Ungarn nahmen. *A.* Die Philosophen. Unter jenen Männern, welche der allgemeinen europäischen Geistesrichtung huldigend, ihre Geistesthätigkeit auf die Aufgaben der Philosophie erstreckten, gab es Manche, welche ihre Aufmerksamkeit nicht nur den abstracten metaphysischen und logischen Forschungen zuwendeten, sondern sich auch mit den practisch-ethischen Verhältnissen beschäftigten, und daher auch gezwungen waren, die Ordnung und Organisation der Gesellschaft und des Staates in den Kreis ihrer Untersuchungen hineinzuziehen. Wir erwähnen von diesen nur Michael Keserü von Gibart, Johann Csimor von Decs und Johann Csere von Apácza.

Der Erste veröffentlichte zwei Arbeiten: „A z o r s z á g k o r m á n y z á s a" und „A z a l a t t v a l ó k r ó l", die grösstentheils aus altgriechischen Quellen geschöpft und mehr in moralischer als in politischer Beziehung unsere Aufmerksamkeit verdienen. — Csimor von Decs war einer der vielseitigsten ungarischen Gelehrten des 16. Jahrhunderts. In der Politik und Volkswirthschaftslehre hält sich Csimor an Aristoteles' Eintheilung; er unterscheidet eine eigentliche Sittenlehre, Staatslehre und Oekonomie und behandelt die Politik in 87, die Oekonomie in 15 Thesen. Er weist darauf hin, wie man ein Haus und eine Familie erhalten und verwalten soll, welche Pflichten das Familienhaupt habe, und welche den Familienmitgliedern und dem Gesinde obliegen. Endlich berührt er noch das Verhältniss, in welchem der Privathaushalt zu dem allgemeinen und Staatshaushalt steht.

Ebenso wie Csimor hatte auch Csere von Apácza eine umfassende und gründliche Fachbildung im Auslande sich angeeignet. Von seinen vielen Werken interessirt uns hier nur das 1653/55 in Utrecht erschienene: „M a g y a r E n c y c l o p a e d i a, azaz minden igaz és hasznos bölcseségnek szép rendbe foglalása" (in neuer Auflage zu Raab im Jahre 1803 herausgegeben). In diesem Werke handelt der Verfasser von den Gewerben, der Oekonomie, Ethik, dem Rechte und der bürgerlichen Gesellschaft und äussert sehr treffende Bemerkungen über die geographische Lage der Städte, über die verschiedenen Beschäftigungsarten des wirthschaftlichen Lebens und der Gewerbe, über die Verwaltung und die Bedin-

gungen der bürgerlichen Gesellschaft, über den Verkauf und
Pacht; er weist darauf hin, dass der Luxus dem a r m e n Ungarn
zum Schaden gereiche, dass die Oekonomie oder Wirthschaftslehre
einen Gegenstand des öffentlichen Unterrichts zu bilden habe,
dass Arbeit und Anstrengung die unentbehrlichen Bedingungen
jedes Erfolges und Fortschrittes seien; gegenüber den damaligen
Unterthänigkeitsverhältnissen stellt er das Princip auf, der Grundherr solle den Unterthanen so viel überlassen, als ihrer Arbeit
entspricht und dem Ertrage des Gutes angemessen ist; andererseits
erhält die damals vorherrschende mercantilistische Ideenrichtung
in diesem Werke des ungarischen Philosophen an jener Stelle
einen Ausdruck, wo er sagt, dass der Absentismus auch deshalb
schädlich sei, weil durch denselben Edelmetalle aus dem Lande
hinausgetragen werden und so diè Verarmung der Nation befördert wird.

 B. D i e R e f o r m a t o r e n. Die Reformation hatte dem in
Fesseln geschlagenen Geiste wieder seine natürlichen, seine freien
Schwingen gegeben; wenn es bis zu Luther hiess: Glaube und
forsche nicht; so wurde jetzt der Satz umgekehrt: Forsche, und
was du erforscht, das kannst du glauben. Der Gedankengang nahm
an Tiefe und Schärfe zu; der blinde Autoritätenglaube musste der
selbständigen Erfassung den Platz räumen. Was speciell die reformatorischen Theologen auf dem Gebiete der Volkswirthschaft
geleistet, ist wohl wenig, aber doch nicht ganz ohne Einfluss auf
das öffentliche Leben geblieben und Luther und Calvin, Hutten
und Pirkheimer, Frank und Melanchton, Zwingli und Oecolom-
padius haben national-ökonomische Sätze ausgesprochen, die
unstreitig einen Wendepunkt zum Bessern und zum Neuern
bilden.

 Von denselben Folgen war die Reformationsbewegung auch
in Ungarn begleitet. Materielle Güter erhielten nun eine verdien-
tere Würdigung, als ihnen von Seiten der mittelalterlichen Scho-
lastiker zutheil geworden; die Arbeit verliess ihre verachtete
Stellung und statt des einfachen „ora“ wurde das wahrere „ora
et l a b o r a“ ein Sprichwort im Munde aller Hellblickenden. Vom
Capitale verschafften sich die Reformatoren einen klarern Begriff,
als ihre Vorgänger, wiewohl auch für sie noch nur Natur und
menschliche Arbeit als die Quellen und Factoren der Production

galten; durch Beschränkung der kirchlichen Güter trugen sie nicht wenig zur vermehrten Nutzbarmachung sonst fruchtlos dagelegener und inproductiv verwendeter Werthe bei. Sie sind Feinde des Geldes und der Geldgeschäfte, hassen den Handelsstand, (die Meisten) verdammen geradezu jede Zinsnahme und sehen die Handelsleute für eine improductive Klasse an; sie halten die Ausfuhr der Metalle für ausserordentlich schädlich, empfehlen Preislimitationen, vindiciren der Staatsgewalt einen grossen Einfluss auf die Gewerbe und auf die Organisirung der Consumtion, vertheidigen die Monopole und Regalien; dafür bekämpfen sie den Luxus, die Prunksucht der Höfe und die mit ihnen in Verbindung stehenden drückenden Steuern und Finanzoperationen. Indem sie jeder Arbeit und jeder Mühe ihren gebührenden Lohn zu sichern wünschen, sind sie theilweise Vorkämpfer der humanistischen Richtung in der neuen Volkswirthschaft. Unter den Männern, die sich in Ungarn zu diesen und ähnlichen Ideen bekannten, sind die vorzüglichsten: Lorenz Vörös, der um die Mitte des 17. Jahrhunderts in seinem: „Politik ai erkölcstan" betitelten und auf Grundlage Aristotelischer Lehren verfassten Werke unter Anderen das Armenwesen, die Rangordnung der volkswirthschaftlichen Beschäftigungen und einige materielle Bedingungen des Volkswohlstandes behandelt; in demselben Werke spricht er das hochwichtige, staatswirthschaftliche Princip aus, dass jeder Bürger steuerpflichtig sei, und dass sich in einem geordneten Staate Niemand dieser Pflicht entziehen könne. Um dieselbe Zeit schrieb auch Jacob Farkas von Aliszta über den Ursprung, die Entwickelung, die Bevölkerungsklassen der Staaten. Ein Anhänger der Aristotelischen Lehren, wie die beiden früher Genannten, war auch Pósaházy; er hat sich die neuere und freiere Weltanschauung zu eigen gemacht, empfiehlt eine menschlichere Behandlung der Leibeigenen und erscheint als ein Vorkämpfer der Rechtsgleichheit und des Humanismus in der ungarischen Nationalliteratur.

C. Die Juristen und Politiker. Unter diesen nimmt Stefan Verböczy, der unsterbliche Autor des „Tripartitum", die erste Stelle ein; an ihn reihen sich Kitonich, und im 17. Jahrhunderte noch Martin Szentiványi und Georg Illésházi. Bedeutendere volkswirthschaftliche Fragen haben aber diese

Autoren nicht behandelt. — Von den Politikern erwähnen wir: Johann Fésüs, der einen Leitfaden für Fürsten und Regenten schrieb, („a királyok tüköre", Bartfeld 1626), in welchem auch ökonomische Principien berührt werden. Johann Draskovics und Johann Prágai übersetzten das „Horologium Principis" des spanischen Geistlichen Anton Guevara ins Ungarische. [5] Der Prediger am Hofe des Grafen Stefan Bethlen, Johann Laskai, übersetzte 1641 Justus Lipsius' politisches Werk unter dem Titel „A polgári társaság tudományáról irt hat könyvei" (erschienen zu Bartfeld); Graf Michael Teleky übertrug Adam Weber's Buch unter dem Titel; „Fejedelmi lélek" und veröffentlichte dasselbe 1689 zu Klausenburg; Stefan Sárpataki liess 1681 in Klausenburg ein aus dem Deutschen übersetztes Werk: „E világ dolgainak igazgatási mestersége" erscheinen und endlich Illés Ghomä hinterliess ein Manuscript, das den Titel : „Aphorismi politici" führt und am Ende des 17. Jahrhundertes verfasst wurde. [6]

D. Schriftsteller, die in ihren Werken eine pracktische Richtung einschlugen: Der Palatin Nicolaus Eszterházy verfasste 1640 seinen „Conceptus de statu totius Regni meliorando", in welchem die materiellen Kräfte des Landes, ihre Quellen, die staatshaushaltlichen Verhältnisse behandelt und mit Bemerkungen glossirt werden. Von ähnlichem Inhalte ist auch sein zweites Werk: „Opinio et discursus circa conservationem Regni." — Thomas Balásfi, Bischof von Bosnien, veröffentlichte 1621 eine Arbeit unter dem Titel „Magyarországnak mostani állapotáról egy házáját szeretö igaz magyar embernek tanácslása", die ebenfalls über einige sociale Reform- und Verwaltungsaufgaben Ungarns spricht. Ein werthvolles Quellenwerk bildet eine Arbeit: Status Camerae Regiae Hungariae Seculo XVI", die auf 318 Folioseiten über das Finanzwesen und die Regierung unter König Maximilian ein helles Licht verbreitet; sie enthält die den Hof-Kammerräthen ertheilten Instructionen und stammt augenschein-

---

[5] Draskovics übersetzte das 2. Buch dieses weitverbreiteten Werkes und gab dasselbe 1610 iu Grätz heraus; Prágai hingegen veröffentlichte (mit Benützung der Draskovicsischen Uebersetzung) das ganze Werk iu Bartfeld 1628. — Neuestens, 1771, hat der Raaber Bischof Csáky dasselbe Werk noch einmal veröffentlicht.

[6] Um dieselbe Zeit entstand in Ungarn auch die politische Flug-schrift-Literatur; siehe darüber Toldy: Irodalomtörténet p. 83—85.

lich aus einer officiellen Feder. [7] Erwähnenswerth ist ferner das „Einrichtungswerk des Königreichs Hungarn", welches der talentvolle aber servile Bischof und Cardinal Leopold K o l l o n i c s im Vereine mit einigen österreichischen Regierungsmännern als einen besondern Reformvorschlag ausarbeitete, 1689 dem Könige Leopold I. überreicht wurde und mehre Punkte der politischen, administrativen und materiellen Umgestaltung Ungarns behandelt. Vom Standpunkte des ungarischen Staatsrechtes aus ist dieses trockene, nur wenig Schwung verrathende Werk, welches die Vorbereitung einer Umgestaltung Ungarns im Sinne der österreichisch-deutschen Principien und Interessen bezweckte, zu verdammen; insoferne es aber die eine oder andere Anforderung seiner Zeit besser würdigte und auffasste, als dies von Seiten der Ungarn geschah, und insoferne es das System des Staatshaushaltes und der Regierung mit den neueren Ansichten und Ideen in Einklang zu bringen bestrebt war; bildet es für den Forscher nach den damaligen Verhältnissen eine bemerkenswerthe Lecture, deren historischer und literarischer Werth nicht in Zweifel gezogen werden kann. [8]

[7] Befindet sich in der Universitätsbibliothek zu Pest.
[8] Manuscripte dieses Werkes befinden sich in den Bibliotheken der k. ung. Academie und des Museums zu Pest; ein Auszug desselben von Balthasar Patachich befindet sich im Museum unter den lateinischen Manuscripten Nr. 426. — Ein gedrängtes Inhaltsverzeichniss dieser interessanten Arbeit soll hier ihren Platz finden : Kolonics empfiehlt ein besseres Gemeindesystem, die Bevölkerung der unbewohnten Landtheile, wobei er jeden Colonisten von der Robot und den Urbariallasten befreien will. — Er hält die Einführung eines neuen bürgerlichen und Strafgesetzbuches für nothwendig, dann wünscht er, dass man der Bestechung der Richter und den endlosen Processen einen Damm setze. — Er schlägt ein zweckmässigeres Verpflegungs- und Einquartierungsreglement für das Heer vor und ist bestrebt, viele Missbräuche der Regiernng, die sich in diesem Zweige eingenistet, auszurotten. — Er beantragt zum Zwecke einer Verbesserung der zerrütteten Cameral-Verhältnisse eine bessere Finanzverwaltung und ordentlichere Steuern und Einkommensquellen. — Jeder ohne Ausnahme soll Steuer zahlen; die Steuersummen sollen aber reichstäglich festgesetzt werden; die Einsammlung soll nicht durch Cameralbeamtete, sondern durch die Organe der Gemeinden und Jurisdictionsbehörden geschehen. — Mit dem Hinweise auf das Princip: „Ubi populus, ibi obulus", sucht er die Dichte der Bevölkerung und den dieselbe bedingenden Verkehr und die Industrie zu befördern ; er bezeichnet mit gesundem Scharfblicke als Grundlage und Hebel des gesammten landwirthschaftlichen Lebens den Credit, ja er schlägt sogar die Errichtung eines besonderen Creditinstitutes (einer Bodencredit-Bank), einer Einrichtung in der Form der czechischen „Landtafel" und zum Zwecke der Beseitigung aller Besitzungewissheiten eine Art Grundbuch-Systems vor. — Das Zollsystem erhält seine gehörige Würdigung, als einer der Hauptfactoren des volkswirthschaftlichen Lebens; er empfiehlt noch ein gleiches Münz- und Masssystem und erklärt im Sinne der Mercantilisten die Ausfuhr des Geldes für schädlich.

E. In Bezug auf die Landwirthschaft sind zu nennen: Der Jesuit Johann L i p p a y, der 1663 „De Agricultura, Calendarium Oeconomicum perpetuum" und „De institutionibus et seminatione" (in Pressburg) veröffentlichte, ferner L i c z e y, der 1707 sein „Iter oeconomicum" herausgab. Alle diese staatswissenschaftlichen Werke tragen nun wohl noch das Gepräge der Primitivität und der Unfertigkeit an sich ; doch sind sie ebenso viele Beweise dafür, dass man auch in Ungarn schon begann, sich mit den Bedingungen und materiellen Grundlagen des Staatslebens bekannt zu machen. Es wäre daher ein Fehler, dieselben bei einer Behandlung der historischen Entwickelung national-ökonomischer Ansichten still-schweigend zu übergehen. [*]

III. Lässt sich bei einem tiefern Blicke in die Geschichte des beschriebenen Zeitraumes der Zusammenhang des geistigen Lebens in Ungarn mit dem des westlichen Europa und ein tiefgehender Einfluss des letztern auf das erstere nicht läugnen, so muss doch auch anerkannt werden, dass hier noch Alles erst im ersten Sta-dium der Entwickelung begriffen, hoffnungsreich für die Zukunft, aber nicht befriedigend für die Gegenwart war.

Wo der Boden und der Besitz nicht die gehörige Freiheit hat, wo die Arbeit eine Schande, der Handel eine verachtete Beschäftigung ist, wo man die höhere Einheit der staatlichen Interessen noch nicht erfasst, geschweige denn zur Geltung ge-bracht hat, wo Capitalien und andere productive Kräfte unge-würdigt und unbenutzt, statt reiche Früchte zu tragen der Ver-schwendung und dem Luxus dienen; da kann sich unmöglich ein Ideensystem entwickeln, welches auf einer gesunden, ein-heitlichen Basis ruhend, das ganze öffentliche Leben mit seinen segenspendenden Händen umfasst hätte. Wohl trat ein reges Leben, eine geschäftige Bewegung ein, aber Leben und Be-wegung hatten noch keine festen Ziele, sie ergossen sich nach den verschiedensten Richtungen hin, und was man heute als geltendes Princip feststellte, wurde morgen von der entgegenge-setzten Ansicht über den Haufen geworfen. Es war ein Versuchen und Experimentiren auf dem losen Sande eines unklaren Gefühles,

---

[*] Auch in den poetischen Werken jenes Zeitraumes finden wir hie und da ökonomische Ansichten, so in den Arbeiten S z e n t m á r t o n i's und Peter B e n i c z k y's.

aber kein Bauen auf dem soliden Grunde geläuterten Bewusstseins.
Noch hatte man zwischen Privat- und Staatsrecht nicht die moderne
Scheidewand errichtet und beide Gebiete flossen einander trübend
ineinander; der Adel und die Geistlichkeit waren im einseitigen
Besitze aller Macht. Die Landwirthschaft wurde vernachlässigt;
der Mangel an Geld und beweglichen Capitalien lastete als
erdrückendes Bleigewicht auf dem Handel, der Industrie und den
Gewerben, und Ungarn musste trotz seiner reichfliessenden
Erwerbsquellen, seinen unermesslichen Naturschätzen, ein krankes
armes Land bleiben. Der Gemeingeist fand keine Nahrung, der
ungeregelte und schwerleidende Staatshaushalt machte eine Unterstützung der Volksinteressen unmöglich, darum treffen wir bis
zum Beginne des 18. Jahrhunderts in Ungarn keine einzige, wahrhaft grosse volkswirthschaftliche Institution an, darum fehlte es
ihm an wahren Staatsökonomen, wenn es auch reich genug an
Staatsmännern und Gesetzgebern war.

Trotzdem kann man den Ungarn jenes Zeitraumes nicht
absprechen, dass sie oft mit einem natürlichen, gesunden Scharfblicke einzelne auftauchende, volkswirthschaftliche Fragen beant-
worteten. Ohne Kenntniss irgend einer Theorie, ohne Speculation,
sondern geradezu auf den Kern der Sache losgehend, haben sie
zumeist das Richtige getroffen und nicht wenig trug die warm-
gepflegte constitutionelle Staatsorganisation dazu bei, die Geltendmachung vieler solcher Principien zu verhindern, die in ihren
letzten Consequenzen eine Schädigung der materiellen Interessen
hätten mit sich führen können. Nie gelangte in Ungarn der volkswirthschaftliche Absolutismus zu jener alles Volksleben bevormundenden Herrschaft, wie in Frankreich und Deutschland, wo er
die Freiheit erdrückte und das lebendige Bild der wirthschaftlichen
Bewegung in den eisernen Rahmen staatlicher Vorsehungsspielerei
zwängte.

Von weitgreifendem Einflusse auf das öffentliche Leben
können demnach die volkswirthschaftlichen Ideen der beschriebenen Periode nicht genannt werden; doch darf man auch nicht
übersehen, dass sie am Ende denn doch nicht ohne alle Wirkung
auf dasselbe waren. Ist die Bevorzugung des städtischen und
gewerblichen Elements von Seiten vieler Könige, ist die vielfache
Thätigkeit der Gesetzgebung auf dem Gebiete des Handels, der

Industrie, des Steuer- und Finanzwesens, der Finanzpolitik nicht
der concrete, im practischen Leben zur Geltung gelangte Ausdruck
von Ideen und Theorien? Ob diese richtig waren oder nicht, das
hat uns hier wenig zu kümmern. Wir wollen ja nur constatiren,
dass sie lebten, vorhanden waren, und dass im öffentlichen Leben
ihr Machtspruch nicht unbeachtet blieb. Wie überall in constitutionellen Ländern, wo der Discussion ein parlamentarischer
Spielraum gewährt wird, so musste auch in Ungarn nothwendig in
Folge der öffentlichen Ideenläuterung die Theorie auf das Leben
und dieses wieder auf jene klärend einwirken.

Indem wir nun den ersten Zeitraum beschliessen, wollen wir
nur noch hervorheben, dass am Ende des 17. Jahrhunderts die
Nothwendigkeit, einer Reform auf allen Gebieten des öffentlichen
Lebens eine allgemeinere wurde, und dass man grosse Fortschritte
machen musste, um die übrigen westeuropäischen Nationen zu
erreichen, oder sich ihnen nur nähern zu können.

Zweiter Zeitraum.

Von 1715 bis 1790, oder: Die ersten Versuche einer volkswirthschaftlichen Organisation.

ERSTES KAPITEL.

Ungarn im 18. Jahrhunderte und vorzüglich in volkswirthschaftlicher Beziehung. — I. Die politischen und volkswirthschaftlichen Verhältnisse Ungarns während dieses Zeitraumes. — II. Zustand der Cultur und der volkswirthschaftlichen Ansichten Ungarns während dieses Zeitabschnittes im Allgemeinen.

I. Es ist der Verjüngungsprocess Ungarns, den wir hier zu beschreiben haben. Der ungarische Staat sollte ein moderner, ein europäischer Staat werden.

Die festere Verbindung mit dem Hause Habsburg, die in den Jahren 1687 und 1723 zu Stande kam, brachte Ungarn mit Völkern und Ländern in engere Berührung, die doch auf der Leiter des Fortschrittes ihm um einige Stufen voraus waren. Eine vollkommenere Gestaltung des Statthaltereirathes, die Verbesserung der Comitatsverwaltung, die Reform der Gesetzgebung und Rechtsprechung hatte eine einheitlichere und kräftigere Staatsthätigkeit im Gefolge. Die Legislative begann, eine fruchtbarere Thätigkeit zu entfalten, sie verschloss sich nicht den modernen Reformen; Ausschüsse und Commissionen griffen wohlthuend ein und neben den einseitigen Verfassungsbestrebungen tauchten immer mehr und mehr die realen und concreten Forderungen und Interessen der Nation im Vordergrunde ihrer Leistungen auf. Der 8. Gesetzartikel vom Jahre 1715 rief das stehende Heer in's Leben, das Steuerwesen und die Staatshaushaltung erhielten eine gründliche Umbildung und mit den Verbesserungen bürgerlicher Institutionen begann auch die geistige Bewegung einen höhern Aufschwung zu nehmen.

Diesen Lichtseiten muss aber eine nicht geringe Anzahl von Schattenseiten gegenübergestellt werden. Die Verbindung Ungarns mit dem Hause Habsburg brachte sehr oft eine Gefährdung seiner höchsten Interessen mit sich; nach dem 1764er Reichstage nahm das Streben nach einer strammen monarchischen Centralisirung und politischen Unification ein gefärliches Mass an; die Uebergriffe der monarchischen Gewalt wurden für die constitutionelle Freiheit Ungarns immer verletzender und die politische Entwickelung war von Tag zu Tag schneidender unterbunden.

Im Innern fehlte es ebenfalls nicht an düstern Bildern. Der Adel hielt fest an seinen Vorrechten, die Volksklassen wurden sich immer mehr entfremdet, die Leibeigenenverhältnisse nahmen einen hohen Grad von Erbitterung an, Aufklärung und Freiheit entwickelten sich nur langsam und hatten noch mächtige Kämpfe mit den verrosteten und festgesessenen Principien des Mittelalters zu bestehen; so war Vieles dazu angethan, um aus der ungesunden Verbindung der mittelalterlichen Systemlosigkeit mit dem modernen Absolutismus einen mechanischen und geistlosen Polizeistaat hervorgehen zu lassen.

Dieselben Verhältnisse machten sich auch im volkswirthschaftlichen Leben geltend. Einerseits hatten richtigere und bessere Principien in der Organisation der Industrie und des Verkehres platzgegriffen, Agricultur und Gewerbe hoben sich und immer mehr und mehr, und immer eifriger war man bestrebt, das Versäumte nachzuholen und die geschlagenen Wunden zu heilen. Andererseits ist aber doch kein bedeutender Fortschritt bemerkbar. Einmal stund Ungarn unter dem Einflusse fremder Interessen, zweitens lag es nach so vielen Kämpfen materiell fast ganz erschöpft darnieder. Dazu kamen noch, dass viele verkehrte Ansichten unausgerottet im Schwange waren und dass es den Ungarn noch immer an Unternehmungsgeist und industriellem Tacte fehlte. Die Gefahren, welche immerfort der politischen Selbständigkeit Ungarns drohten, gaben es nicht zu, dass es auf längere Zeit ungestört seine Blicke den materiellen Interessen hätte zuwenden können, so dass es seinen materiellen Wohlstand auf dem Altare der staatlichen Existenz und der Verfassung hinopfern musste.

Die Naturalwirthschaft blieb bestehen, die Privilegien des

Adels wurden immer drückender für die elende steuerzahlende Plebs, die Schwerfälligkeit des Waarenaustausches, die Seltenheit des baaren Geldes bedingten noch immer ein Vorwiegen der Agricultur gegenüber der Industrie; und der unentwickelte Zustand der Verkehrsmittel, der Wege und des Creditwesens, endlich ein ungerechtes Steuersystem und eine ungeregelte Staatshaushaltung verminderten jeden volkswirthschaftlichen Aufschwung und unterdrückten die Aneignung moderner Bildungsmittel. Doch darf man die Reformbestrebungen Kaiser Josefs II. am Ende dieses Zeitraumes nicht ganz unberücksichtigt lassen, die eine Beseitigung der mittelalterlichen Hemmschuhe bezweckten; wenn sie auch in Folge der heftigen Collisionen, in die sie mit dem constitutionellen Rechte Ungarns gekommen, nur Versuche blieben und keine Erfolge ernteten.

Hätte übrigens Oesterreich nicht den verkehrten Principien des Mercantilismus gehuldigt und hätte es nicht durch eine unglückliche Zollpolitik, die auf dem Prohibitivsysteme beruhte, die besten Kräfte unterbunden und speciell die Interessen Ungarns, dieses grösstentheils Rohproducte erzeugenden Landes, im höchsten Grade geschädigt; wahrlich ein mächtiger Aufschwung des volkswirthschaftlichen Lebens wäre doch nicht unmöglich gewesen.

So aber haben die österreichischen Staatsmänner das Gift ihrer financiellen Wirren auch nach Ungarn hineingetragen; durch den Verband mit Oesterreich und durch die daselbst befolgte unselige Finanzpolitik kam auch Ungarn immer tiefer in das Netz volkswirthschaftlicher Krisen hinein, und indem es sich hilfebedürftig an Oesterreich klammerte, gerieth es nur um so schneller mit seinem Schutzmanne in die Falle der gefährlichsten Erschütterungen. Das muss man berücksichtigen, will man nicht in den leichtsinnigen Fehler verfallen, und alle Uebel dem Indifferentismus, der Leichtsinnigkeit und dem Mangel der ungarischen Nation an jedem wirthschaftlichen Verständniss zuschreiben.

II. Auch auf dem Gebiete der Cultur macht sich ein heftiger Kampf zwischen den Parteien bemerkbar, von denen die eine mit Zähigkeit am Hergebrachten hing, während die andere dem Neuen zustrebte. In die Mitte stellte sich der aufgeklärte Absolutismus, nach der einen Seite hin vorwärtsschiebend, nach der andern zurückdrängend. In diesem Kampfe stählte sich der Patriotismus und von der Wärme, welche die Reibung hervorbrachte, reiften schöne Früchte der Cultur und der nationalen Gesinnung. „Das Zeitalter trug einen doppelten Charakter an sich, sagt Franz Toldy, in Bezug auf die Vergangenheit war es das Zeitalter des Verfalles, in Bezug auf die Zukunft war es der erste Anfang einer neuen Aera."

Was nun speciell die Entwickelung der national-ökonomischen Ideen anbelangt, so kann man das Zeitalter füglich in zwei Abschnitte theilen. Den ersten, welcher sich vom Anfange des 18. Jahrhunderts bis auf den Regierungsantritt Maria Theresia's erstreckte, bezeichnen wir als die Vorbereitung zu den Reformen, der zweite, welcher den Zeitraum vom 1741er Reichstage bis zum Tode Josef II. umfasste, kann die Zeit der Einflussnahme moderner Ideen und projectirter Regierungsreformen genannt werden.

Unter Leopold I. war es endlich gelungen, das türkische Joch abzurütteln, welches so lange das gesegnete Reich gedrückt hatte : und als man nun freier aufzuathmen und ungehinderter umherzublicken begann, da sah man, welchen bedeutenden Weg man zurücklegen müsse, um sich dem europäischen Westen geistig nähern zu können ; man wurde von dem Bewusstsein durchdrungen, dass die Auffrischung und Erwärmung durch neue, moderne Elemente und Institutionen unumgänglich nothwendig sei, wollte man nicht in Stagnation verfallen und an dem Busen verrosteter Einrichtungen erstarren. In der Legislative sowohl (die Reichstage von 1715, 1723 und 1729) als auch sonst im öffentlichen Leben war man thätig bestrebt, das Eis zu brechen, unter welchem der fruchtbare Boden nationaler und staatlicher Entwickelung unbearbeitet dagelegen.

Auf dem Gebiete der volkswirthschaftlichen Interessen suchte man nach allen Richtungen hin die edle Pflanze der Reform anzubauen; man sah es ungern, wie sich die Geistlichkeit bereicherte und brachte ein Gesetz, um der Vermehrung und Güteraufhäufung derselben Einhalt zu thun ; man regelte die Verhältnisse des Grundbesitzes, schenkte der Vermehrung der Bevölkerung und Arbeitskraft eine bedeutsame Aufmerksamkeit, dachte nach, auf welche Weise Gewerbe und Fabrication acclimatisirt werden könnten, unterzog die Organisation der Zünfte einer tiefeingreifenden Umge-

staltung, reformirte Handel und Verkehr, Zoll- und Communicationswesen, und nahm eine richtigere Organisirung des Staatshaushaltes
in ernste Behandlung. Gegenüber der herrschenden Bevormundung
von Seiten des Staates stellte sich das rein nationale Interesse,
welches die Entwickelung der Rohproduction und die Freiheit des
Handels und der Industrie zur Geltung bringen wollte. In diesem
Zusammenstosse der Interessen musste Ungarn schon darum leiden,
weil es von Oesterreich als eine Colonie behandelt wurde, deren
Vorzüge man zu Gunsten der übrigen Kronländer ausbeutete.
Während also andere Staaten durch den Mercantilismus wenigstens
einer grösseren Consumtion im Innern, eines bewegtern und regern
gewerblichen Treibens, einer dichtern Bevölkerung und eines
geringen Aufschwunges der nationalen Industrie sich erfreuten,
konnte Ungarn nicht einmal dieser wenigen Vortheile theilhaftig
werden.

Im Ganzen hatte man wohl noch keinem festen Systeme sich
angeschlossen; aber der Horizont des volkswirthschaftlichen Gebietes dehnte sich immer weiter und weiter aus, und es wurde
wenigstens die Grundlage gelegt, auf welchem das tiefer- und
weiterblickende Geschlecht unseres Jahrhunderts, wie auf einer
sichern Basis bauen konnte.

ZWEITES KAPITEL.

Die Entwicklung und der Einfluss der national-ökonomischen Ideen in der
ersten Hälfte des 18. Jahrhunderts. — I. Die Reichstagscommissionen von
1715 bis 1729. — II. Die volkswirthschaftlichen Ansichten in Bezug auf Vermögen und Geld, Preis und Tausch, Besitzrecht und Bevölkerung, Industrie
und Gewerbe, Zünfte und Innungen. — III. Die volkswirthschaftlichen Ansichten in Bezug auf Handel, Verkehr, Communication, Steuern und
Finanzwesen.

I. Durch die Reichstage v. 1712—1741 war Ungarn auf staat-
lichem und socialem Gebiete ein anderes geworden. Von welchem Einflusse dieselben auf die Volkswirthschaft waren, soll in
Folgendem kurz dargelegt werden.

Schon 1712 begann das Riesenwerk der Reform, aber erst
1715 erhielt es in den vom Reichstage entsendetes Commissionen
einen thatsächlichen und eifrigen Factor. Pro Systematis elucu-
bratione in militaribus, politicis et oeconomicis: Commissarii

denominantur. Das ist die Aufschrift des betreffenden, die Entsendung der Commissionen anordnenden Gesetzartikels. Als Präsident derselben fungirte anfangs der Cardinal Emerich Csáky, später der Bischof von Veszprim, Emerich Eszterházy, während sie zu ihren Mitgliedern die ausgezeichnetesten Männer des Landes zählten. Ihre Thätigkeit begannen sie wohl schon 1720, dieselbe nahm aber in Folge der argen Zeitverhältnisse (vielleicht auch wegen der Umtriebe der Wiener Regierung) nicht den erwünschten schnellen Verlauf. Erst 1723 wurde ein Reformvorschlag der Legislative unterbreitet und einer eingehenden Discussion unterzogen. Für uns ist nur der III. Theil von Interesse, der sich mit der Lösung der materiellen Fragen beschäftigt und ein System der ins Leben zu rufenden Verbesserungen aufstellt. [1] Aber die schönsten Erwartungen zerstiebten und nach langwierigem Berathen blieb endlich Alles beim Alten; der ganze Reformplan wurde beiseite gelegt, nur dem k. ung. Statthaltereirathe wurde der Auftrag ertheilt, die aufgetauchten Mängel zu heilen und einen neuen Reformplan ausarbeiten zu lassen. Der Statthaltereirath ging wohl an die Arbeit, dieselbe fiel aber so mangelhaft aus, dass der Reichstag von 1728—29 eine neue volkswirthschaftliche Commission entsendete. Doch auch die Thätigkeit dieser zweiten Commission blieb erfolglos, denn in den letzten 10—11 Jahren der Regierung Karl III. wurde kein Reichstag abgehalten und ausserhalb den Reichstagssälen war das Interesse für diese Fragen noch nicht so allgemein, dass man sie einer eingreifenden und einflussreichen Behandlung unterzogen hätte.

II. Die vielfachen Kriege im Innern des Landes und ausserhalb desselben haben in die Reihen der ohnehin nur schütteren Bevölkerung verheerende Breschen geschlagen; nun brauchte man aber zur Hebung der Industrie und der Agricultur nicht nur bedeutende Arbeitskräfte, sondern — was vielleicht noch fühlbarer abging — Consumenten im Innern des Landes. Die Lücken in der Popula-

[1] Das ist die „Pars tertia": |De Systemate Oeconomico. — Die ganze Arbeit findet sich in den „Acta Dinetalia" von 1722—23 in den Manuscripten des Nationalmuseums Fol. lat. 546,555 und 557. — Eine andere Arbeit — die den Titel: „Actorum Commissionis systematicae in Art. 24: 1715 fundatae synopt. narratio" u. s. w. führt und in der Manuscriptensammlung des Nationalmuseums Lat. Folio Nr. 583 vorgefunden werden kann — enthält unter Andern auch einen Abschnitt: Systema qualiter juridica politica ac oeconomica tractari debeant".

tion schrieen immer mehr und mehr nach Ausfüllung, und man gab sich allgemein der Hoffnung hin, dass eine dichtere Bevölkerung am ehesten im Stande wäre, Ungarn auf den erwünschten Grad der Blüthe zu heben. Demgemäss fielen auch die Verordnungen der Reichstage und der von ihnen entsendeten Commissionen aus; vorzüglich aber suchte man, aus dem Westen Europas cultivirtere Elemente herbeizulocken, damit sie durch ihren Fleiss und ihre höhere Civilisation das ersetzen, was den Inländern abging.

Ein Blick auf die oben erwähnten »Pars« III, deren zehnter Abschnitt über „pecuniae conservatione et circulatione" spricht, verräth, dass man das Geld als ein Tauschmittel und einen Werthmesser zu schätzen begann, dass man seine Rolle in der Volkswirthschaft näher kennen lernte. Auch fing man an den mächtigen Einfluss einzusehen, welchen eine gesunde Gerichtsverfassung auf die volkswirthschaftliche Entfaltung nehmen kann, wie schädlich die vielen Feiertage für das ohnehin an Arbeitskräften arme Land sein mussten, und endlich, dass der freien Bewegung des Capitals durch eine Beschränkung des Zinsfusses auf 6 Percent ein gefährlicher Hemmschuh angelegt worden [2]. Dabei blieb man aber immer noch bei der Ansicht, dass man den Preis der Güter behördlich bestimmen und festsetzen könne; so machte man sehr oft den Jurisdictionen zur Pflicht, eine Preislimitation der bedeutendsten Nahrungsmittel zu bewerkstelligen und die Grundherren für das Verbot, ihre Wolle auszuführen, durch eine behördliche Höherschraubung des Wollpreises zu entschädigen. In Bezug auf das Geld herrschten rein mercantilistische Ansichten: „denique omnimodo elaborasse ut pecunia in regno permaneat" heisst es im Diarium von 1729. In diesem Sinne wurde auch das Zollwesen geregelt; deshalb führte man sehr oft Klage über die Adeligen, die im Auslande viel Geld verzehrten. Diese Auffassung hatte zur Folge, dass man die Nothwendigkeit der Errichtung einer Landescassa einsah. Zur Befestigung des Credites wurden Intabulationen angeordnet; um den Missbräuchen mit den „charta bianca" vorzubeugen, war man beim Gebrauche derselben an bestimmte gesetzliche Erfordernisse

---

[2] Der Art. 46 : 1622 scheint wohl alle Zinsnahme zu verbieten; erst der Art. 144 : 1647 erlaubt dieselbe ausdrücklich.

gebunden und die Vervollkommnung der Gesetzgebung und Rechtsaprechung wurde angestrebt.

Bei derartig veränderten Umständen musste auch das Verhältniss der Leibeigenen zu den Grundherren einer gründlichen Reform unterzogen werden; aber alle diesbezüglichen freiheitlicheren Bestrebungen der Stände litten Schiffbruch an dem hartnäckigen Widerstande der Magnaten. Mit denselben Bestrebungen hängen anch die Gesetze der Reichstage von 1715 und 1723 zusammen, welche den Leibeigenen gegenüber den Plackereien von Seiten des Grundbesitzers in Schutz nahmen, durch die Errichtung von Fideicommissen und Majoraten die Mobilisation des Grnndbesitzes erschwerten, den Verschwendungen des Adels einen Damm setzten, und die Veräusserung des Grund und Bodens, insbesondere an Ausländer, als eine drohende Gefahr für das Land ansahen. Die Elemente des Grundbuchswesens wurden in diesem Zeitalter zum erstenmale sichtbar und viele Gesetze strebten ausdrücklich den Schutz der Gläubiger vor säumigen Schuldnern an. Dabei bewahrte man hinsichtlich der Agricultur und Industrie einen gesunden Blick für die Pferde- und Hornviehzucht; einige Gesetzartikel verbieten strengstens die Fälschung des Weines, von dem Bewusstsein geleitet, dass diese eines der vorzüglichsten ungarischen Naturproducte in seinem Credite schneidend gefährde. Und dürfte man den Fortschritt übersehen, welcher sich auf dem Gebiete der Industrie kundgab? Wie viele Städte, die eine lebhaftere Industrie betrieben, datiren nicht ihre Erhebung zu königlichen Freistädten von dieser Zeit her? Wie viele ausländische Familien, die von den Behörden streng bewacht wurden, damit sie wirklich mit nichts Anderem als mit Gewerben sich beschäftigen, wanderten nicht damals nach Ungarn ein, weil sie auf fünfzehn Jahre hinaus von jeder Steuer befreit und mit anderen Begünstigungen beschenkt wurden? Die Errichtung besonderer Industriegemeinden wurde geplant und die oberste Verwaltung erhielt eine besondere Industriedirection, die zum Zwecke hatte, die Industriellen durch Vorstreckung von Geldvorschüssen aus der „Cassa oeconomica" und auf jede andere mögliche Weise zu unterstützen. Zur Hebung der Industrie diente auch die Verordnung, dass die Bedürfnisse des Heeres an Kleidungsstücken ausschliesslich aus den vaterländischen Fabricaten gedeckt werden sollen. Richtig bemerkte man hierzu, dass auf diese Art nicht nur eine lebhaftere Geldcirculation hervorgerufen wird, sondern dass dies auch eine Vermehrung der Steuern im Gefolge hat, weil doch die vermehrten Geschäfte und das gesteigerte Bedürfniss der Bürger eine sichere Quelle derselben bilden.

Von 1715 angefangen stand die Frage über die Regelung des Zunftwesens fast fortwährend auf der Tagesordnung. Es wurde bittere Klage geführt, dass die Missbräuche der Zünfte unerträglich werden, dass die Meister durch vorhergegangene Besprechungen und Uebereinkommen eine drückende Theuerung hervorrufen, dass die Zunftmitglieder jeden Eintretenden mit unausstehlichen Plackereien quälen, dass sie die Industrieartikel nicht in genügender Quantität erzeugen; an die Stelle derselben sei daher unverzüglich die Freiheit der Gewerbe eingeführt! Aber die Partei, welche die entgegengesetzte Ansicht vertrat — die Deputirten der Städte, die Geistlichkeit — liess es auch nicht an Argumenten mangeln, um ihren Standpunkt zu vertheidigen; so entwickelte sich ein . heftiger Kampf, der durch mehre Reichstage hindurch fortwährte und endlich doch kein entschiedenes Resultat herbeiführte, indem die diesbezügliche Unterbreitung an den König weder die gänzliche Aufhebung, noch auch die Belassung der Zünfte in ihrem bisherigen Zustande forderte. Auf dem Reichstage von 1729 kam noch ein Memorandum zur Verlesung, welches für die Aufrechterhaltung der Zünfte focht und eine Organisirung derselben im Sinne der österreichischen beantragte, weil es von einer solchen Organisation eine heilsamere Thätigkeit der ungarischen Zünfte erhoffte.

Der Umstand, dass Ungarn die von ihm an das Ausland billig verkauften Rohproducte in der Form von Industrieartikeln und Fabricaten für theueres Geld zurückzukaufen genöthigt war, schuf auf dem Gebiete des Zollwesens protectionistische Institute; so suchte der 1723er Reichstag, um das inländische Tuch zu begünstigen, die Ausfuhr der Wolle zu erschweren und die Einfuhr ausländischen Eisens zu verhindern, um die inländische Eisenindustrie zu heben. Denselben Ansichten huldigte auch der Reichstag von 1729.

III. Auf den Gebieten des Handels und Verkehrs waren die

politischen Zustände Ungarns von grösster Bedeutung, und wir müssen hier noch einmal des Verbandes Erwähnung thun, der Ungarn gegenüber der Wiener Centralregierung als eine Provinz — um nicht zu sagen Colonie — erscheinen liess. Dieser Verband unterband zugleich die Hauptlebensadern einer selbstständigen nationalen Entwickelung in Ungarn. Aber im Innern des Landes richtete man das Augenmerk auch schon auf einzelne Handelsprincipien und suchte eine Organisation des Verkehres von allgemeinen Standpunkten aus zu bewerkstelligen.

Die vom 1715er Reichstage entsendete Commission unterstellt in dem „de Commercio in genere" benannten Abschnitte ihres Elaborates den Handel der Leitung der centralen Staatsregierung, macht aber dabei die Nothwendigkeit einer Beschränkung auf die Oberaufsicht geltend und verlangt, dass die Einfuhr unnöthiger Waaren erschwert, dass fremde Artikel nicht zu theuer verkauft, dass die Waaren schnell und billig spedirt werden u. s. w. Derselbe Ausschuss beantragte ferner Zollverträge mit England und Hamburg, um ungarischen Rohproducten einen grössern Markt zu eröffnen, ferner die Verbindung der Ströme, um dem ungarischen Getreide vor dem polnischen den Vortheil einer leichtern und billigern Verfrachtung zu verschaffen. Von ähnlichen Wünschen und Ideen war auch der 1723er Reichstag durchdrungen, doch konnte auch er diesbezüglich ebenso wenig zu einem endgiltigen Resultate gelangen, wie dies mit dem 1729er Reichstage der Fall war.

In Bezug auf das Zollwesen konnte man kein festes System aufstellen, denn noch stunden sich die widersprechenden Parteien gleich mächtig gegenüber, und je nach dem Uebergewichte, welches bald die agricolen, bald die Gewerbe- und Fabrikations-Interessen erhielten, musste auch bald das Princip des Freihandels, bald aber die protectionistische Richtung, welche noch überdies von dem vorherrschenden Mercantilsysteme mächtig unterstützt worden, die Oberhand gewinnen. Durch die enge Berührung, in welcher Ungarn mit dem Handel und Verkehr der übrigen Kronländer gestanden, wurde die Ansicht eine herrschende, dass das Zollwesen zwischen beiden Ländern durch ein freies Uebereinkommen zu regeln ist. Die freie Ausführung der Rohproducte fand in Ungarn, mit Ausnahme einiger Artikel, welche eine Hebung der inländischen Industrie bezwecken sollten, warme Fürsprecher. [3] Die Ansichten bezüglich des Importhandels brachten ein Schwanken der Parteien hervor, und es wurde in Bezug auf denselben kein festes System erreicht. In hohem Masse beschäftigte der Transitozoll die denkenden Staatsmänner und es war ein richtiges Bestreben, mit dem reichen Deutschland in innige Verbindung treten zu wollen, das aber durch die vielfachen Nergeleien von Seiten der Kronländer wohl ungarischerseits Klagen, aber keine Erfolge resultirte. Die wichtige Rolle, welche das ungarische Küstenland zu spielen berufen ist, wurde ebenfalls schon anerkannt und man suchte, den Wiener Bestrebungen gegenüber, welche die Hebung der Wien-Triester Linie bezweckten, die ungarische Handelslinie Fiume-Buccari zu höherer Entfaltung zu bringen.

Waren aber Gewerbe, Industrie und Handel nur erst noch auf dieser niedern Stufe der Entwickelung begriffen, so ist es selbstverständlich und natürlich, dass die Communication sich nur einer schwachen Anfmerksamkeit erfreuen konnte; Alles was man auf diesem Gebiete that, waren Pläne, grossartige Pläne, welche die Verbindung der Donau mit der Theiss, der Donau mit dem Plattensee bezweckten, die aber erst nach einem Verlaufe von mehr als einem Säculum sich ihrer Ausführung näherten. In dem Art. 122 : 1723 heisst es: „prout reliqua ad promotionem Boni publici conducentia, ita etiam ut fluvii quoque navigabiles per diversos canales et fossas, ad varias Regni partes, pro facilitando Commercio deducantur: Consilium Reg. Locumtenentiale curabit, viros hujusmodi aquaeductuum gnaros superinde consulet, cum iisdem tractabit, et concludenda in Diaeta reportabit." Hingegen wurde die Sorge für die Verbesserung der Landwege den Comitaten und Districten überlassen, deren Thätigkeit sich von der des Reichstages dadurch unterschied, dass sie nicht einmal den Namen eines Planes verdient.

[3] Als man 1729 den König um die Erlaubniss des freien Weinexportes anging und dieser als Grund für seine Verweigerung den Umstand angab, dass er mit den Ständen der übrigen Kronländer diesbezüglich noch nicht ins Reine gekommen sei, da wurden auf dem ungarischen Reichstage viele Stimmen laut, dass Ungarn ein selbständiger Staat sei, dessen Wohlstand nicht von der Willkür oder den Ansichten fremder Reichsstände abhängig gemacht werden könne.

In diese Zeit fiel es, dass Ungarn das romantische aber auch
schon fadenscheinige Gewand des Mittelalters langsam abstreifte.
Es mangelten ihm noch die Principien und Mittel zu einem modernen, geregelten Staatshaushalte und mit diesen auch die
Gesundheit desselben. Aber einzelne Bewegungen auf dem Felde
des Finanzwesens dürfen wir doch nicht mit Stillschweigen übergehen. So war die Errichtung eines fundus publicus aus besondern
Staatseinnahmen lange Zeit hindurch ein warmgehegter Lieblings-
wunsch der ungarischen Reichstage; anfangs wendete man ein,
eine solche Landescassa werde nur den Steuersäckel der Bevölkerung
belasten und weiter keinen Nutzen bringen; doch als der Gedanke
1723 grössere Verbreitung und Beliebtheit gewann, war es wieder
die österreichische Centralregierung, die sich furchtsam und
neidisch diesem Plane widersetzte; in ihr herrschte die Maxime,
„die Ungarn sollen nicht reich werden, damit die andern Provinzen an Wohlhabenheit zunehmen". Versuche der österreichischen
Regierung, 1732 in Ungarn das Tabakmonopol einzuführen, wurden durch das muthige Auftreten des Vicekanzlers, Ludwig
Batthyányi, vereitelt, im Allgemeinen aber bemühten sich die
österreichischen Finanzmänner, zur Deckung des Central-Staats-
haushaltes Ungarn immer mehr und mehr herbeizuziehen. — Was
nun noch das Steuerwesen betrifft, so hat wohl der Art. 8 : 1715 die
Blutsteuer zu einer allgemeinen gemacht, indem alle Staatsbürger
zum Contingente des stehenden Heeres ihr Theil beitragen mussten; andererseits aber hing der Adel mit hartnäckiger Zähigkeit
an seiner Steuerfreiheit, ja es wurde sogar verboten, einen Antrag
auf Abänderung dieses Zustandes zu stellen, wiewohl wieder
einige Stellen aus dieser Zeit stammender Gesetze den Beweis
dafür liefern, dass man in Ungarn die Ungerechtigkeit und Un-
natürlichkeit dieser Scheidewand zwischen Adeligen und Nichtadeligen sehr wohl einsah. So heisst es im Art. 90 : 1723: „N a -
t u r a l i   r a t i o n i   et aequitati conforme est illi cui bonum
p u b l i c u m   c o m m m u n e   e s t, onerum quoque publicorum
supportationem suo modo communem esse debere."

DRITTES KAPITEL.

Die volkswirthschaftlichen Ideen in Ungarn unter der Regierung Maria Theresia's und Kaiser Josef des Zweiten. — I. Charakterisirung dieses Zeitraumes und die Entwickelung der volkswirthschaftlichen Ideen von 1741 bis 1765 im Allgemeinen. — II. Der Kampf der Regierung mit der Aristocratie in Sachen der Leibeigenen und der Steuerreform. — III. Die Periode von 1765 bis 1790. Reformbestrebungen Maria Theresia's und Josef des Zweiten.

I. Wenn auch im Grossen und Ganzen dieser Zeitraum von dem früher beschriebenen nicht in Vielem und Bedeutendem abgewichen war, so ist er doch nicht gänzlich aller Eigenthümlichkeiten bar gewesen. Mit dem aufgeklärten Absolutismus, der in dieser Epoche seinen Glanzpunkt in den österreichischen Ländern erreichte, überging die vorwärtsschreitende Thätigkeit, das eigentliche Aneifern zum Fortschritte und die Initiative in der Ausführung der diesbezüglichen Bestrebungen aus den Händen des Volkes in die der Centralregierung. Freilich konnte man es da mit den verfassungsmässig gesicherten, constitutionellen Rechten der ungarischen Nation nicht immer ganz genau nehmen, und was auch die gute und edle Absicht der bezweckten Reformen Günstiges und Wohlthuendes geleistet haben würde, sie mussten im Vorhinein an dem strammen Festhalten der Nation an ihren alten Rechten einen unliebsamen Widersacher finden und Schiffbruch leiden. Ein Vortheil dieser Epoche ist es, dass sich eine engere Verschwisterung der Theorien mit der Praxis von Tag zu Tag immer geltender machte, dass einzelne Fragen auf dem Gebiete des Staatslebens und so auch auf dem der Volkswirthschaft eine genauere Umschreibung, eine geklärtere Auseinandersetzung erhielten, und es ist für diesen Zeitraum gewiss charakteristisch, dass man nun nicht mehr wie früher nach allen Seiten hin ausgriff, um die unbestimmt und ungelöst herumschwirrenden Fragen unsicher zu erhaschen; sondern dass man einigere, wichtigere in den Brennpunkt der aufmerksamsten Beobachtung stellte, sie von allen Seiten aus und bei jeder Gelegenheit eingehend durchforschte, um sich über dieselben feste, unwandelbare Grundsätze zu verschaffen.

Was insbesondere die Zeit von 1741—1765 anbelangt, so unterscheidet sie sich fast in gar nichts von der ihr vorange-

gangenen, wenn wir die nationalökonomische Bewegung in Anbetracht ziehen. Ein einzelnes Werk, welches bei Gelegenheit
des 1764er Reichstages veröffentlicht worden, verdient wegen
der systematischen Behandlung, die es einzelnen volkswirthschaftlichen Fragen Ungarn betreffend widmet, unsere Aufmerksamkeit. Dasselbe führt den Titel: „Opinio circa Reformationem regni Hungariae" und ist zweifelsohne auf Veranlassung
der Centralregierung, welche die mittelalterlichen Institutionen
im Bereiche des öffentlichen Lebens in Ungarn unpopulär und
verächtlich zu machen suchte, entstanden. Von wahrhaft frei-
heitlichem Geiste durchhaucht, bemühte sich diese Schrift —
oft in dem Tone beissendster Ironie und giftiger Satyre — die
ungarischen Zustände durch einen Strahl der modernen, westeuropäischen Cultursonne zu beleuchten; war es da ein Wunder,
wenn sie von den Ständen, die nun ihr zerfallendes, morsches
Bild in greller Beleuchtung gewahrten, wie eine andere, denselben Ideen huldigende Arbeit von Kollár [1] mit dem ein-
stimmigen Anathema der in ihren Grundfesten sich angegriffen
sehenden Aristocratie beladen wurde? [2] Doch was nutzte dies?
Die Zeit wartet geduldig, und wahrlich nicht das Jahrhundert
hatte gelitten, welches verfliessen musste, bis man ähnlichen
Ideen in Ungarn ein Ohr lieh, sondern die ungarische Nation
selber, die sich störrig dem Rufe der Neuzeit verschlossen hatte.

Prüfen wir den volkswirthschaftlichen Ideenkreis dieses
Zeitabschnittes etwas näher, so wird es sich zeigen, dass der Mercantilismus, dessen Glanz in Westeuropa vor dem Physiocratismus schon immer mehr und mehr erbleichte, in Ungarn noch
immer festen Boden hatte. Die Bedeutung des Geldes wurde
noch immer überschätzt und selbst die officielle „Opinio circa

---

[1] „De originibus et usu potestatis Legislative".
[2] Der Verfasser dieser officiellen Schrift gelangt zu folgenden Grundsätzen: Der Fortschritt eines Landes ist von der Bildung seiner Bevölkerung und deren Wichtigkeit bedingt. — Alle Bemühungen der Regierung
sind nutzlos, wenn das Volk träge und arbeitsscheu ist. — Die productiven
Volksklassen sollen sich wo möglich vermehren; daher Verminderung der
Geistlichkeit. — Oeftere Conscriptionen der Bevölkerung sind behufs Ab-
schätzung der dem Fürsten zu Gebote stehenden Volksmacht von Nutzen, —
Handel, Gewerbe und Verkehrsmittel als Hauptfactoren des Nationalreich-
thumes sind sociell und staatlich zu unterstützen. — Die Verbesserung
des Unterthanenloses bildet eine Hauptaufgabe der Legislative und
Regierung.

4*

Reformationem etc." wird nicht müde zu predigen, dass der „nervus rerum gerendarum est pecunia". Derselbe Gedanke leitet die diesbezüglichen Ansichten der Reichstage von 1741, 1751 und 1764; nicht minder folgten sie in Bezug auf die Bevölkerungsdichtigkeit der mercantilistischen Schule; der Grundsatz „ubi populus, ibi obulus" wurde nicht nur von der Legislative, sondern auch von der „Opinio circa Reformationem" hoch gehalten, die in dieser Beziehung eine nicht unmassgebliche Vorläuferin des Sonnenfelsianismus wurde, der sich bald darauf in Oesterreich breit gemacht hatte. Die protectionistischen Tendenzen im Bereiche der Zollpolitik traten theilweise noch immer mit grosser Entschlossenheit auf, worüber die Gravamina der Reichstage ein beredtes Zeugniss ablegen.

Erfreulich ist es aber doch zu sehen, wie man das Darniederliegen der Gewerbe und der Fabrication einzusehen und darüber Klage zu führen begann, wenn auch nichts Bedeutendes zur Beseitigung der Uebelstände geleistet wurde. In den „viginti puncta Calamitatum", welche der 1751er Reichstag zusammenstellte, wird der Absentismus als ein theilweiser Grund der unentwickelten Industrie aufgestellt, während man andererseits zur Hebung der letztern die Versorgung des Heeres mit inländischem Tuche der Regierung als kräftiges Mittel anräth. Der 1764er Reichstag sah es deutlich ein, dass das Institut der Zünfte und eine ganze Reihe von Monopolen und Privilegien unhaltbar geworden sei, während die „Opinio circa Reformationem" statt der Limitationen und behördlichen Preisbestimmungen, die Beseitigung der Zünfte, unentgeltlichen Unterricht in den Gewerben, Beschäftigung der Armen u. s. w. gesetzt wissen will. Fast endlos ist die Reihe der Klagen, die in Ungarn über die Beeinträchtigung seines Handels durch die österreichische Centralregierung geführt wurden; der neuerrichtete „Commercien-Rath" hatte alles schlechter gemacht, anstatt es zu verbessern. Andererseits wieder machte man Vorschläge, um das Prinzip der „Navigationsfreiheit" und die Herabsetzung des Zolltarifes thatsächlich in's Leben zu rufen. Endlich forderte man die Aufhebung der in den Küstenstädten bestehenden Verzehrungs- und anderer Zollsteuern, trat man gegen die den Verkehr erschwerenden Erlasse auf und die diesbezüglichen Aeusserungen sind nicht arm an Punkten, welche von einer Vervollkommnung der volkswirthschaftlichen Anschauungen ein lebendiges Bild darbieten; so hebt eine Adresse aus dem Jahre 1751 ganz treffend hervor, dass die bewerkstelligte Erhöhung der Zölle die Einnahmen des Staatsschatzes nicht nur nicht gehoben, sondern sogar bedeutend vermindert hat.

II. Trotz der Lebhaftigkeit, mit welcher man in allen Kreisen der maassgebenden Bevölkerung die Unterthanen- und Urbarialverhältnisse behandelte, konnte die Frage dennoch auch in diesem Zeitraume nicht endgiltig ausgetragen und befriedigend gelöst werden. Worüber man überall einig war, das war die Thatsache, dass die Lasten und die Bedrückung der Unterthanen unerträglich, ja durch die Einführung des stehenden Heeres noch unerträglicher wie vordem geworden seien; aber alle Bestrebungen der Regierung, die Interessen der Unterthanen mit denen der Grundbesitzer zu versöhnen, mussten, wenn sie auch theilweise von der freiheitlicher gesinnten Ablegatentafel unterstützt wurde, dennoch durch den störrigen Widerstand des hohen Adels und der Magnatentafel in die Brüche gehen.

Eine andere, nicht minder schwierig zu lösende Frage war es, wie man die Privilegien der Steuerfreiheit auf Seiten des ungarischen Adels so beschränken könne, dass das Princip einer allgemeinen Belastung zur Geltung gelange, die Einnahmen der Staatscassa wachsen und Reformen und Institute in's Leben gerufen werden, welche für das materielle Aufblühen des Landes erwünscht waren?

So sehr man nun auch in Ungarn an den mittelalterlichen Bevorzugungen des Adels festhielt, so konnte man sich doch nicht der Wahrheit verschliessen, dass unter den obwaltenden Umständen diese Bevorzugung einer Steuerfreiheit nicht länger möglich sei. Kriege, ein glänzendes Hofleben, ein schon damals fast organisch entwickeltes Bureaucratenheer, und die vielfach höhern Ansprüche, die man nunmehr an die Regierung und Verwaltung stellte, verlangten eine bedeutende Inanspruchnahme aller Bevölkerungsklassen; dabei musste die Regierung nach allen möglichen Finanzmitteln greifen, um den an sie gestellten Anforderungen nur theilweise gerecht werden zu können. Jedenfalls ist es sicher, dass die Geltendmachung des

Principes einer allgemeinen Steuerpflicht im Innern des
Ideenhorizontes dieses Zeitraumes lag und eine kurze Skizzirung
der diesbezüglichen Ideenentwickelung mag nicht ganz ohne
Interesse sein.

Schon seit 1723 war die Frage über die Errichtung einer
Landescassa und die Erhöhung der bisher von Ungarn geleisteten
Steuern nicht von der Tagesordnung gewichen; 1729 wurde im
Gegensatze zu den Bestrebungen der Regierung, welche den
Grundsatz: „Onus fundo inhaeret" zur Geltung bringen wollte,
das Princip: „Onus non fundo, sed personae inhaeret" zu Gunsten des Adels als Gesetz festgestellt; und in Verbindung hiermit
stand der Art. 8 : 1741, welcher festsetzte, dass die Steuerfreiheit
des Adels und die Giltigkeit des obgenannten Principes nie den
Gegenstand einer bezweifelnden Discussion bilden dürfe. Trotzdem tauchte er auf dem 1751er Reichstage wieder auf, und
diesmal war die Besprechung von dem Erfolge gekrönt, dass
sich der Reichstag herbeiliess, die Kriegssteuer um 1.200,000
Gulden thatsächlich zu heben. Die grösste Dimension erlangte
die in Rede stehende Frage auf dem 1764er Reichstage; die
Regierung war in die höchste Noth gerathen und dadurch
gezwungen, eine endgiltige Lösung um jeden Preis herbeizuführen. So geschah es sicher mit Billigung und unter den
Auspicien der Regierung, wenn Adam Kollár beim Beginne
des 1764er Reichstages in seinem schon oben erwähnten Werke
„De origine et usu potestatis Legislative" mit der bittern Lauge
der schneidendsten Kritik die mittelalterlichen Adelsprivilegien
überschüttet. Alle Last und aller Nachtheil — sagt er —
drücke den armen Steuerzahler, während jeder Vorzug und jeder
Genuss dem steuerfreien Adel zufällt; das ist eine Ungerechtigkeit, die wohl mit den Verböczy'schen veralteten Privilegien,
aber nicht mit den Anforderungen des Naturrechtes und der
ewigen Gerechtigkeit im Einklange steht. Die alten Institutionen
müssen durch neue, dem allgemeinen Wohle entsprechendere,
ersetzt, das adelige Aufgebot radical umgestaltet werden, soll
Ungarn die finstere Hülle des Mittelalters abstreifen. — Es ist
wohl wahr, Kollár hat in seiner Schrift viele Cardinalpunkte
der nationalen Verfassung nicht mit gebührender Pietät gewürdigt; aber ebensowahr ist es leider, dass man sich in Ungarn

an massgebender Stelle den tiefen Wahrheiten des genialen Schriftstellers hartnäckig verschloss; dass man seine im Sinne der Freiheit ausgeführte Thätigkeit mit dem undankbarsten Fluche belastete, ja dass die Verbreitung seines Werkes fast als Landesverrätherei angesehen wurde. Die directen Anforderungen der Regierung an den Reichstag, die sich ebenfalls um die Erhöhung und Verallgemeinerung der Steuern, ferner um die Ablösung des adeligen Aufgebotes mit Geld wie um einen festen Angelpunkt drehten, blieben wohl nicht ohne Widerrede, aber doch unerfüllt. Diese traurigen Thatsachen mussten von traurigen Folgen begleitet sein. Während nämlich der 1765er Reichstag nur die ihm von der Regierung dargebotene Hand anzunehmen brauchte, um auf dem Wege einer allgemeinern Gerechtigkeit zu dem Wohlstande der Nation zu gelangen, um ein wahrhaft epochemachender und wahrhaft grosser Reichstag zu werden; versank er, den eigennützigen Eingebungen des allmächtigen Adels folgend, in eine faule Thatlosigkeit, und er selber hat es sich zuzuschreiben, wenn nun der Regent, der sich in seiner Aufgeklärtheit höher fühlte als seine gesetzgebenden Unterthanen, auf dem Wege des Absolutismus und daher mit Verletzung der Verfassung das zu erreichen suchte, was ihm wegen der Beschränktheit der Aristocratie und der Blindheit des Volkes auf verfassungsmässigem Wege zu erreichen nicht ermöglicht war.

III. Der ungarische Adel also trägt die Schuld, wenn uns hier die Epoche des aufgeklärten Absolutismus entgegentritt, wo königliche Befehle, Patente und Erlässe die Thätigkeit der Reichstage vertraten. Das Wenige, was Ungarn noch an Selbständigkeit übrig geblieben war, ging in dem 25 Jahre umfassenden Zeitraume von 1765—1790 fast völlig unter, und der Ersatz, den der aufgeklärte Cäsarismus der Nation für ihre verlorene Verfassung bot, war die Verbesserung ihrer materiellen Verhältnisse, die Hebung ihrer volkswirthschaftlichen Interessen, ein trauriger Ersatz dort, wo er neben der Freiheit als etwas Selbstverständliches hingestellt werden konnte.

So wurde 1765 das neue Urbarialstatut erlassen; dasselbe suchte zwischen dem Leibeigenen und dem Grundbesitzer eine Interessenharmonie herzustellen, bestimmt zu diesem Zwecke genau die Lasten der Leibeigenen und die Rechte der Herren und erstreckt sich auf alle Bestimmungen, welche eine Sicherstellung und freie Bewegung der Bauern bezwecken, leidet aber dabei an dem Mangel, dass es doch die völlige Emancipation des Bauernstandes noch immer nicht auszusprechen wagte. Die Regierung zog die Hebung der Landwirthschaft, der Forstcultur, der Pferde- und Hornviehzucht, der Fabrication und der Gewerbe, des Montanwesens und der Zollpolitik in den segensreichen Kreis ihrer Aufmerksamkeit; die zwischen Siebenbürgen und Ungarn, zwischen Slavonien und dem Temeser Banat bestandenen Zollschranken fielen, der Commercienrath wurde aufgelöst und eine Bankcommission im Vereine mit der Hofkammer wurde aufgefordert, ein neues, günstigeres Zollsystem auszuarbeiten, und dasselbe nach Anhörung ungarischer Fachmänner in's Leben zu rufen. Leider hatte diese Verordnung aber nur sehr wenige Erfolge erreicht. Im Jahre 1779 wurde F i u m e der ungarischen Krone wieder einverleibt und zur freien Handelsstadt erhoben, wodurch die ungarischen Handelsinteressen keinen geringen Aufschwung nahmen. [3]

Doch konnte dies Alles nur wenig nutzen, denn es fehlte der belebende Kitt zwischen der Nation und der Regierung, das Vertrauen, und dieser Mangel hatte selbst die besten Kräfte lahmgelegt, selbst die schönsten Hoffnungen zerstört. Der mächtigste Factor des öffentlichen Lebens, der Reichstag, war weggefallen und überall gähnt uns der leere Abgrund entgegen, der Volk und Regenten immer weiter auseinander drängte. Ein solcher Zustand konnte der Entfaltung der volkswirthschaftlichen Ideen im Grossen und Ganzen nicht günstig sein; in den Massen zeigt sich kein Fortschritt, Alles denkt, wie man vor 1741 gedacht; höchstens dass es einzelnen erleuchtetern Geistern gelang, durch die Reform-

[3] Einer jener wenigen Staatsmänner, welche schon in jener Zeit die hohe Wichtigkeit der national-ökonomischen Interessen einsahen, war der erste Statthalter von Fiume J o s e f S z é k h e l y i M a j l á t h, von dem Fessler (Gesch. X. p. 456—457) sagt : „Das Verdienst dieses ungarischen Staatsmannes um die erste Einrichtung und das Emporkommen des ungarischen Küstenlandes ist entschieden; seine scharfsinnig berechneten Pläne und gediegenen Vorstellungen beurkunden den tiefschauenden, vielumfassenden Staatsmann, seine bewiesene Geduld mit den kleinlichen Rücksichten, Bedenklichkeiten und Massregeln der Wiener Hoffinanzbehörde den hohen Grad seiner patriotischen Resignation. Vergl. noch E n g e l : Staatskunde und Gesch. von Dalmatien, Croatien und Slavonien, p. 345—369.

bestrebungen der Regierung angeregt, einige Theorien in freiheitlicherem Lichte zu erblicken und ihr geistiges Auge auf neue Gegenstände zu lenken.

Was Maria Theresia in der zweiten Hälfte ihrer Regierung begonnen, das hatte ihr genialer, gutmüthiger, aber die Umstände nur wenig berücksichtigender Sohn, Kaiser Josef II., auf eine starre Weise zu Ende geführt. Mit den Principien der Encyclopädisten und physiocratischen Oekonomisten wohl vertraut, wollte er die von ihm als unfehlbar angesehenen Grundsätze derselben in den seinem Scepter unterworfenen Ländern durchführen. Entsprechend den Ansichten der Physiocraten, denen zufolge die Inhaber des Grund und Bodens die einzige productive Klasse der Bevölkerung bilden, denen es immer möglich bleibt, die ihnen auferlegte Steuer beim Verkaufe der Rohproducte wieder einzuheimsen, suchte er den Grundbesitz zum Schwerpunkte der öffentlichen Staatshaushaltung umzugestalten. Alles, was dem Grundbesitze vortheilhaft werden und die Urproduction befördern konnte, fand in ihm eine mächtige Stütze. Unter ihm fand die erste, systematische Conscription der Bevölkerung statt, um ihre Zu- und Abnahme in Evidenz halten zu können. Die ackerbauende Klasse erhielt ihre persönliche Freiheit wieder, indem er die Fesseln zerbrach, die den Bauer an die Scholle geheftet hatten; die Zünfte wurden aufgehoben und im ganzen Lande herrschte Freiheit des Handels; Hindernisse, welche den Handel hemmten, wurden weggeräumt, das Wuchergesetz fiel und es wurde die Absicht ausgesprochen, das ganze Reich in ein grosses, im Innern schrankenloses Zollgebiet umzuwandeln. Zur Hebung der Industrie und Fabrication geschah wohl im Lande manch Erhebliches, andererseits aber wurde dem Auslande gegenüber das strengste Schutzzollsystem beobachtet, was für Ungarn von besonders schädlichen Folgen sein musste. Josef bezweckte ferner die Einführung einer allgemeinen Besteuerung des Grund und Bodens und liess eine Art Cataster ausarbeiten; dabei versprach er dem ungarischen Adel, im Falle er sich in das neue finanzielle System fügt, die Binnenzölle und Dreissigstgebühren aufzuheben, sowie auch der ungarischen Industrie dieselbe Stütze angedeihen zu lassen, deren sich die übrigen Kronländer erfreuten. Wer erkennt nicht in diesen und noch andern, das finanzielle Wesen des Staates und die Communication befördernden Einrichtungen den rauschenden Flügelschlag eines freiern, lichtvollern Jahrhunderts? Wer wollte leugnen, dass Josef nicht ein klares Bewusstsein von den Mängeln seiner Unterthanen hatte? Wer könnte es in Abrede stellen, dass in diesen Institutionen vieles des Wahren, des Gerechten und Zweckmässigen verborgen lag? Aber was unter andern Umständen hätte segensreich und nutzbringend werden können, musste wegen der Ungunst der Verhältnisse, wegen der Unreife der Völker und wegen des zu eifrigen und überstürzten Auftretens des Monarchen Zwietracht und Misstrauen säen, musste erfolglos bleiben. Drei Fehler waren es insbesondere, die sich Josef zu Schulden kommen liess. Erstens wollte er den Absolutismus mit dem Liberalismus versöhnen, ein Versuch, der eben so unmöglich ist, wie Feuer und Wasser in harmonische Einheit zu bringen. Zweitens zog er aus dem Mercantilismus und Physiocratismus zum Zwecke der Umgestaltung der österreichischen Volkswirthschaft so viel heraus, als er zur Festigung seiner absolutistischen Neigungen für gut fand; hierdurch verwickelte sich seine Theorie mit seiner Praxis in unlösbare Widersprüche, was der letztern nicht wenig zum Schaden gereichte. Drittens zeigte sich sein Plan, eine einzige, die Grundsteuer einzuführen, in einem so bunten Ländercomplexe wie Oesterreich, schon vom Anfange an als etwas Unnatürliches, dass man staunen muss, wie sich der scharfsichtige Monarch auch nur auf eine Minute lang in der süssen Hoffnung wiegen konnte, dieses Steuersystem in Wirklichkeit durchführen zu können.

VIERTES KAPITEL.

Die politische und volkswirthschaftliche Literatur im Laufe des 18. Jahrhunderts. — I. Allgemeiner Ueberblick über die Literatur in diesem Zeitraume. — II. Kritischer Rückblick auf die ganze Entwickelung dieses zweiten Zeitraumes.

I. Welch rege, rastlose Thätigkeit in Mittel- und Westeuropa! Welche Stille und Ruhe in Ungarn! Dort der Anfang umfassender, systematischer Behandlung aller wichtigen Fragen des socialen, staatlichen und wirthschaftlichen Lebens; hier kaum eine leise, rhapsodische Beschäftigung mit ihnen in Abhandlungen, Schulen und Versammlungen. Trotzdem stand es in der zweiten Hälfte des 18. Jahrhunderts in Ungarn schon bedeutend besser, wie in den vorher abgeflossenen Zeiträumen. Der fast ununterbrochene Kampf der Nation mit dem Regenten lenkte doch die Aufmerksamkeit auf einzelne staatliche Verhältnisse und regte eine eingehende Behandlung derselben an. An der Hochschule zu Tyrnau wurde 1760 ein eigener Lehrstuhl für das „Studium politico-camerale" errichtet und F. Gyurkovics war der Erste, der die Grundsätze dieser Wissenschaft vom Katheder aus einer ansehnlichen Zuhörerschaft vortrug. In der k. Academie zu Grosswardein docirte Adalbert Barics die politischen und national-ökonomischen Wissenschaften in dem Jahre 1769 und um einige Jahre später in Agram und Raab.

Wenden wir uns nun der Betrachtnng der einzelnen literarischen Producte zu, so müssen wir an erster Stelle Adam Kollár erwähnen, dessen Schrift wir schon oben einer eingehendern Besprechung würdigten. Josef Izdenczy schrieb ein Werk über die Mängel. des Steuersystems unter dem Titel: „Magyar adórendszer hiányossága s egy uj financzszerkezet szükségéröl" im Jahre 1777, welches aber erst 1802 in Wien erschien. Leo Szeicz liess sich in weitläufige staatswissenschaftliche und historische Polemiken ein (Igaz Magyar. Paris-Berlin, 4 B. 1785—1790). Kazinczy übersetzte aus Friedrich II. Werken 1790; ein Anonymus (Anton Cziráky) verfasste eine „Introductio ad politica Regni Hungariae", Ofen 1790; Lucius Panonius (ein Pseudonym) behandelt in seinem „Epistola circa diminutiorem vectigalis in producta Hungariae 1781" die verfehlten Resultate des Zollsystems; Emerich Tapolay bespricht in den „Considerationes de statu commerciali Hungariae 1790" das Sinken des Handels und Verkehrs; Merze beschäftigt sich in den „Observationes commerciales et media regulandi navigationem in Tibisco" 1785 mit den Hindernissen der Schiffahrt und weist auf die Fähigkeit der Theiss hin, als Wasserbahn zu dienen; in den Dreissiger Jahren des 18. Jahrhunderts erschien ferner ein Werkchen unter dem Titel: „Brevis Dilucidatio Commercii utiliter etc. fructuose instituendi in Ditionibus Hungarico-Austriacis" (siehe Széchenyi Bibl. Quart. Lat. 251), dessen Autor ungenannt ist, das aber einzelne sehr treffende und practische Bemerkungen enthält und einen denkenden Kopf verräth. Von mehr Bedeutung waren die Arbeiten Tessedik's, Wuchetich's und Szapáry's.

. Samuel Tessedik, ein finsterblickender Seelsorger und Landwirth, schrieb: „Der Landmann in Ungarn, was er ist, und was er sein könnte" 1784, (von Kónyi 1786 in's Ungarische übertragen) und „Oekonomisch-statistische Bemerkungen über den gegenwärtigen Zustand des Landwesens in Ungarn" 1787. Tessedik ist Anhänger der physiocratischen Schule und bevorzugt in diesem Sinne alle Interessen des Landbaues; trotzdem stimmte er in Vielem mit den Mercantilisten Becher, Zincke und Sonnenfels überein.

Die „Scientia Rei aerariae" von Mathias Wuchetich vom Jahre 1790 ist wohl nicht viel mehr als eine Compilation und Uebersetzung von ausländischen Werken, muss aber trotzdem als das erste Lehrbuch der Finanzwissenschaft in Ungarn angesehen werden und verdient schon deshalb eine besondere Erwähnung.

Im Jahre 1784 erschien zu Nürnberg unter dem Titel: „Der unthätige Reichthum Ungarns, wie zu gebrauchen" vom Grafen Johann Szapáry ein Werk, das sich schon durch selbständige und originelle Auffassung auszeichnet und die Vertrautheit des Verfassers mit den modernen Theorien der Volkswirthschaft verräth. Es ist im liberalen Sinne geschrieben, verlangt die Einführung einer allgemeinen Besteuerung und würdigt bei seinen Reformbestrebungen auch die veränderten Zeitverhältnisse und Umstände. Zum Zwecke der Hebung des Handels beantragt der Verfasser die Beförderung der Industrie und des Communicationswesens durch staatliche Geldunterstützung; er will alle Klassen besteuern und soll die auf diese Weise einlaufende Steuersumme den bestehenden Schiffahrts-, Fabriks-, Versicherungsvereinen u. s. w. durch Ankauf ihrer Antheilsscheine übergeben werden (also die erste Idee der gegenwärtigen Credit-mobilier-Gesellschaften!), wodurch Ungarn, wie Verfasser meint, in einem Jahrzehnte schon zu hoher materieller Blüthe gelangen muss. Er plaidirt für das Controllirungsrecht der Steuerpflichtigen und für kaufmännische Fachversammlungen; nicht weniger interessant ist jener Theil des Werkes, welcher die Aufgaben des ungarischen Littorale bespricht.

Was die Hilfswissenschaften der Volkswirthschaft betrifft, so können wir uns hier nicht in eine eingehende Detaillirung ihrer Literatur einlassen, wiewohl dieselbe auch dann noch genug mager und arm ausfiele, denn Ungarn war bis zur zweiten Hälfte des 18. Jahrhunderts den Ungarn selber eine „terra incognita" und es ist gewiss, dass sich ungarische Jünglinge 1730 nach Jena und Halle verfügen mussten, wenn sie die statistischen Zustände ihres eigenen Vaterlandes kennen lernen wollten. Erwähnt müssen werden: Das im grossen Style angelegte geographisch-statistische Werk von Mathias Bél: „Notitia Hungariae etc." aus der ersten Hälfte des 18. Jahrhunderts; Korabinszky's „Lexicon" aus den Achtziger Jahren desselben Säculums (in Pressburg); Szászky's „Introductio in orbis hodierni Geographiam" 1749 und 1777; dann noch Szuhányi's „Notitia orbis e variis peregrinationibus deprompta" Kaschau 1788. Für die Landwirthschaft sind zu nennen: Kristof Fischer: „Opera oeconomica" Kaschau 1737 und Johann Lyczei: „Iter oeconomicum duodena stationum", eine vortreffliche Abhandlung, die 1707 in Tyrnau erschien und sich von Seiten der Fachmänner bedeutende Anerkennung verschaffte.

II. Im Verlaufe der Skizze, die wir von dem volkswirthschaftlichen Leben Ungarns in dem vorliegenden Zeitraume zu geben bestrebt waren, hat es sich mehr wie einmal gezeigt, dass wenn auch im Grossen und Ganzen kein festes, sicheres System zum Durchbruche kam und sich Anerkennung verschaffte, es doch einzelne feste Punkte, solide, leitende Ideen gab, die wie leuchtende Fixsterne aus dem Meere planetarisch herumschwärmender Ideen und Anschauungen erhellend und wegweisend hervorleuchteten. Im Kampfe, welchen der Conservatismus mit dem Fortschritte focht, war die Stellung der Parteien eine höchst wandelbare; während nämlich in der ersten Hälfte des Jahrhunderts das vorwärtstreibende Element in dem Schoosse der Nation lag und die Regierung den Hemmschuh der Reaction mehr als nöthig war handhabte, war es in der zweiten Hälfte des Jahrhunderts gerade die Nation, welche sich in ihren alten Rechten angegriffen sah und gegenüber der unbedacht reformsüchtigen Regierung den conservativen Standpunkt innehielt; ja sogar während des letzten Jahrzehntes in den Abgrund des cäsaristischen Absolutismus, in Unthätigkeit und Stagnation verfiel.

Ein ähnlicher Kampf zwischen dem Alten und Neuen, wie er sich überhaupt in jeder Uebergangsepoche einstellt, wird auch auf dem Gebiete der Volkswirthschaft bemerkbar. Der Mercantilismus fand viele und eifrige Anhänger; aber er hatte schon nicht unbedeutende Widersacher aus dem Lager der Physiocraten und Freihändler zu entwaffnen, wobei er selber mehr wie einmal den Kürzern zu ziehen genöthigt wurde. — Mehr wie in irgend einem anderen Staate Europa's trat in Ungarn die enge Zusammengehörigkeit der politischen und volkswirthschaftlichen Interessen an's Tageslicht, und es erklärt sich sehr leicht aus der Geschichte, dem nationalen Charakter und den territorialen Verhältnissen Ungarns, wie es kam, dass die erstern den letztern immer vorgesetzt, die letztern von den erstern hingegen immer in Abhängigkeit gebracht wurden. Darum musste Ungarn den am Ende des besprochenen Jahrhunderts eingetretenen immensen Reformen auf dem Gebiete der Nationalökonomie so unfertig und unvorbereitet gegenüberstehen, was diesem Lande so viele Erschütterungen und Krisen verursachte.

Es ist also eine Thatsache, dass Ungarn auch während dieses Zeitraumes einen, wenn auch nur geringfügigen, aber doch unentbehrlichen Ring in der grossen europäischen Staatenkette bildete, dass es niemals die Fühlung mit dem vorgeschritteneren Westen verlor, dass es sich vollkommen von den daselbst herrschenden Theorien und Principien beeinflussen liess und nicht, wie Manche meinen, auf den Isolirschämel nationaler Abgeschlossenheit und wissensscheuer Verschlossenheit sich stellte. Ja wenn wir die einzelnen Lichtpunkte berücksichtigen, welche dem unparteiischen Forscher auf dem Gebiete der ungar. Volkswirthschaft entgegentreten, so müssen wir das eben beschriebene Jahrhundert als das des volkswirthschaftlichen Fortschrittes und als den Anfang einer Entwickelung selbständiger, nationalökonomischer Ideen bezeichnen. Dieser Fortschritt bestand aber nur darin, dass man endlich doch einmal die Fesseln abwarf, welche mittelalterliche Institutionen hemmend um den üppigen Staatskörper geschlungen, dass man das Auge zu höhern, freiheitlichern Gedanken erhob. Von dem Festhalten an einem

Systeme ist auch in diesem Jahrhunderte noch keine Rede, mangelte es doch an der richtigen Kenntniss der Grundbegriffe der Nationalökonomie, war man doch über die Bedeutung der Worte: Capital, Werth, Geld, Einkommen, Vermögensvertheilung u. s. w. noch immer im Dunkeln. Doch darf hier nicht verschwiegen werden, dass der gesunde, practische Verstand der Ungarn es ihnen nicht erlaubte, sich von den österreichischen Nationalökonomen, trotz der engen Verbindung, in welche die österreichischen Kronländer mit Ungarn getreten waren, in das Schlepptau des gröbsten Mercantilismus hineinziehen zu lassen, der an den andern Ufern der Leitha in Horneck, Becher, Schröder u. s. w. gar zu eifrige Verfechter fand; höchstens kann man Kollár und die „Opinio circa Reformationem" ausnehmen, welche als Vertreter der Sonnenfelsischen Theorien gelten müssen, die bestrebt waren, die humanitären Anforderungen des Jahrhunderts mit dem aufgeklärten Absolutismus in Einklang zu bringen.

So wurde die Lücke, welche die nationalökonomische Entwickelung in Ungarn von der Mittel- und Westeuropa's trennte, immer weiter und klaffender. Im Westen Europa's hatte am Ende der ersten Hälfte des 18. Jahrhunderts die systematische und wissenschaftliche Vervollkommnung der Volkswirthschaft begonnen und in kurzen Zeiträumen reissende, staunenerregende Fortschritte gemacht; in Ungarn stellte man die ersten wissenschaftlichen Versuche an und es bedurfte noch fast ganzer fünfzig Jahre, bis eine selbständige wissenschaftliche Richtung platzgriff und die Nationalökonomie in der Literatur eine specielle Vertretung fand.

Dritter Zeitraum.

Von 1790 bis 1825, oder: Die ersten Anklänge einer selbständigeren Ideen-Entwickelung.

ERSTES KAPITEL.

Politische, volkswirthschaftliche und culturhistorische Zustände Ungarns von 1790 bis 1825. — I. Die politischen und volkswirthschaftlichen Verhältnisse Ungarns in diesem Zeitraume. — II. Die volkswirthschaftliche Ideenentwickelung während dieses Zeitabschnittes im Allgemeinen.

I. Jene 35 Jahre, deren Entwickelungsmomente hier den Gegenstand unserer Besprechung bilden sollen, wàren für die ganze neuere Geschichte Ungarns wahrhaft epochemachend. Einmal wurden auf dem politischen Gebiete, in der Verfassung und dem Staatsrechte neue Factoren und Elemente zur Geltung gebracht, so dass früher oder später eine völlige Umgestaltung des Staatsorganismus ihnen nachfolgen musste, zweitens trat Ungarn um diese Zeit langsam heraus aus seiner Isolirtheit von den andern europäischen Staaten, die an der Spitze der damaligen Bewegungen standen; so kam es, dass es durch eine nähere Berührung mit den Völkern Mittel- und Westeuropa's zu einer richtigen Erkenntniss und Auffassung seiner eigenen Lage und Aufgabe gelangte.

Gleich im Anfänge dieses Zeitabschnittes, der mit dem Tode Kaiser Josef II. und dem Ausbruche der französischen Revolution zusammenfällt, begann die ungarische Nation, nachdem sie fast ein Vierteljahrhundert zu politischer Unthätigkeit verurtheilt gewesen, eine lebhafte Rührigkeit zu entfalten. [1]

[1] Melchior v. Lónyay schildert diese Periode folgendermassen: „Die Zeit ist noch nicht lange vorüber, wo es das einzige Streben unserer klügsten Männer war, die im Laufe von Jahrhunderten entwickelten,

Die Folge hiervon war, dass die neue Richtung zugleich der Ausgangspunkt für alle öffentlichen Bewegungen wurde, welche die ungarische Nation in ihrem Verjüngungsprocesse durchgemacht.

Betrachten wir nun zuerst die politischen Momente der Umgestaltung etwas näher.

Nach dem Tode Kaiser Josef II. war der Zielpunkt der ganzen Reform-Bewegung auf das Streben gerichtet, Ungarn in legislativer und administrativer Hinsicht für unabhängig und selbständig zu erklären und es aus der schiefen Stellung herauszureissen, in die es während der letzten 30 bis 40 Jahre zu den deutsch-slavischen Ländern der Monarchie gerathen war. Diesem Streben gab der Reichstag von 1791 thatsächlichen Ausdruck. In Ungarn war man nämlich zur traurigen Ueberzeugung gelangt, dass die österreichische volkswirthschaftliche Politik Ungarn ganz ausser Acht liess, ja dass die Centralregierung sogar mit jeder ihrer Verordnungen die andere Hälfte des Reiches auf Kosten Ungarns bevorzugte und letzteres in seiner provinzialen Abhängigkeit zu erhalten suchte.

Andererseits wieder gab sich das lebendige Streben kund, Ungarn durch Einführung echt democratischer Institutionen und durch Umgestaltung seiner politischen und socialen Verhältnisse im Sinne der Neuzeit auf jenes Niveau staatlicher Entwickelung zu bringen, auf welchem andere vorgeschrittenere Nationen Europa's standen, um dadurch eine freiere und schnellere Entfaltung des öffentlichen Lebens herbeizuführen.

Leider aber war die grossartige Bewegung, welche sich im Anfange dieses Zeitabschnittes auf dem Gebiete des öffentlichen

öffentlichen Verhältnisse wie ein Heiligthum zu schützen und das nationale Leben in seiner unregelmässigen Primitivität aufrecht zu erhalten. Die Herrschaft des Pincipes: „maneamus in nostra beata confusione" ging während der Regierung Leopold II. unter, und in der Nation erwachte das Begehren nach Reform und Verbesserung." (Hazánk anyagi érdekei; die materiellen Interessen unseres Vaterlandes 1847 I. 2.) — Der berühmte Historiker Michael Horváth sagt diesbezüglich: „Jene grosse Umgestaltung, durch welche die Bluttaufe der französischen Revolution den menschlichen Geist in seinen staatlichen und gesellschaftlichen Verhältnissen hindurchführte, liess auch Ungarn nicht unberührt. In der Nation erwachte das Begehren nach Umgestaltung, und dieses starb nicht mehr aus. In den herzerschütternden, blendenden Ereignissen des grossartigen Zeitalters lag eine wundervolle Kraft, die Jeden mitriss und zur Thätigkeit antrieb (25 Jahre aus der Gesch. Ung. I. 1. und 7. Seite).

Lebens so hoffnungsreich zu entfalten begann, nur von wenigen Erfolgen gekrönt, ja es haben sogar die Jahre 1811—1812 die Kluft zwischen Regierung und Nation wieder weiter ausgedehnt, und die kaum begonnene Reformbewegung wurde schon nach ihrem ersten Anlaufe zum Stillstande gebracht.

Theilweise war die Nation selber noch nicht genug vorgebildet, um die bezweckten Reformen gehörig erfassen und würdigen zu können, theilweise aber wurden nach dem Tode Leopold II. sorgfältig alle constitutionellen Principien aus dem Bereiche der Regierung ausgeschoben. Auf die französische Revolution folgte in dem erschreckten Europa der eiserne Absolutismus, und Napoleons Kriegslust hatte die Monarchie in ein grosses Lager umgewandelt, wo das Volk die Erfüllung seiner brennenden Wünsche auf eine bessere Zukunft verschieben, in der Gegenwart aber Geld und Blut zur Erhaltung des Reiches aufopfern musste.

So kam es, dass nicht nur ein grosser Theil der in Aussicht gestellten legislativen Verbesserungen ausblieb, dass nicht nur die Arbeiten der bei mehreren Gelegenheiten entsendeten Comité's fruchtlos blieben; ja es mussten sogar in dem letzten Decennium des zu besprechenden Zeitabschnittes alle Gebiete des öffentlichen Lebens fast ganz brach liegen bleiben, und es ist nur eine natürliche Folge hiervon, dass die Resultate, der während dieser Periode im Bereiche der Volkswirthschaft entwickelten Thätigkeit ebenfalls nicht befriedigend genannt werden können.

Doch ist dies nicht so zu verstehen, als wäre eben gar kein Fortschritt während dieser Periode bemerkbar gewesen. Nein, in dem Zeitraume von 1790—1825 hat erstens die nngarische Landwirthschaft und der Bergbau einige Vervollkommnung erfahren. Der landwirthschaftliche Betrieb berücksichtigte schon die neuen Errungenschaften auf diesem Gebiete, es vermehrte sich das dem Pfluge unterworfene Land; der Bergbau wurde wieder auf eine breitere Grundlage gestellt und erhielt auch technisch eine entsprechende Organisation. [2] Zweitens hob sich der ungarische Handel, er streifte einige seiner Fesseln ab, die Regelung der

---

[1] Siehe Biedermann: Das Eisenhüttengewerbe in Ungarn (1857 Gratz).

Kanäle und Wege wurde in Angriff genommen und vorzüglich war es die von Napoleon eingeführte Continentalsperre, die ihm nach Osten hin neue Bahnen eröffnete. Ferner hat fast jeder Zweig der Volkswirthschaft während dieses Zeitraumes zahlreiche Verbesserungen aufzuweisen; die Regierung und die Legislative, ja sogar viele Private begannen das so sehr vernachlässigte Gebiet der materiellen Interessen zu cultiviren, und trotz der ungünstigsten Zeitverhältnisse gelang es ihnen doch, in der einen oder andern Richtung Erfolge zu ernten.

Andererseits hingegen herrschten, abgesehen von den zahlreichen Irrthümern, die den ganzen Organismus der ungarischen Volkswirthschaft durchzogen, noch immer ihrem Wesen nach mittelalterliche, feudale Institutionen; Fachbildung, Capitalreichthum, Technik und Gewerbsfähigkeit mangelten fast noch gänzlich; der Credit und Unternehmungsgeist waren noch unentwickelt, der noch im ersten Aufkeimen begriffene Handel litt schon unter Zoll- und Dreissigstbeschränkungen; das noch immer auf der Naturalwirthschaft beruhende Steuer- und Finanzsystem, die Vorrechte und Privilegien des Adels, der Mangel an allen von der neuern Bildung gebotenen Mitteln, und endlich die Lückenhaftigkeit der Creditgesetze, des Processverfahrens, der privatrechtlichen Einrichtungen u. s. w. bildeten ebenso viele unübersteigbare Dämme, welche eine intensivere und glücklichere Umgestaltung des industriellen Lebens aufhielten und sich gleich einem Bleigewichte hemmend an das Aufblühen und die materielle Hebung der Nation anhängten.

Dazu kommt noch die finanzielle Krise, die im zweiten Decennium unseres Jahrhunderts Oesterreich und somit auch Ungarn hart bis an den Abgrund des volkswirthschaftlichen Bankerottes führte. Wir zielen hier auf die Devalvation des in Folge der französischen Kriege zu riesigen Massen angewachsenen Papiergeldes, die für Ungarn um so fühlbarer war, als daselbst Werthe und Capitalien nie in grosser Quantität vorhanden, die Vermögens- und Erwerbsquellen ohnehin schon erschöpft waren, der Credit hingegen einen bemitleidenswerthen Anblick darbot, die neuern Calamitäten also nur dazu dienten, um die Schwächung und Entkräftung noch zu verallgemeinern.

Endlich ging das Streben der Wiener Regierung noch immer

5*

dahin, in Ungarn jede freiere und daher erfolgreichere Entwickelung zu stören. Sie betrachtete Ungarn noch immer als ein dependentes Land, als eine Colonie, deren Interessen gegenüber denen der andern Reichshälfte verschwanden. Noch immer bestand das Prohibitiv-Zollsystem, das Ungarn, welches fast lauter Consumenten und nur blutwenig Producenten hatte, ungebührlich zu Gunsten der deutschen und slavischen Länder drückte, seinen Import vertheuerte, seinen Export erschwerte und es zwang, seinen Bedarf aus den deutsch-slavischen Fabriken zu decken, d. h. anstatt guter und billiger Waare schlechte und theure zu kaufen.

Und will man das Bild vollständig haben, so vergegenwärtige man sich noch die Plackereien von Seiten der zelotischen Diener der Regierung, die jede freiere Regung der Presse, die Aufklärung der untern Volksschichten, die Verbreitung der Bildung, die Entwickelung des geselligen Lebens und des Unternehmungsgeistes vielfach niederdrückten und hemmten. So musste es kommen, dass selbst die wenigen Capitalien, die ruhigere Zeiten aufgehäuft, nun der Verzehrung und dem Untergange anheimfielen.

II. Der ganze Zeitraum war wohl der Cultur und Literatur nur wenig günstig; trotzdem ist ein geistiger Fortschritt Ungarns, und besonders in literarischer Hinsicht nicht zu verkennen. Der Aufschwung, den die Entwickelung des geistigen Lebens zu Ende des 18. Jahrhunderts nahm, hatte trotz aller politischen Widerwärtigkeiten nicht abgenommen; die civilisatorische Strömung wurde nun sogar intensiver, und das Erwachen des Nationalgefühles, das mit der Ausbildung der Poesie und Sprache Hand in Hand ging, schuf für das geistige Leben eine neue Basis und trug eine nie geahnte Lebhaftigkeit in die öffentlichen Verhältnisse hinein. Berzsenyi, Révay, Verseghy, Virág und vor Allen Kazinczy wirkten einträchtig auf die Blüthe der Poesie und die Purificirung der Sprache; Budai, Stefan Horváth, Georg Fejér und Andere cultivirten das Gebiet der Quellenstudien und Geschichte; Köteles, Fejér, Ercsei, Szilágyi, Ruszek betrieben Philosophie; Czövek, Kelemen, Kövy, Dezseffy, Beke u. A. traten mit rechts- und staatswissenschaftlichen Arbeiten auf und waren zugleich die ersten fachmännischen Vertreter der Geschichte und

Philosophie, der Naturgeschichte und der socialen Kenntnisse in Ungarn. Nicht unberührt soll hier der Einfluss bleiben, den die in jener Periode zuerst in's Leben gerufenen wissenschaftlichen Zeitschriften auf die Entwickelung der durch sie in nähere Berührung gekommenen Geister ausübte.

Unter solchen Umständen musste natürlich auch manches Stück Arbeit den volkswirthschaftlichen und materiellen Interessen gewidmet worden sein, und in Wirklichkeit zeigt die damalige Gesetzgebung und Literatur, dass man sich auch in Ungarn schon mit der Natur des Nationalreichthums und seinen Bedingungen beschäftigte, und dass man schon auch damals bedacht gewesen, durch politische Reformen die volkswirthschaftlichen Uebel nach Möglichkeit zu beseitigen.

Selbst der Boden, auf dem sich nun die volkswirthschaftlichen Ideen bewegten, wurde ein breiterer. Während wir nämlich im Laufe des 18. Jahrhunderts die Spuren volkswirthschaftlicher Entwickelung nur noch in der Gesetzgebung (in den Verhandlungen und Beschlüssen der Reichstage) antreffen, begegnen wir denselben während des mit dem Jahre 1790 beginnenden Zeitraumes auch schon in den socialen Agitationen, in der Thätigkeit der Behörden und Corporationen, auf dem Lehrstuhle der Hochschule, vorzüglich aber in der Literatur und den fachmännischen Leistungen einzelner Gelehrten.

Was nun die Gesetzgebung betrifft, so war es von hoher Bedeutung, dass unter den neun „Landesausschüssen", welche der 1790—91er Reichstag (67. G.-A.) behufs einer vorhergehenden Besprechung der in's Leben zu rufenden Reformen entsendet hatte, sich einer befand, welchem zur speciellen Aufgabe gestellt wurde,[3] betreffend die gesammte Volkswirthschaft, den Handel,

<hr/>

[3] Das war die sogenannte „Deputatio Commercialis, tricesimalis, et pro objectis publicae oeconomiae": dazu kam noch der 2., 3. und 5. Ausschuss, welche sich mit den Urbarialverhältnissen, dem Steuerwesen und dem Bergbau beschäftigten. Die Aufgabe des Handelsausschusses wurde folgendermassen umschrieben: *a)* regulatio principiorum vectigalis tricesimalis; *b)* projectum provehendi commercii publici, et demovendorum multifariorum impedimentorum; quo viae et canales fluviorumque regulatio spectat: *c)* item inducendarum variarum fabricarum et arte factorum, augendumque numerum mechanicorum; *d)* circa Oeconomiae Publicae objecta, uti est cultura serici, pecudum etc.; *e)* cuncta haec absque fundopublico pro incremento Regni aegre perfici poterunt, ideo de hujus quoque erectione et dotatione in consequentiam articuli 1723. cogitandum et media proponenda; schliesslich *f)* fundationes speciem fundi publici habentes. —

das Zollwesen, die Communication und Industrie, ferner die Errichtung einer Landescassa Verhandlungen zu pflegen, Anträge zu stellen und dieselben dem nächsten Reichstage vorzulegen. Die Mitglieder dieses Ausschusses recrutirten sich aus den ersten Capacitäten [4] der Deputirten- und Magnatentafel; ihre belebende Seele hingegen war der ausgezeichnete und talentvolle Obergespan von Agram, Nicolaus Skerletz. Mit einem der Wichtigkeit der Aufgabe entsprechenden Ernst ging er an die Lösung derselben; er forderte die Behörden und Handelscorporationen des Reiches (so die Pest-Ofner, die Pressburger, die Kaschauer, die Raaber) zur Mitthätigkeit auf, und nach Verlauf von zwei Sitzungsperioden, deren eine vom 10. August bis zum 24. October 1791, die andere vom 1. November 1792 bis Ende Jänner 1793 dauerte, gedieh seine Arbeit so weit, dass dieselbe im Februar 1793 dem Reichstage unterbreitet werden konnte.

Dieses Elaborat in Verbindung mit den Leistungen der übrigen Ausschüsse, die sich ebenfalls theilweise mit den materiellen Interessen und Staatsangelegenheiten beschäftigten, umfasste: Die Arbeit des Handelsausschusses, die wieder in drei Theile zerfiel und unter dem Titel „Acta Deputationis in Commercialibus die Pläne (Projecta), die Gesetzesvorschläge (Leges) und die Sitzungsberichte (Sessiones) enthielt; die Arbeit des Steuerausschusses bestand aus zwei Theilen und führte den Titel: Acta Deputationis in Contributionalibus. Der Ausschuss zur Regelung des Urbarialverhältnisses legte die Resultate seiner Thätigkeit in einem ganzen Buche, betitelt: „Acta Deputationis in Urbarialibus" nieder. Dazu kommen noch die acta, projecta etc., Comitatuum und die Berichte der Handelscorporationen, die ein nicht zu verwerfendes Material von unschätzbaren Daten lieferten.

In allen diesen Arbeiten spiegelt sich der Grundgedanke wieder, Ungarn sei vorzüglich ein Agriculturstaat, weshalb sich das Hauptaugenmerk der Regierung auf die möglichst grosse

Die Aufgabe der Steuercommission wurde folgendermassen umschrieben: rectificatio portarum et dicationis; cassae domesticae coordinatio, regulamentum militare, et planum dislocationis. — Siehe Acta diaet. 1791 (Folio Posonii) die letzten 6 Seiten.

[4] So vorzüglich: Paul Almássy, Johann Szapáry, Josef Podmaniczky, Reviczky (siehe Diarium 1791, Seite 422); ferner nahmen Theil dabei Johann Stipsits, Emerich Horváth-Stancsics, Mathias Paravits, Anton Mokosziny und Lorenz Domokos.

Entwickelung der Urproduction und auf die Sicherung des Absatzes der Rohproducte richten müsse. Diese Arbeiten wurden nun in Form von 37 Gesetzesvorschlägen den Ständen unterbreitet, und die legislative Behandlung derselben hätte die Aufgabe des nächsten Reichstages gebildet, wenn nicht die langwierigen Kriege und die französischen Unruhen der Regierung Schrecken eingejagt, sie von der Gewährung democratischer Forderungen abgehalten und so die mühselig zusammengestellten und theilweise richtigen Tact bekundenden Arbeiten resultatlos gemacht haben würden.

Doch war hiermit die diesbezügliche Thätigkeit nicht zu Ende; in den Jahren 1802, 1805, 1807, 1811 und 1812 tauchten wieder volkswirthschaftliche Fragen im Bereiche der Gesetzgebung auf, und die diesbezüglichen Reformbestrebungen haben in selbständigen Adressen und Zuschriften an den Monarchen, ferner in hochwichtigen Reichstagsbeschlüssen einen beredten Ausdruck erhalten.

Ein anderer Factor volkswirthschaftlicher Entwickelung war in der socialen Agitation und in fachmännischen Corporationen thätig gewesen. Die von den Reichstagen entsendeten Handelsausschüsse hatten sich mit practischen Fachmännern und Handelscorporationen in segensreiche Verbindung gesetzt und die hierdurch gegebene Anregung konnte nicht ohne materielle Erfolge bleiben. Erstens wurde den Gewerbetreibenden Gelegenheit geboten, sich eingehender mit den Fragen, betreffend das materielle Leben, zu beschäftigen; zweitens wurden die einzelnen Corporationen angeregt, ihre Wünsche und Beschwerden schriftlich darzulegen, und drittens trat die Handelsklasse und das Bürgerthum aus seiner bisherigen passiven Stellung heraus, indem sie die höhern staatsrechtlichen Interessen des Staates mit Rücksicht auf und in Verbindung mit den materiellen Verhältnissen zu würdigen begannen, ein Umstand, der wegen seiner politischen Bedeutung nicht unterschätzt werden darf. [5]

[5] Siehe: „Mercantilische Bemerkungen und Vorstellungen in Bezug auf das Königreich Ungarn mit den angrenzenden österr. Staaten, einer hochlöblichen Reichstagsdeputation im Commerzwesen durch den ungar. Handelsstand unterthänigst eingereicht. Pressburg 1802. — Auch Private schickten verschiedene Vorschläge ein, so: Thomas Tihányi, Baron Gerliczy behandelte die Art und Weise, wie der Handel zu befördern

Ein drittes thätiges Element für die Beförderung volkswirthschaftlicher Interessen bildeten die Vorträge an der Universität und den Academien, die doch wenigstens die Hauptprincipien der Nationalökonomie und Finanzwissenschaft umfassten. Hie und da vermochte sogar ein bedeutender Lehrer bei seinen denkenden Zuhörern Ideen zu erwecken und sie zu fernerem Nachdenken anzuregen.

Was endlich die volkswirthschaftliche Literatur anbelangt, so hat diese im Zeitabschnitte von 1790—1825 eigentlich erst angefangen, eine mehr selbständige Richtung einzuschlagen, so dass auch sie schon als Quelle gelten kann, aus der die Kenntniss der Entwickelung volkswirthschaftlicher Ideen zu schöpfen ist.

Welches waren nun die leitenden Principien, die während dieses Zeitraumes im Leben und in der Theorie am meisten massgebend waren?

In diesem Zeitraume haben die volkswirthschaftlichen Ansichten und Ideen die Form eines selbständigen Systemes angenommen; während sich früher in volkswirthschaftlichen Fragen die Mitglieder des Reichstages für ausschliesslich competent hielten und das „Corpus Juris" nebst dem „Tripartitum" von Verböczy für die sybillinischen Bücher galten, die den Zauberschlüssel für jedwede Frage enthielten, sah man jetzt schon das Ungenügende und Lückenhafte des formalen Rechtes ein, und man wandte sich in zweifelhaften Fällen an das vielbewegte Leben selber, indem man Fachmänner und Handelscorporationen um Rath anging. Während ferner volkswirthschaftliche Fragen und Ideen bisher nur nebenbei in politischen und staatsrechtlichen Werken behandelt wurden, sahen in dieser Periode schon rein nationalökonomische Fachwerke das Tageslicht und blieben auf die strömende Ideenrichtung nicht ohne jeden Einfluss.

Ferner blieben die ungarischen öffentlichen Verhältnisse den zeitbewegenden Ideen nicht verschlossen, ja letztere bildeten sogar die Grundlage und den Ausgangspunkt für alle politischen und

<hr />

wäre: Josef Szmicsek: Opinio super objectis pro deputatione Contributionali designatis, deprompta); Graf Nikolaus Eszterházy und Michael Szalka (Elaboratum de coordinatione Contributionis u. s. w). Ein Theil dieser und noch anderer eingesendeter Schriften wurde von den Commissionen auch wirklich benützt.

socialen Reformbestrebungen jener Zeit. Die Ideen der Volks-
souverainität, der Freiheit und Gleichheit fanden muthige Verfechter; der Freihandel, die Freiheit der Gewerbe und der
Industrie und die Gütermobilisirung wurden im Sinne der damaligen französischen und englischen Nationalökonomen erörtert
und gefördert. Man begann sich eingehender mit einzelnen grossen Fragen zu beschäftigen und das Individuelle trat immer
mehr vor dem Allgemeinen in den Vordergrund.

Im Vergleiche zu dem Auslande hingegen und insbesondere
zu Frankreich und England, wo die Wissenschaft der Nationalökonomie Riesenschritte machte und mehr als ein unsterbliches
Werk das Licht der Welt erblickte, war Ungarn nur noch im
ersten Keimen volkswirthschaftlicher Ideen begriffen, und so wie
auf politischem und staatsrechtlichen Gebiete musste auch in
Bezug auf Volkswirthschaft der Kampf auf dem practischen
Felde ausbrechen; und nur erst die brennende Nothwendigkeit
volkswirthschaftlicher Verbesserungen drängte zur abgeschlossenen, systematischen und wissenschaftlichen Gestaltung national-
ökonomischer Ideen hin.

ZWEITES KAPITEL.

Der volkswirthschaftliche Ideenkreis von 1790 bis 1825 in der
Gesetzgebung, in den Reichstagsausschüssen und in der
Literatur. — I. Die höhern leitenden Ideen im Allgemeinen und die
Ansichten bezüglich des Grundbesitzes und der Landwirthschaft im Be-
sondern. — II. Ausichten und Pläne betreffend die Industrie, den Handel
und das Creditwesen. — III. Ansichten betreffend die Staatshaushaltung und
die finanziellen Interessen. — IV. Die volkswirthschaftlichen Ideen in der
Literatur dieses Zeitraumes.

I. Die volkswirthschaftliche Thätigkeit des 1790—91er Reichstages und der von demselben entsendeten Commissionen erstreckte
sich fast über alle bedeutendere Zweige des materiellen Volkslebens; am eingehendsten aber beschäftigte man sich mit der
Umgestaltung des Unterthanenverhältnisses, mit der rationellen
Entwickelung der Urproduction, mit der Hebung der Industrie,
mit der Regelung des Handels und Zollwesens, und endlich
mit der Errichtung eines Landesfondes.

Wir haben schon erwähnt, wie sich die Ansicht Geltung verschaffte, dass Ungarn ein Agriculturstaat par excellence sei, wie man daher vor Allem bestrebt war, die Urproduction zu begünstigen und ihr leichtere Absatzwege zu eröffnen, und erst in zweiter Reihe auf die Acclimatisirung der Gewerbe und Fabrikindustrie bedacht gewesen war. — Die dünne Bevölkerung des Landes sollte daher durch Aneiferung der Bürger zu ehelichen Verbindungen, durch eine grössere Sorgfalt für die Erhaltung der Kinder, durch die Herbeilockung Fremder vermittelst Steuerfreiheit und anderer Begünstigungen gehoben werden. Auch sah man schon damals sehr wohl ein, dass eine intensive Vergrösserung der Population dem Lande zu weit grössern Vortheilen gereichen würde, wie ein Zuwachs durch fremde Ankömmlinge. [1]

Sowohl im Reichstage, wie auch in dem zu diesem Zwecke entsendeten Ausschusse wurde die Frage betreffs der Regelung der Unterthanenverhältnisse einer eingehenden Behandlung unterworfen; besonders war es die Freizügigkeit der Leibeigenen, um welchen Punkt sich eine heftige Debatte entspann. Die Regierung stand auf der Seite der Leibeigenen; viele Deputirte aus den Comitaten aber machten geltend, dass mit der Freizügigkeit der Leibeigenen die Grundbesitzer und die landwirthschaftlichen Interessen grosser Gefahr ausgesetzt seien, indem die Leibeigenen den unfruchtbaren Boden verlassen und die fruchtbaren Gegenden beziehen werden. Andere gaben die Aufhebung der Leibeigenschaft zu, verlangten aber, dass der Leibeigene statt seiner einen andern Arbeiter bestelle.

Dennoch siegte die Regierung und ihre Partei; [2] es wurde provisorisch das von Maria Theresia erlassene Urbarialstatut angenommen, nebstbei aber zur definitiven Regelung der Angelegenheit eine Urbarialcommission entsendet. Diese Commission gelangte nach kurzer Zeit zu folgenden Sätzen: Die Freizügigkeit des bäuerlichen Leibeigenen darf nicht beschränkt werden; die ewige Leibeigenschaft ist aufzuheben; der wegziehende Leib-

---

[1] In den Acta S. 543 und im Diarium S. 324 wird auch schon die Nothwendigkeit einer allgemeinen Conscribirung betont.

[2] Damals erklangen die berühmten Worte: „Die Freizügigkeit der Leibeigenen stimmt mit den Gesetzen des Landes und der in den Menschenrechten wurzelnden Freiheit überein etc. etc."

eigene darf in der freien Verfügung über sein bewegliches Vermögen durchaus nicht gestört werden. Andererseits kam sie darin überein, dass die Regierung die Vermehrung der Häusler-Sessionen nach Möglichkeit erschwere, damit keine gar zu grosse Bodenzerstückelung stattfinde; endlich meinte sie das Princip: „ne onus fundo inhaeret" sei auch fernerhin aufrecht zu erhalten. Der 1792er Reichstag sprach den Wunsch aus, die Majestät möge bei Schenkungen auf die Vertheilung der Güter in kleinere Parzellen bedacht sein, damit keine übergrossen Latifundien entstehen. Der 1791er Ausschuss plaidirte für die Errichtung von vier landwirthschaftlichen Unterrichtsanstalten und mehr wie einmal tauchte der Gedanke auf, dass Pfarrer, die bessere Pfründen zu erhalten wünschen, eine Prüfung aus der Landwirthschaft ablegen sollen, damit die Principien einer rationellen Cultur auf diese Weise bei dem Volke Eingang erhalten. — Die Commissionen waren ferner schon auf eine Verbesserung der Weincultur bedacht und lenkten die Aufmerksamkeit des Landesgerichtes auf die Weinfälscher, welche den Credit dieses Productes im Auslande herabsetzten; sie wiesen auf die Nothwendigkeit eines Irrigationssystemes, der Wasserröste des Flachses und der Leinwandfabrikation, der Verbesserung der Tabakcultur, der Pferdezucht, der Seidenproduction und anderer Zweige der Urproduction mit Nachdruck hin; erfreulich ist es, dass man schon 1791 auf dem Reichstage die Raubwirthschaft verdammte und die leichtsinnigen Waldverwüster den Comitatsgerichten zu überliefern beschloss, während man auf verschiedene andere Brennmaterialien ausser dem Holze aufmerksam machte.

II. Neben der Hebung der Urproduction war man anderseits nicht weniger um die Beförderung der Manufacturen, der Gewerbe und der Fabrikindustrie besorgt.

Die 1791er deputatio in commercialibus stellte den Antrag, es möge den einwandernden Gewerbeleuten eine 15jährige Steuerfreiheit gewährt werden; die Steuercommission erhöhte diese Zahl auf 24 Jahre. Den Behörden wurde eine Begünstigung der Industriellen anbefohlen und ihnen zur Pflicht gemacht, von Zeit zu Zeit Berichte über den Stand der Gewerbe höhern Ortes zu unterbreiten; jenen Industriellen aber, die einen neuen Industriezweig acclimatisiren, soll eine zehnjährige Steuer erlassen werden. Die Handelscorporationen regten schon damals die Idee der Errichtung von Gewerbe- und Handelsschulen an, und die Handelscommission beschloss, dass keinem Gewerbszweige irgend ein Monopol oder ein Privilegium verliehen werde. Dieselbe Commission plaidirte für die Errichtung eines Comité's zur Einschränkung der von Seiten der Zünfte ausgeübten Missbräuche, welches aus Zunftmitgliedern bestehen soll; gleichzeitig spricht sie sich für die Aufhebung mehrer zunftmässigen Beschränkungen aus.

Bezüglich des Capital- und Creditwesens fand der Gedanke der Errichtung einer Landescentralcassa, die aus allen bestehenden Staatsfonden dotirt und zur Errichtung von Anlehens-Vorschüssen³ an die Gewerbetreibenden und Fabrikanten verwendet werden soll, allgemeine Verbreitung. Andere wollten den Studienfond dazu benützen, wieder Andere hatten andere Pläne, die aber alle auf die Hebung der Industrie hinzielten.⁴

Alles dies aber hatte nur wenig Erfolg; die Commissionen konnten sich in dem ihnen zukommenden Labyrinthe von Daten nicht orientiren und wendeten sich an den Statthaltereirath, er möge die Fabrikanten auffordern, auf dass sie ein erschöpfendes Programm ausarbeiten, wie der Staat zur Hebung und Beförderung der Industrie mit Rücksicht auf die vaterländischen Verhältnisse und Interessen mitwirken solle.

Bei der Besprechung der damaligen Industrie wollen wir einen Blick auf die Städte werfen und sehen, welche Stellung dieselben damals eingenommen haben.

---

³ Der Gewerbetreibende Bradich forderte die Commission auf, sie möge aus irgend einem Landesfonde Capital zur Errichtung einer Zuckerfabrik aufnehmen.

⁴ Die Stadt Debreczin erwähnt mit Bedauern, dass ihre Lage zur Errichtung von Fabriken und zum Betriebe ausgedehnter Industrie nicht geeignet sei. Raab hält die gebirgigen Gegenden zur Acclimatisirung der Industrie für vorzüglich geeignet; Posega hebt die Wichtigkeit der Wollspinnereien, der Seiden- und Tabakfabriken hervor und verlangt die Errichtung mehrer solcher grossartigen Unternehmungen auf Staatskosten. Einige Fabrikanten wünschen, es möge die Befreiung der Industriearbeiter vom Militärdienste gesetzlich ausgesprochen werden; wieder Andere meinen, die Krongüter wären als Industriegründe zu verwerthen. Endlich verlangen Einige, dass die Verordnung Kaiser Josef II. (vom 11. Mai 1789), der zufolge solche Gewerbetreibende, die Fabriken errichten, aus der Kammercassa 50—60 fl. Unterstützung erhalten, auch fernerhin aufrecht erhalten bleibe.

Die ungarischen Könige haben mehr wie einmal den Städten ihre Gunst bewiesen und ihre politische Macht und ihr Ansehen gehoben. Der Adel hingegen, der leicht den Zweck dieser Begünstigung einsehen konnte, musste dem Aufblühen des städtischen Bürgerstandes einen herben Neid entgegensetzen. So kam es, dass auf dem 1790—91er Reichstage bezüglich einiger Orte, die jüngstens den Rang von Städten erhalten hatten, zwischen der Regierung und den beiden Tafeln ein heftiger Streit ausbrach. Es genüge hier nur zu erwähnen, dass die Regierung ihre That durch nationalökonomische und volkswirthschaftliche Argumentationen schützte und dadurch den Reichstag nachgiebiger stimmte.

Aus der Annahme, dass Ungarn ein Agriculturstaat katexochen sei, folgte naturgemäss in Betreff des Handels- und Zollwesens, dass man den Producten leichte und sichere Absatzplätze verschaffen müsse. Diesem Principe entsprechend, wenn auch nicht ganz im Einklange mit demselben, gelangte die Idee des Freihandels zum Ausdrucke; die Ausfuhrverbote wurden verurtheilt, die Monopole getadelt; bei der Einfuhr hingegen beschränkte man das Verbot nur auf jene Güter, die aus Oesterreich leichter zn beziehen sind; doch setzte man hinzu, dass bei etwaigen nothwendigen Handelsbeschränkungen immer zuerst der Statthaltereirath anzuhören sei. [5] Von diesem Standpunkte aus beurtheilte man auch das österreichische Zollsystem. Paul Almási sprach es entschieden aus, dass sich der Handel Ungarns in so lange nicht heben könne, als das Institut der Dreissigstabgabe besteht und die Festsetzung des Zolltarifes ausschliesslich dem Monarchen anheimgegeben ist. Andere wiesen auf das Hemmende des Zwischenzolles (zwischen Ungarn und Oesterreich) hin und zeigten das Missverhältniss in den Tarifsätzen nach. Zur Beseitigung all dieser Uebel wurde nun die schon oft genannte Commission eingesetzt, welche im Geiste ihrer Zeit ein nicht unbedeutendes Elaborat anfertigte, in welchem sie den Freihandel hochstellte, eine radicale Umgestaltung der Commu-

---

[a] Siehe „Beschwerden und Vorschläge, wie dem Handel in Ungarn aufzuhelfen wäre", herausgegeben 1790 vom Pester Handelsverein (ohne Angabe des Druckortes, 80 Seiten) und ein ähnliches Elaborat der Leutschauer Handelsleute (mit der Unterschrift Hochholzer und Pertzian).

nicationsmittel, die Aufhebung der Monopole und die Verwerfung der Preislimitationen nachdrücklichst forderte. [6]

Unter Anderem wurde auch hervorgehoben, Ungarn habe das Recht, seine Handels- und Zollpolitik selbständig zu regeln; man verlangte Handelsverträge mit dem Auslande, die Errichtung von Credit- und Bankinstituten, die Ausarbeitung eines besondern Wechsel- und Handelscodex, die Bildung eines Landesfondes aus den Einkünften des Salzregals, der Luxussteuer, aus Taxen, welche bei Schenkungen von Seiten des Palatins gezahlt wurden und aus einer besondern Landessteuer, und endlich die Gründung einer besondern Handelsschule. [7]

Mehr vernachlässigt wurde das Gebiet des Verkehres. Obwohl die Handelscommission die Verbesserung und Erweiterung des Strassennetzes nachdrücklich betonte, gelangte man doch nicht zu einer gehörigen Würdigung der Bedeutung eines einheitlichen und mit den Kräften des ganzen Landes durchgeführten Communicationssystemes.

Indem wir nun noch einmal einen Blick auf das Gesagte werfen, so befriedigt einerseits der allmälige Fortschritt und die Reformbestrebung; andererseits aber kann man sich nicht der traurigen Bemerkung verschliessen, dass alle die schönen Hoffnungen, zu denen die Ideen und Pläne des verflossenen Zeitraumes berechtigten, in Folge der politischen Widerwärtigkeiten nur zur Hälfte oder gar nicht in Erfüllung gingen, und dass die praktischen Resultate bei weitem [nicht den gehegten Erwartungen entsprachen.

III. Schon wegen der nahen Verwandtschaft, in welcher das Finanzwesen mit dem Staatsleben steht, ist es einleuchtend, dass sich die ungarischen Staatsmänner in diesem Zeitraume, der so reich an Neugestaltungen des politischen Lebens war, nicht wenig mit finanziellen Angelegenheiten beschäftigten, und wenn auch

---

[6] Zur selben Zeit forderte man auch das Aufheben der Zollschranken zwischen Ungarn und Galizien und war bestrebt, den Handel Fiume's und den Verkehr Ungarns nach dieser Richtung hin beständig zu heben. Siehe Biedermann: l. c. 11—12. Das obenerwähnte Leutschauer Memorandum verlangte auch die Aufhebung der Zollschranken zwischen Ungarn und Oesterreich.

[7] Das Leutschauer Memorandum verlangt ferner die Errichtung von Handelskammern, Handelsbanken, eines Lehrstuhles für Handelswissenschaften an der Pester Universität, so auch Reformen in Bezug auf das Concursverfahren.

die damalige wissenschaftliche Theorie und die Praxis nicht jenes Niveau erreichte, auf welchem diesbezüglich das Ausland stand; so liess sich doch eine gesunde Auffassung des Finanzwesens nicht verkennen, und immer sichtbarer tritt das Streben hervor, dem ungarischen Finanzwesen die ihm gebührende Selbständigkeit zu erfechten.

Noch zu Ende des vorigen Jahrhunderts beruhte der Staatshaushalt einerseits auf der Naturalwirtkschaft, andererseits auf der Steuerfreiheit der bevorzugten Klassen. Aber schon um 1811 wurde Ungarn reichlich die Gelegenheit geboten, mit den Segnungen des modernen Finanzsystems bekannt zu werden. Im Ganzen und Grossen waren also wohl die modernen Finanzideen noch nicht zur Geltung gelangt; dennoch aber gab es auch damals schon gewisse Kreise, wo man mit denselben vollkommen vertraut gewesen. So kannte man wohl noch nicht die Nothwendigkeit eines einheitlichen und auf volkswirthschaftlichen Principien beruhenden Finanzsystemes; doch wurde andererseits die Wichtigkeit eines allgemeinen Landesfondes nicht in Zweifel gezogen. [8] Gemäss dem Principe, dass die Finanzangelegenheiten nur durch die Zusammenwirkung des Reichstages mit der Regierung geregelt werden sollen, das die ungarischen Staatsmänner zu jeder Zeit wegen seiner hohen Wichtigkeit hoch hielten, forderte man, dass die Steuern und Gebühren, die Höhe des Salzpreises nie ausserhalb des Reichstages festgesetzt, dass die Krongüter nie verkauft, dass die aus einzelnen Staatseinkünften, z. B. aus der Erhöhung des Salzpreises stammenden Vermögenszuwachse zu den im Gesetze bestimmten Gemeinzwecken verwendet werden sollen. Andererseits verlangte man, dass die ungarische Landesfinanzbehörde von der Wiener Hofkammer nicht nur auf dem Papiere,

[8] Von der Lebhaftigkeit, mit der man diesen Gegenstand behandelte, zeugt eine Arbeit: „Projectum de erigendo fundo publico." Ein Anonymus ertheilt hier den Rath, den Fond aus dem Urbarialeinkommen, aus einem von den Adeligen ein für allemal zu leistenden Steuerbeitrage, oder aus einem Theile des Jahreseinkommens der Adeligen zusammenzustellen. Ein anderer Anonymus (Nr. V) meint, sechs Millionen Gulden wären hinreichend genug, und sollten dieselben durch 60,000 Obligationen (!) zu je 100 fl. beschaffen werden; die Actien aber wünscht er nach Massgabe der Jurisdictionen zu vertheilen. So wurden hier die verschiedenartigsten Pläne sichtbar. — Einer von den Autoren bemerkt, dass die Errichtung eines solchen Fondes schon seit der Regierung Ferdinand I. einen Hauptzielpunkt der ung. Nation bilde.

sondern in Uebereinstimmung mit dem Art. 18: 1715; Art. 16: 1723 und Art. 14: 1741 in Wirklickkeit als unabhängig erklärt, und dass ihr die ihr entzogene Verwaltung gewisser Einkommenszweige wieder zurückgegeben werde.

Die in Folge der französischen Kriege eingetretene Werthverminderung des zu riesigen Summen angewachsenen Papiergeldes gab Veranlassung dazu, dass man sich mit einzelnen Geldfragen eingehender zu beschäftigen anfing. Alles Metallgeld wurde den im Auslande kämpfenden Heeren nachgesendet; im Lande selber aber stiegen die Preise übermässig, und die Regierung überschwemmte dasselbe anfangs mit schlechter Scheidemünze und als auch dies nichts half, mit Zettelpapier so sehr, dass sich von allen Seiten die bittersten Klagen häuften, die Last sei nicht mehr erträglich und immer mehr und mehr nähere man sich dem Abgrunde des Erschöpftseins.

Auch in Bezug auf das Steuerwesen war kein Fortschritt bemerkbar; der Adel war noch immer steuerfrei und da er ausschliesslich die Zügel der Gesetzgebung in den Händen hatte, so wusste er auch jede Neuerung hintanzuhalten, die diesem Principe widerstrebt hätte.

IV. Der hier zu besprechende Zeitabschnittt zerfällt in Bezug auf die volkswirthschaftliche Literatur in zwei Theile, von denen der eine die Jahre 1790—1802, der andere die Jahre 1803—1825 umfasst. Die literarischen Producte sind fast ausschliesslich noch in lateinischer Sprache abgefasst, und wenn in ihnen auch noch keine vollständige Dogmenkritik und Gedankenauffassung zu Tage tritt, wenn auch der grösste Theil der in ihnen ausgesprochenen Theorien noch der beschränkten Schule der Mercantilisten entnommen ist; so fehlt es doch auch nicht schon an Einzelnen, die dem vorgeschritteneren Physiocratismus huldigen, ja sogar schon zur Fahne Adam Smith's schwören, so dass im Ganzen doch eine eifrigere und selbständigere Beschäftigung mit den Lehren der Volkswirthschaft bemerkbar wird, als dies im vorigen Zeitraume der Fall gewesen.

Das erste bedeutendere Werk erschien 1792 in Wien unter dem Titel: „Dissertatio statistika de industria nationali Hungarorum". Der anonyme Verfasser dieser Schrift behandelt in sechs Abtheilungen die volkswirthschaftlichen Zustände

Ungarns und gelangt im Verlaufe seiner Arbeit zu folgenden Grundsätzen.

„Die Macht und der Reichthum der Nationen liegt in der Grösse und Dichte der Bevölkerung, ferner in der Menge der ihnen zu Verfügung stehenden Edelmetalle, welche zugleich die Grundlage wohlgeordneter Finanzen bilden. Der active, äussere Handel vermag die Nationen gross und reich zu machen, denn der Handel übt einen mächtigen Einfluss auf die Vermehrung der Bevölkerung. Ein blühender Handel kann aber nur bei entwickelten Industrie- und Productionsverhältnissen zu Stande kommen : „fundamentalis totius potentiae nationalis lapis est cultura solers rei rusticae". Im II. Abschnitte weist Verfasser darauf hin, dass die dünne Bevölkerung Ungarns ihre Ursache in den ewigen Kriegen, in der religiösen Intoleranz, in der Unterdrückung der Leibeigenen, in der grossen Menge der Geistlichkeit, in der kleinen Anzahl von jährlichen Ehebündnissen u. s. w. habe. Der III. Abschnitt ist den nationalen Vermögensquellen gewidmet; daselbst wird hervorgehoben, dass zwischen den einzelnen Productionszweigen ein gewisses Verhältniss bestehen müsse, dass die Landwirthschaft leider sehr schlecht betrieben werde, dass der Weinbau, die Forstwirthschaft und die Viehzucht an grossen Mängeln leiden. In Bezug auf die vernachlässigte Seidenproduction bemerkt Verfasser ironisch : „Viele Comitate vernachlässigen sie nur deshalb, weil sie als eine vom Monarchen eingeführte Neuerung angesehen wird." Im IV. Abschnitte unterzieht Verfasser die Hindernisse der Landwirthschaft einer strengern Kritik und gelangt zu dem Resultate, dass eine Verbesserung der Lage der Leibeigenen, die Vertheilung der Güter unter die Leibeigenen (was er selber aber wegen der dünnen Bevölkerung noch für unmöglich hält) die Landwirthschaft heben und den Grundbesitzern nur Vortheile gewähren würden. Ein anderes Hinderniss sind die Latifundien und die Entfernung des Gutes vom Wohnorte des Gutsbesitzers. Er weist hier ferner auf die Armuth und die Lasten des Bauernstandes hin und spricht den hochwichtigen Satz aus, dass die öffentlichen Lasten auf alle Klassen der Bevölkerung im Verhältnisse zu ihren Kräften vertheilt werden sollen, er fährt fort: omnes eos, qui jugum, plebi ultro quoque relinquendum praetendunt, meminisse velim, nos valde critica attigisse tempora.

quibus plebs jugi impatiens, naturalia sua jura (!) vindicare studet.
Im V. Abschnitte räth er die Aufnahme der landwirthschaftlichen
Studien unter die Lehrgegenstände der Hoch-, Mittel-, ja selbst
untern Schulen an, hält es für nothwendig, dass fleissige Land-
wirthe eine öffentliche Belohnung erhalten, und dass die
Landwirthschaft geachtet und geehrt werde; er empfiehlt die
Aufstellung von landwirthschaftlichen Commissionen, deren Aufgabe es wäre, in ihrem betreffenden Bezirke die Landwirthschaft
nach allen Richtungen hin zu heben. Der VI. Abschnitt tadelt
die einseitige Juristen-Bildung der Magyaren, die Unzweckmäs-
sigkeit ihrer Gesetze, die Lückenhaftigkeit ihrer Gerichte, ihr
Zurückbleiben auf dem Gebiete der Wissenschaften, die Geringschätzung, mit der sie ihre Gelehrten behandeln, das Unentwickelte
ihrer Industrie, ihres Handels u. s. w. Dem gegenüber empfiehlt
er die Verbreitung der Künste und Gewerbe, die Verbesserung
der Urproduction, der Communicationsmittel, die Freiheit des
Handels, grössere Thätigkeit und entwickeltern Verkehr und die
Beseitigung des Indifferentismus und der Geringschätzung, mit
denen man dem Handel begegnet. Zum Schlusse weist Verfasser
noch einmal auf die Nothwendigkeit einer allgemeinen Verbesserung der volkswirthschaftlichen Zustände hin und betont
vorzüglich, dass hier zwischen der Nation und dem Regenten
ungetrübte Eintracht herrschen müsse." — Das ganze Werk scheint
in demselben Sinne und zu demselben Zwecke geschrieben worden
zu sein, wie das dreissig Jahre früher erschienene: „Opinio circa
Reformationem R. Hung." und „Kollárs Werk"; so viel aber
ist sicher, dass es den gesunden und klaren Verstand seines Verfassers auf jeder Seite verräth, dass es sich seinem Inhalte nach
völlig der neuern Strömung angeschlossen, und dass es daher
unter den Erstlingswerken der ungarischen volkswirthschaftlichen
Literatur einen hervorragenden Platz verdient.

Ein zweites, bemerkenswerthes Werkchen bildet das „Sche-
dium de statu praesenti fabricarum et manufacturarum in Hungaria" von Miller, das 1793 in Grosswardein erschien. Miller ist ein
eifriger Anhänger des Mercantilismus; erwähnenswerth ist, dass
er das materielle Zurückbleiben Ungarns vor andern europäischen
Staaten dem völligen Mangel an Gewerben und an Fabrikindustrie
zuschreibt, weshalb er die Errichtung einer Landes-Industrie-

Corporation verlangt. Er empfiehlt die Einschränkung des Luxus und eine grössere Ausdehnung der Sparsamkeit und nennt die bestehende Zollpolitik eine verkehrte und ungerechte. Im Gegensatze zu dem früher beschriebenen Werke nimmt Miller einen nationalen, ungarischen Standpunkt ein und unterzieht so manche österreichische Einrichtungen, die Ungarns Nachtheil bezwecken, einer schonungslosen und harten Kritik.

Von grösserer Bedeutung, weil von nicht unmerklichem Einflusse auf die volkswirthschaftliche Entwickelung und Umgestaltung Ungarns, ist die „Descriptio physico-politicae situationis Regni Hungariae relate ad Commercium", eine grössere systematische Arbeit, welche der Obergespan Nikolaus Skerlétz am Anfange des letzten Decenniums im verflossenen Jahrhunderte dem vom Reichstage entsendeten Handelsausschusse unterbreitete und von diesem auch dem grössten Theile nach angenommen wurde. Skerletz gibt vor Allem eine Beschreibung der physicalischen und geografischen Verhältnisse des Landes und zeichnet die Grundlage, auf dem sich das Gebäude der ungarischen Volkswirthschaft aufzubauen hat. Im Folgenden hebt er bedauernd die Irrthümer der 1715—1765er Gesetzgebung hervor, und beklagt den Umstand, dass so wenig zur Beförderung der volkswirthschaftlichen Interessen geschehen. — Die Aufgabe der Nationalökonomie („oeconomia publica") besteht nach ihm in der Vermehrung, Veredelung und Vervollkommnung der Erzeugnisse aller drei Naturreiche; eine Grundbedingung des materiellen Aufblühens und Wohlstandes ist das gehörige „Gleichgewicht und Verhältniss zwischen Production und Consumtion", ein Satz, mit dem Skerletz den epochemachenden Theorien eines Malthus und Say zuvorkam. Von der Industrie spricht der Verfasser nur wenig, desto mehr vom Handel, diesbezüglich huldigt er im Sinne der Neuzeit dem Principe der völligen Freiheit; andererseits aber ist er von mercantilistischen Reminiscenzen noch nicht ganz frei geblieben, wenn er mit Bedauern von dem Export des Metallgeldes, der Verkehrsbilanz spricht und den Geldverkehr für einen der hochwichtigsten Hebel der Volkswirthschaft hält. Doch ist hierbei nicht zu vergessen, dass Skerletz auch in Bezug auf den Handel mit Hume und Montanari, Galiani und Beccari übereinstimmende Ideen äussert, und dass er als ein Vorläufer Ricardo's angesehen werden kann, wenn

6*

er behauptet: „affluxus et refluxus pecuniae se mutuo aequilibrare facile apparebit".

Ausserdem sind noch zu erwähnen: Paul Almásy, der unter dem Titel: „Super.statu commerciali Hungariae tam relate ad industriam internam, quam ad commercium externum" für den 1791—92er Handelsausschuss eine Arbeit verfertigte, in welcher er sich bezüglich des Handels den neuern Theoretikern anschloss, die Vermehrung der Städte und die Beseitigung aller Monopole und Privilegien forderte. Dieses Werk wurde in Schlötzer's Staatsanzeiger" (1793. 69. Heft) übersetzt und als ausgezeichnete Facharbeit beurtheilt. Ferner Josef Podmanitzky, der eine ausgezeichnete Schrift, betreffend den Zoll und die Dreissigstabgaben verfasste, in welcher er ebenfalls die Principien der neuern Nationalökonomen annahm und vertheidigte.

Graf Vincenz Batthyányi schrieb (1798) in Briefform: „A magyar tengerpartról". Der geistreiche Verfasser schildert die volkswirthschaftlichen Zustände des Küstenlandes und hebt unter Anderem hervor, dass sich die Interessen Ungarns, als vorzügliches Agriculturland, und Oesterreichs, als vorwiegend gewerbetreibendes Land, vielfach umschlingen, dass ferner Ungarn bestrebt sein müsse, seinen Handel nach Fiume hin desto schneller auszubreiten, je früher es den internationalen Verkehr mit andern europäischen Staaten eröffnen will.

Der Verfasser der „Dissertatio de diversis subsidiis publicis" von 1792, welche die Mängel des Steuer- und Geldsystemes geisselt, ist unbekannt.

Hier sollte noch [9] Georg Berzeviczy erwähnt werden; doch da sein werthvolles Werk schon mehr mit den Ideen des gegenwärtigen Jahrhunderts zusammenhängt, so soll es erst im folgenden Abschnitte seine Besprechung finden. [10]

---

[9] Siehe auch noch „A gabonaházak fölállitásáról" (Ueber die Errichtung von Getreidemagazinen) von Georg Fekete aus Köhalom, das 1798 nach einem ähnlichen englischen Werke bearbeitet wurde.

[10] Man ersieht also, dass die Producte der volkswirthschaftlichen Literatur noch keinen grossen Einfluss auf das grosse Publikum hatten; doch verlieren sie deshalb nichts an ihrem Werthe, da sie von den Reichstagsausschüssen benutzt wurden und daher im Schosse der Legislative nicht unberücksichtigt blieben.

DRITTES KAPITEL.

Die volkswirthschaftlichen Ansichten von 1802 bis 1812 im Schosse der Staatsverwaltung, in den Manifestationen der Handelscorporationen und in der Gesetzgebung. — I. Die volkswirthschaftliche Thätigkeit der damaligen Reichstage. — II. Der volkswirthschaftliche Ideenkreis der vom 1802er Reichstage zur Meinungsabgabe aufgeforderten Handelscorporationen. — III. Der volkswirthschaftliche Ideenkreis und die Bestrebungen der Reichstage vom Jahre 1802 bis 1811-12 im Besondern. — IV. Die grossen finanziellen Wirren und die diesbezüglichen Discussionen und Anschauungen insbesondere.

I. Die ganze Geschichte Ungarns weist keinen Zeitraum auf, der so reich wäre an volkswirthschaftlicher Thätigkeit, wie die vom Anfange des neunzehnten Jahrhunderts bis zum Ende der Napoleonischen Kriege abgelaufenen Jahre. Die materielle Noth hatte einen ungeahnt hohen Grad erreicht, immer mehr und mehr schwoll der verheerende Strom des Papiergeldes an, der durch die österreichische Monarchie in ungeregeltem Laufe dahin stürmte. Seit 1784 konnte man das einmal erschienene Gespenst des Deficites im Staatshaushalte nicht aus der Dunkelheit der Landescassen wegbannen, Handel und Industrie, Fabrication und Gewerbe sanken, und die schon 1791 für nöthig befundenen Reformen wurden immer in eine weitere Zukunft hinausgeschoben. Nun aber folgten seit 1802 die Reichstage dicht auf einander, und die Nation setzte ihr ganzes Vertrauen in ihre Vertreter, welche mit aller Anstrengung bemüht waren, den ihnen ertheilten Instructionen gerecht zu werden.

Es kann hier nicht unsere Aufgabe sein, die Geschichte dieser bedeutenden Reichstage zu geben, diesbezüglich müssen wir auf die gediegenen historischen Werke Horváth's, Fessler's, Gervinus' und Springer's verweisen; hier soll nur eine Skizzirung ihrer volkswirthschaftlichen Leistungen, insoferne sie ein Stadium in der Entwickelungsgeschichte der national-ökonomischen Ideen Ungarns bilden, ihren Platz finden. Schon der Reichstag von 1802 beschäftigte sich in seinem ersten Stadium mit volkswirthschaftlichen Angelegenheiten. Dabei dienten die 1791er Reformpläne als Ausgangspunkt. Nun sah man aber bald ein, dass diese Pläne, wegen ihrer Nichtberücksichtigung und nicht gehörigen Würdigung des Verbandes Ungarns mit Oesterreich, ferner in Folge der veränderten Zeitverhältnisse unausführbar geworden seien. Deshalb wurde eine neue Commission mit der Ausarbeitung neuer Pläne betraut; diese war bald ihrer Aufgabe nachgekommen; und nachdem die Arbeit von dem Reichstage angenommen wurde, schloss man sie der Adresse an den König bei, und man hob besonders hervor, wie Ungarn dem Abgrunde der Verarmung immer näher rücke, wie nothwendig es sei, dass man ungarischen Rohproducten die freie Ausfuhr in's Ausland gestatte, und wie unentbehrlich die Ausführung der neuen Reformen geworden sei. Die königliche Antwort aber war nicht sehr günstig; das Zollsystem, meinte sie, könne nicht umgeändert werden, weil man dadurch die Interessen der cisleithanischen Länder angreifen würde, ferner ertheilte sie salbungsvolle Rathschläge zur Errichtung einer Landescassa, um die Communicationsmittel zu verbessern, zur Einführung einer bessern Gerechtigkeitspflege, besserer Credit- und Handelsgesetze u. s. w. Die Debatten wegen der Errichtung der Landescassa und der hiermit in Verbindung stehenden Steuerreform wurden auch wirklich begonnen, doch konnten sie wieder wegen der überwiegend aristocratischen Anschauungen der beiden Tafeln zu keinem erwünschten Resultate führen.

Die Jahre 1800 und 1805 brachten nur wenige Veränderungen auf dem Gebiete der Volkswirthschaft; dafür aber entwickelte der 1807er Reichstag eine reichhaltigere und wirksamere Thätigkeit. Eine süsse Hoffnung belebte die Nation, als der König auf die erste Adresse des Reichstages das Versprechen äusserte, den Wünschen der Ungarn gerecht zu werden und die Interessen des Landes vor Augen zu halten. Doch als die Zeit der Ausführung kam, da bereute die Regierung ihren gerechten Schritt, wieder nahmen ihre Rescripte den gewohnten harten und herrschsüchtigen Ton an, was eine bittere Empörung im Schosse des müde gewordenen Reichstages und eine zweite, energische, in männlichen Worten den Enttäuschungen der Nation Ausdruck verleihende Adresse zur Folge hatte. Diese Adresse wies auf die Bereitwilligkeit hin, mit welcher Ungarn alles das leistete, was man von ihm zur Erhaltung und Sicherung der österreichischen Monarchie verlangte; dann aber zeigte sie auch, wie man umgekehrt gegenüber den gerechten Wünschen der Nation taub gewesen, wie man die ungarische Industrie dem Monopole der österreichischen Kronländer preisgegeben.

Aber auch diese Adresse blieb erfolglos. Trotz der warmen Bitten um Verlängerung wurde der Reichstag im December geschlossen, nachdem er in 32 Gesetzartikeln die socialen, jurisdictionellen und wirthschaftlichen Verhältnisse des Landes aufs Redlichste zu heben bemüht war. — Ohne irgend welche Bedeutsamkeit für die Volkswirthschaft floss der Reichstag von 1808 dahin, während die legislative Thätigkeit in den Jahren 1811—1812 unsere vollste Aufmerksamkeit in Anspruch nimmt. Eine Detaillirung der Bemühungen dieses Reichstages auf dem Gebiete der Volkswirthschaft soll weiter unten folgen, hier wollen wir nur zu seiner Charakterisirung hervorheben, dass er sich mit mächtiger Kraft dem Willen der Wiener Regierung entgegensetzte, die bestrebt war, die Zerrüttung der österreichischen Finanzen mit Hilfe und Inanspruchnahme ungarischer Kräfte zu beseitigen und ihr absolutistisch begonnenes Werk durch einen Scheinconstitutionalismus zu sanctioniren; denn die beiden Tafeln hielten die diesbezüglichen Wünsche des Monarchen für unerfüllbar, und die Ausdehnung der finanziellen Wirren auf Ungarn traf auf eine so harte Opposition, dass dem Könige kein anderes Mittel übrig blieb, als den Reichstag aufzulösen und auf verfassungswidrige Weise durch Patente und Statute das auszuführen, was ihm mit Hilfe der constitutionellen Factoren auszuführen nicht gelungen war.

Schon aus dieser gedrängten Schilderung ergibt es sich, welch' reichhaltige Thätigkeit die Reichstage von 1802—1812 entfalteten; dass in dieser Thätigkeit viele neue, dem fortgeschrittenen Zeitalter völlig entsprechende Anschauungen einen nicht gering zu schätzenden Platz behaupteten, das wird sich aus einer folgenden, eingehenderen Behandlung derselben klar ergeben. Aber andeuten müssen wir schon hier, dass die Literatur nun auch einen wichtigen Einfluss auf die practische Entwickelung der Volkswirthschaft zu nehmen begann; in vielen reichstäglichen Beschlüssen und andern Einrichtungen finden wir geradezu die Verkörperung der von Berzeviczy, Bredeczky und Anderen ausgesprochenen Principien, und es ist nicht mehr selten, auf Ideen zu stossen, welche eine innige Vertrautheit mit den Arbeiten eines Smith, Say, Sismondi u. s. w. verrathen. Bemerkenswerth ist das stramme Festhalten der Legislative an ihren

Verfassungsrechten, wenn es sich um volkswirthschaftliche Interessen handelt; man hatte sich über das Recht der Nation, Steuern und Soldaten zu bewilligen oder zu versagen, ganz klare Begriffe gebildet; ferner hat sich, was die Verbindung Ungarns mit Oesterreich betrifft, die Ansicht Geltung verschafft, dass man die Interessengemeinschaft beider Theile eingehender würdigen, dass man jene höhere volkswirthshaftliche und materielle Solidarität vor Augen halten müsse, ohne welche Oesterreich schon längst aufgehört hätte, ein politisches Ganzes zu sein. Auch im Innern des Landes sind endlich die modernen Ansichten über die Gleichheit der Bürger, eine allgemeine Besteuerung und allgemeine Durchführung gewisser Institutionen immer mehr zum Durchbruche gelangt; während andererseits auf vielen andern Gebieten der Cultur und des Staatslebens noch immer ein dichter, mittelalterlicher Nebel lag, der nur wenige Strahlen der Aufklärung bis zu den untern und mittlern Schichten der Bevölkerung gelangen liess.

II. Wir haben schon in den frühern Abschnitten erwähnt, dass der Reichstag von 1802 eine besondere Commission mit der Ausarbeitung neuer Reformpläne betraute, wobei die Aeusserungen practischer Fachmänner und Experten ihre vollste Berücksichtigung finden sollten. Es wurden daher die Handelscorporationen der Städte Pressburg, Pest, Raab und Ofen aufgefordert, die Ursachen anzugeben, welche das Brachliegen des vaterländischen Handels nach sich ziehen und die Mittel zu bezeichnen, welche diesem Uebel abzuhelfen geeignet wären. Die Arbeiten dieser Corporationen verdienen, wenn sie auch auf die reichstäglichen Beschlüsse nicht den erwünschten Einfluss ausübten, doch schon darum die vollste Würdigung, weil sie den volkswirthschaftlichen Standpunkt der damaligen practischen Geschäftsleute kennzeichnen; sie sind noch im Jahre 1802 in Pressburg erschienen, führen den Titel: „Mercantilische Bemerkungen und Vorstellungen in Bezug auf das Königreich Ungarn mit den angrenzenden österreichischen Staaten betrachtet. Einer Hochlöblichen im Commerzwesen angeordneten Reichstags-Deputation, durch den ungarischen Handelsstand im Monate Juni 1802 unterthänigst eingereicht", und bilden einen 216 Seiten umfassenden starken Band. [1]

[1] Ein Auszug befindet sich in den Acten des Reichstages von 1802, S. 155—160 unter der Aufschrift: „Extractus summarius reflexionum obser-

In dieser Arbeit wird allgemein anerkannt, dass Ungarn ein
Agriculturstaat par excellence sei; doch könne Ungarn nur dann
aufblühen, wenn auch seine Industrie, oder doch die den Verhältnissen entsprechenden Gewerbe einer Unterstützung theilhaftig
werden. Allgemein ist die Klage, dass man den Grundbesitzer
allseitig vorziehe, während man dem Handelsmanne überall nur mit
Geringschätzung und Hintansetzung begegnet; alle Steuer belaste
die Städte und Gewerbetreibenden, den Umstand aber, dass der
Geschäftsmann ebenfalls ein productives Mitglied der Gesellschaft
sei, verliere man ganz aus den Augen. Sie weist darauf hin, wie
nutzbringend es wäre, einwandernden Gewerbsleuten Steuer-
begünstigungen zutheil werden zu. lassen, Handels- und
Wechselgerichte einzuführen und die Vervollkommnung des
Communicationssystemes je eher und je kräftiger in Angriff zu
nehmen. Fast einstimmig wird die Errichtung einer Centralstelle
für Volkswirthschaft und Handel angerathen, deren Aufgabe es
sein soll, moralisch und materiell den volkswirthschaftlichen Verhältnissen unter die Arme zu greifen. Der Fortbestand des Pro-
hibitiv-Zollsystemes wird als den Interessen Ungarns und der
andern Reichshälfte widersprechend hingestellt, deshalb fordert
sie freie Ausfuhr, besonders der Rohproducte, eine Herabsetzung
des Einfuhrzolles bei ausländischen Industrieartikeln, völlige
Parität der österreichisch-ungarischen Zwischenzölle und betont
mit gerechtem Nachdrucke die Nothwendigkeit vom Abschlusse
zweckmässiger Handelsverträge, um dadurch dem ungarischen
Handel neue Absatzplätze zu verschaffen. Auch dem Geld- und
Creditwesen hatte die Arbeit eine würdigende Aufmerksamkeit
zugewendet. Sie hebt die Wichtigkeit des lebhaften Geldverkehres
hervor und bringt denselben ganz richtig mit gesteigerter Industrie
und der Zunahme des Waarenumtausches in Verbindung. Sie
verurtheilt jene Thätigkeit der Regierung, derzufolge sie entwer-
thetes Papier und Metall in den Verkehr brachte, was für den
Wechselcours schädlich ist, Industrie und Handel hemmt und
vorzüglich für den Handel mit dem Auslande grosse Gefahren in
sich birgt. Sie verlangt die Errichtung einer privilegirten centralen
Nationalbank, welche den Handel durch Vorschüsse und Darlehen

vationum et projectorum per Mercatores Budenses, Posonienses, Taurinenses
etc. substratorum.

unterstützen, Wechsel discontiren sollte und im Allgemeinen durch Flüssigmachung von Capitalien und Geldkräften dem Verkehr einen höhern Aufschwung zu verleihen berufen wäre. Ferner hebt sie noch mit gesundem Blicke die Segnungen hervor, welche ein geregeltes Creditwesen und eine wohlgeordnete Gerechtigkeitspflege auf die Volkswirthschaft Ungarns verbreiten könnten. Im Gegensatze zu all diesen freiheitlichen Ideen klammert sich die Arbeit mit zäher Hartnäckigkeit an das Institut der Zünfte, das sie darum nicht aufgeben will, weil sie das Volk noch für zu wenig gebildet, den Handel und Verkehr, sowie die Industrie noch für zu wenig lebhaft hält, und weil sie befürchtet, dass die ungarischen Industriellen bei der Einführung der Gewerbefreiheit unverhältnissmässigen Schaden erleiden würden, da doch in den Nachbarländern überall das Zunftsystem noch aufrecht besteht.

III. Der grössten Sorgfalt von Seiten der Legislative erfreute sich unter den Zweigen der Volkswirthschaft besonders die Landwirthschaft. Man sah ein, es könne und dürfe nicht beim Alten bleiben. Das Land dürfe sich nicht auf die Thätigkeit Einzelner verlassen, sondern der Staat selber müsse thatkräftig eingreifen, um das Siechthum der Landwirthschaft zu verbannen. So wurde 1807 den Unternehmungen, welche die Bindung des Flugsandes und Baumpflanzungen bezweckten, gesetzliche Unterstützung zugesagt; in Bezug auf die Forstwirthschaft wurden in demselben Jahre Gesetze gebracht, welche für ein richtigeres Bewirthschaftungssystem sorgen. Der Art. 7: 1802 regelt die Einsammlung der Zehnten und Neunten, wodurch vielen Reibungen zwischen den Grundbesitzern und den Bauern vorgebeugt wurde. Die Discussion über die Regelung des Jagdwesens rief die verschiedensten und entgegengesetztesten Ansichten auf die Arena, doch war sie (siehe G.-Art. 24 : 1802) von einem Resultate begleitet, das ganz im aristocratischen Sinne, daher im Widerspruche mit den aufgeklärten Ideen der Zeit ausfiel. Die Viehzucht blieb nicht unberücksichtigt, und Baron Nicolaus Vay stellte 1803 den Antrag, man möge für die Regulirung des Körösflusses sorgen und die Ufer in Reisfelder umwandeln. Um den Bergbau zu heben, suchte man alle die Hindernisse wegzuräumen, welche eine erfolgreiche Bearbeitung der in adeligem Besitze stehenden Bergwerke verhinderten, andererseits forderte man, dass die Verwaltung des

Montanwesens wieder der königl. ungarischen Kammer zurückgegeben werde, weil nur dann die Verwaltung im Interesse der Nation bewerkstelligt werden könne. Freilich hatten alle diese Verordnungen im Schosse der Legislative gegen mächtige Kämpfer zu fechten, die wohl einsahen, dass mit jedem Schritte auf der Bahn der Reformen die strahlenden Vorrechte des Adels immer mehr erblassen müssen, oder die dem faulen Indifferentismus huldigend dies Alles der Privatthätigkeit zu überlassen geneigt waren.

Vernachlässigter wurde das Manufactur- und Industriewesen. Wohl tauchte mehr wie einmal die Ansicht von der Nothwendigkeit eines „Industrie-Departements" auf, aber man that nichts und erwartete Alles von der Regierung. In Bezug auf die Zünfte steckte man noch tief in mittelalterlichen Ansichten; aber es hatte sich doch schon ein heftiger Kampf um den Fortbestand dieses Institutes entsponnen, und der 1807er Reichstag übergab die Regelung der ganzen Angelegenheit einer besondern Commission. In den Comitaten hingegen führte man, um den Missbräuchen der Zünfte ein Gegengewicht zu bieten, die Preislimitation wieder ein. — Gegenüber der engherzigen und eigennützigen Zollpolitik der Wiener Regierung verlangte man in Ungarn die Einführung des Freihandelsystems, oder doch wenigstens eine Modification des Zollschutzes, ferner eine gründliche Umgestaltung des Zwischenzolltarifes und im Allgemeinen Berücksichtigung der ungarischen Interessen, während man dieselben bisher immer nur zu Gunsten der deutsch-slavischen Länder auszubeuten bestrebt war.

All' diesen Anschauungen entsprach auch der Ton, welchen die Reichstage in den Adressen an den Monarchen anschlugen, wo sie für die Hebung aller Zweige der Volkswirthschaft plaidirten, und wo die Betonung der Freiheit auf dem Gebiete des Handels einen so hohen Grad erreichte, wie erst nach fünfzig Jahren später, als die Ideen der Neuzeit schon ein viel grösseres Terrain in Ungarn eingenommen hatten.

Es darf hier nicht übergangen werden, dass der 22. Gesetzartikel 1807 die Gleichheit des Maass- und Münzsystemes als eine Hauptverkehrsnothwendigkeit Ungarns hinstellte, hierbei wurden das Pressburger Maassystem und der Rheingulden zur - Basis angenommen; ein anderer Gesetzartikel desselben Jahres sichert

jenen Unternehmungen, welche Wasserwerke zur Beseitigung von
Ueberschwemmungen bauen, staatliche Unterstützung. Andererseits aber hing man noch fest an alten Principien, wenn man die
Ausfuhr des Goldes und Silbers für schädlich hält, und wenn man
das Wuchergesetz wieder einführt, ja die Uebertreter desselben
noch härter bestraft, wie je zuvor. Erwähnenswerth ist ferner, dass
der 12. Gesetzartikel 1807 eine strenge Strafe über Jene verhängt,
welche leichtsinnigerweise in Concurs gerathen; als ein bedeutender Fortschritt ist es anzusehen, dass man immer mehr von
der Nothwendigkeit einer richtigen Volkszählung durchdrungen
wird; diesbezüglich heisst es in dem vom Statthaltereirathe erlas-
senen Rundschreiben: „Conscriptionem popularem non tantum ad
fines militaris statutionis, sed aliquos etiam politicos calculos,
indispensabiliter necessarium esse, nemo sane sit, qui non perspi-
ciat." Endlich wollen wir noch hinzufügen, dass in den Reichs-
tagschriften von 1807—1812 zuerst der Ausdruck: „Oeconomia
nationalis" vorkömmt, also zur selben Zeit, wie in den national-
ökonomischen Handbüchern der deutschen Literatur.

IV. Und nun, indem wir uns zu der Beschreibung der in diesem
Zeitraume herrschenden finanziellen Wirren anschicken, ist es ein
dunkles Bild, das wir zu entrollen haben, ein Bild, dessen einzige
Lichtseite für die Nachwelt darin besteht, dass es als drohender
Mahnruf für alle spätern Geschlechter in die noch heute ungeregelten Geldverhältnisse des österreichischen Kaiserstaates hinein-
ragt. Der Grundton dieses Bildes ist Feuer und Blut, Zerstörung
und Vernichtung. Seit dem Jahre 1793 tobte fast ununterbrochen
der verheerende Brand, welchen die Kriegsfackel in die segensreichen Fluren Oesterreichs und Frankreichs hineingetragen; die
staatsrechtlichen und finanziellen Verhältnisse der einzelnen Kronländer wichen in Vielem von einander ab, und die Josefinischen
Institutionen waren nicht geeignet, die noch aus dem verflossenen
Jahrhunderte ererbten finanziellen Uebelstände zu beseitigen. Die
Regierung brauchte und verbrauchte viel Geld, während ihr die
Durchführung eines einheitlichen Finanzsystemes von Seiten der
Kronländer unmöglich gemacht worden war. Sie musste zu Finanzoperationen greifen. Zuerst verkaufte oder verpfändete sie einen
grossen Theil der Staatsgüter, und als diese nicht mehr ausreichten
und der Credit des Staates im Sinken riesige Fortschritte machte,

liess sie die seit 1761 zum Fliessen gebrachte Geldquelle der Papierzettel stärker wie je zuvor sich ergiessen, überschwemmte das Land mit entwertheten Silber- und Scheidemünzen und brachte die sogenannten Staats-Bancozettel in den Verkehr. Diese verkehrten Medicamente mussten unbedingt den ohnehin kranken Finanzzustand des Landes — das überdies noch in Folge des Ueberganges seiner Verkehrsverhältnisse aus dem Mittelalter in die Geldwirthschaft der Neuzeit, neben dem Alten noch die Lasten der Neuerungen zu tragen hatte, — noch verschlimmern und die beim Ausbruche der Krankheit noch möglich gewesene Rettung auf lange Jahre verschieben.

Was that nun die Regierung gegenüber diesen Uebelständen?

Zuerst erliess sie am 2. August 1806 ein Finanzpatent, in welchem sie mit Hinweisung auf die in den letzten Jahren unumgänglich nothwendig gewordenen Finanzoperationen und vorzüglich in Bezug auf die Bancozettel ausspricht, dass sie eine Verringerung dieser Geldzeichen und die Wiederherstellung des Finanzgleichgewichtes auf Grundlage eines neuen und zweckmässigen Steuersystemes und gesunder Creditoperationen mit allen ihr zu Gebote stehenden Mitteln bewerkstelligen werde.

Zu diesem Zwecke nahm sie ein aus 75 Millionen Gulden bestehendes Zwangsanlehen auf, vermehrte die aus dem Tabakmonopole und Salzregale einfliessenden Einnahmen durch Ersatzsteuern und führte die Stempelgebühr u. s. w. ein. Das Resultat war aber leider nicht zufriedenstellend; die Bancozettel wurden nicht nur nicht verringert, es wurde sogar noch eine halbpercentige Besitzsteuer ausgeworfen, nachdem im Jahre 1807 die Bancozettel die Höhe von 500 Millionen erreicht hatten, die Staatsschuld von 300 auf 708 Millionen gestiegen war, und ausserdem noch ein Deficit von 66 Millionen Gulden sich zeigte. Im Jahre 1808 sah sich die Regierung gezwungen, ein neues Patent zu erlassen; in demselben zeigt sie an, dass sie auf die Staatsgüter ein grosses Anlehen basiren wolle und fordert die Eigenthümer der Bancozettel auf, dem Staate gegen Verpfändung der Domanialgüter zu 5 Percent Geld zu leihen, welches dem Tilgungsfonde zufliessen soll. Aber die Operation gelang nicht und 1809 und 1810 zeichneten wieder neue kaiserliche Patente die traurige Noth des Staates. Diese

Patente bezweckten die Einlösung der circulirenden Silber-Scheidemünze durch verzinsliche Staats-Schatzpapiere und die Aneiferung der Eigenthümer von Silber- und Goldgeräthen zur Beseitigung der Finanzcalamitäten durch ein grösseres freiwilliges Darlehen und Theilnahme an einer Lotterieoperation. In Folge des vielfach ausgeübten Zwanges wurden auch wirklich grosse Massen von Edelmetall im Werthe von mehreren Millionen eingeschmolzen; aber alle diese Massregeln konnten doch keine Besserung des Uebels zu Stande bringen.

Zur Krönung des ganzen Gebäudes erfolgte noch am 20. Februar 1811 jenes bedauernswerthe Patent, welches einen Zustand inaugurirte, der dem Staatsbankerotte nicht in Vielem unähnlich war. Diesem Patente zufolge soll der Nominalwerth der circulirenden, bis zur Höhe von 1061 Millionen Gulden angeschwollenen, Bancozettel auf ein Fünftel herabgesetzt, und von 1812 an durch Einlösungsscheine, die vom 1. Februar des Jahres 1812 angefangen im ganzen Lande das einzige Papiergeld bilden sollen, eingetauscht werden. Von diesen Einlösungsscheinen sollen nur die zur Einlösung nöthigen 212 1/5 Millionen Gulden emittirt werden; die Emission geschieht durch eine besondere Staatscommission, die eidlich verpflichtet wird, diese Schranken zu beachten. Das Kupfergeld, welches 80 Millionen betrug, wurde auf 16 Millionen herabgesetzt. In Bezug auf die Staatsschuld hingegen wurde der Capitalswerth der Schulden wohl beibehalten, die Interessensumme aber auf die Hälfte reducirt.

Welch' unendliche Verwirrung musste nicht dieses Patent hervorrufen; wer heute noch in Ueberfluss geschwelgt, kam morgen an den Bettelstab; aus der Gesellschaft entschwand alles Zutrauen; Industrie und Verkehr erlitten tödtliche Wunden, dem Credit war aller Boden entzogen, und das gute Recht musste jeden Tag gerade von jener Seite die schändlichsten Verletzungen erdulden, die es zu wahren und zu schützen am meisten berufen war. Dazu kam noch, dass die Regierung trotz alledem nicht im Stande gewesen, die Lasten des steuerzahlenden Volkes zu vermindern; nach wie vor wurde werthloses Papier für Geld ausgegeben; die 1813 in Verkerr gesetzten Anticipationsscheine wichen nur dem Namen nach von den Zetteln ab, die Staatszinsen wurden nach wie vor in entwerthetem Papiere ausgezahlt, so dass das

stürmische Gewitter von 1811 bei seiner zerstörenden und verheerenden Kraft nicht auch zugleich die Eigenschaft besass, die
schwüle und drückend gewordene Atmosphäre zu reinigen.
Von den Verordnungen bis zum Jahre 1811 wurde Ungarn
in Folge seines zähen Festhaltens an die alterworbenen Rechte
nicht so schädlich getroffen wie die Erbländer, dafür aber litt es
mit unter den gewaltigen Schlägen, welche das Patent von 1811 der
Gesammtmonarchie ertheilte.

Es war eine Lieblingsidee der österreichischen Staatsmänner,
Ungarn mit hineinzuziehen in den Rahmen ihres Finanzsystems,
auch in Ungarn das Princip der allgemeinen Besteuerung durchzuführen und die Gemeinschaftlichkeit seines Haushaltes mit dem
der Monarchie zu bewerkstelligen. Diesen Zwecken huldigten
alle Verordnungen der Regierung, aber die Ungarn verwahrten
sich mit allen Kräften, die ihnen ihre alte Verfassung bot, gegen
eine Ausführung derselben. Freilich blieb dieser Ausnahms-
zustand, diese schroffe Haltung Ungarns nicht ohne harten Tadel.
Allseits hörte man von Oesterreichern die Beschwerde, die ungarische Verfassung verhindere eine thatkräftige Vertheidigung der
Monarchie, die Politik Ungarns sei herzlos gegenüber den Lebens-
interessen des Kaiserstaates, die Regierung dürfte eine solche Haltung nicht länger dulden und müsse vielmehr eine gründliche
Umgestaltung des Verhältnisses zu Ungarn anstreben. Da kam
das Patent von 1811 und suchte die ungarische Verfassung auf
einmal aus ihren Angeln zu heben, und als es unmöglich war den
Neucrungen von Seite der Comitate Geltung zu verschaffen, berief
man einen Reichstag, um von diesem das Erwünschte zu erhalten;
das war der Reichstag von 1811.

Schon die frühern Reichstage seit 1802 haben sich mit der
Regelung des Finanzwesens in Ungarn beschäftigt, und war ihre
diesbezügliche Thätigkeit von dem Wunsche beseelt, keine Gemeinschaft mit dem österreichischen Finanzwesen zu schliessen,
die ungarische Selbständigkeit vielmehr als heilig zu bewahren. So
wurde 1802 eine Deputation entsendet, welche einen Plan zur
Regelung der Angelegenheit des „fundus publicus" im Einklange
mit der ungarischen Verfassung auszuarbeiten hatte. Es wurden
alle Finanzverordnungen, welche nicht auf constitutionellem
Wege, durch die Nation, zu Stande kamen, als widerrechtlich

erklärt, und man liess keine Gelegenheit vorübergehen, wo man nicht die Regierung ermahnt hätte, den schlüpfrigen Weg zu verlassen, der unbedingt in's Verderben führen musste. Andererseits liess man endlich um das Jahr 1807 die Vorrechte des Adels fallen, und der zweite Gesetzartikel des erwähnten Jahres führte zu allererst eine Einkommensteuer ein, die gleichmässig und ohne Rücksicht auf den Standesunterschied auferlegt wurde, wiewohl es constatirt werden muss, dass die Stände nur nach heftigen Debatten und heissen Kämpfen mit der Regierung die verlangten Steuern votirten.

Welche Stellung nun hatte Ungarn gegenüber den grossen österreichischen Finanzoperationen eingenommen? Nach dem Vorhergegangenen ist es klar, dass Ungarn dieselben als seinem Rechte und seiner Verfassung widersprechend hinstellen musste. Der König habe wohl das Münzregale, sagte man, aber nicht das Recht, schlechtes Papiergeld zu emittiren; das Devalvationssystem sei nichts Anderes, als eine willkürliche Belastung des Landes, kurz das ganze Patent untergrabe die Rechte des Reichstages, verleugne das Recht der Stände, Steuern zu bewilligen oder zu verweigern, weshalb es daher nie die Giltigkeit eines Gesetzes beanspruchen könne.

In der Adresse vom 14. September 1811 wurde auch wirklich das ganze Patent, wenn auch mehr in allgemeinen Ausdrücken als in concreten Gegenanträgen, verurtheilt. Trotzdem beharrte die k. Antwort auf ihrem frühern Standpunkte, was eine neue Adresse vom 30. September zur Folge hatte, die in etwas sanfterem Tone das Finanzwesen behandelte und die Constituirung einer Commission forderte, welche im Vereine mit den königlichen Commissären die finanziellen Angelegenheiten berathen, die von Ungarn zu zahlende Schulden-Tilgungsquote festsetzen und ein Elaborat zur Grundlage für fernere Verhandlungen anfertigen solle.[2] In dieser Commission verlangte die Regierung, Ungarn solle auf Grundlage der Landeseinnahmen die Garantie für 100 Millionen Gulden in Einlösungsscheinen übernehmen, ferner soll es bis dahin, wo Papiergeld al pari stehen wird, jährlich

---

[2] Es war ein Hauptstreben des ungarischen Reichstages, die Regierung zur Wiederherstellung der Valuta zu bewegen, was er durch die Aufhebung des Zwanges beim Papiergelde für möglich hielt.

2 Millionen zahlen, und endlich soll es sich verpflichten, künftighin 12 Millionen Gulden als jährliches Subsidium zu erlegen, die ausser den gewöhnlichen Steuern durch indirecte Besteuerung einzutreiben wären. Die Commission unterbreitete ihren Bericht dem Reichstage am 14. October, und nun wurde dieser wieder der Schauplatz der heftigsten Debatten, in deren Verlauf die folgenden hochwichtigen Ideen und Ansichten zum Ausdrucke gelangten:

Es gibt keinen andern Weg, die gemeinsamen Finanzangelegenheiten zu regeln, als wenn die Regierung zuerst mit den Ländern der ungarischen Krone einen Ausgleich trifft, demselben Gesetzeskraft verleiht und ihn auch als Gesetz den übrigen Kronländern vorschreibt. — In eine Betheiligung Ungarns an der Staatsschuld wird der Reichstag nie einwilligen, zumal dann nicht, wenn dieselbe nach einem so ungerechten Masse und Schlüssel stattfinden soll, dass die materiellen Quellen des Landes dem Untergange geweiht wären. — Man wies die Widersprüche des Patentes nach und zeigte, dass man die Summe der neuen Einlösungsscheine nicht im Verhältnisse zu den Verkehrsbedürfnissen, sondern nach der zufälligen Quantität der alten Bancozettel bestimmte. — Endlich verweigerte der Reichstag die Garantie für die genannten 100 Millionen Gulden Einlösungsscheine, wodurch er den wesentlichsten Wunsch der Regierung unerfüllt liess.

In diesem Sinne wurde die Adresse an den König verfasst und am 11. November 1811 überreicht. [3] Der König antwortete am 5. Januar 1812 in grosser Aufregung, und an seinen ursprünglichen Forderungen festhaltend, richtete er unter Anderem auch folgende Worte an den Reichstag: „S. Majestas confidit Stat. et Ord. reflexionibus suis communis status publici emolumento consulere voluisse, illud tamen in toto suo complexu per S. Majestatem pro exigentia sibi unice cognitarum circumstantiarum

---

[3] Siehe die Acta dieses Reichstages p. 93. Das hochwichtige Document enthält eine ganze Reihe von gesunden national-ökonomischen Ansichten, die ein erhellendes Streiflicht auf die unglückselige Finanzoperation werfen. — Ueberhaupt lieferten die Debatten, diese Angelegenheit betreffend, eine Menge von national-ökonomischen Ideen, welche klar darlegen, dass Ungarn die im Westen Europas entwickelten Anschauungen auf dem Gebiete der Volkswirthschaft und des Finanzwesens sich nicht nur angeeignet hatte, sondern dieselben auch zu gelegener Zeit anzuwenden verstand. Vergleiche das Diarium von 1811—12 an vielen Stellen.

penitius dijudicari potest: omnia adjuncta, quibus systema ad
felicitatem totius Monarchiae tendens superstrui debet, nemini
alteri plene constant, tanto minus per quemcunque alium aequa
bilance ponderari valent." Ja noch mehr, zugleich wurde auch
jene Bitte des Reichstages kalt zurückgewiesen, dass man von dem
ohnehin schon erschöpften Lande nicht noch neue Steuern in der
Höhe einer auf der neuen Papiergeld-Operation beruhenden fünf-
fachen Summe fordern möge. Trotzdem liess sich der Reichstag
herbei, zur Beseitigung der vielfachen Uebel ein ansehnliches
Subsidium zu votiren, er wollte aber durchaus nicht in die Anwendung der „Wiener Scala" willigen, sondern arbeitete selber einen
zweckmässigen Plan aus, nach dem die in den letzten zehn Jahren
gemachten Privatschulden zurückzuzahlen seien; da derselbe
jedoch eine völlige und wesentliche Umgestaltung des Februar-
patentes nöthig gemacht hätte, wurde der Reichstag am 20. Mai
1812 aufgelöst und eine vom 1. September desselben Jahres
datirte Verordnung brachte das vielgenannte Patent auch in
Ungarn, dessen constitutionelle Thätigkeit nun auf völlige drei-
zehn Jahre lahmgelegt wurde, zur Geltung. [4]

VIERTES KAPITEL.

Die volkswirthschaftlichen Ansichten und Ideen in den Jah-
ren 1802 bis 1825, vorzüglich in der Literatur. — I. Allgemeine
Bemerkungen. — II. Die literarischen Erzeugnisse dieser Periode auf dem
Gebiete der Volkswirthschaft und Georg Berzeviczy's Arbeiten insbe-
sondere. — III. Sonstige national-ökonomische Schriftsteller bis 1825 und das
höhere Unterrichtswesen in volkswirthschaftlicher Beziehung.

I. Im Schlachtengetümmel und unter dem lärmenden Schalle
der Kanonen ertönte doch auch mehr wie ein mächtiger Ruf, der
die Aufmerksamkeit von dem blutigen Kriegsfelde ablenkte und auf
die friedlichen Verhältnisse des mercantilen Lebens hinwies.
Nicht nur mit dem Bajonette und der Spitze des Schwertes wurde
gefochten; auch die Feder begann schon, sich einen nicht zu
unterschätzenden Einfluss auf das öffentliche Leben zu verschaffen,
und es traten hie und da Werke zu Tage, welche auf dem Niveau
der damaligen Wissenschaft stunden und noch heute als ausgezeichnete Geistesproducte gelten müssen. Vorzüglich waren es

[4] Diese ersten drei Kapitel des dritten Zeitraumes sind auch schon in
dem 1871er Jahrgange des in Budapest erscheinenden volkswirthschaftlichen
Wochenblattes: „Ungarischer Actionär" Nr. 141 u. s. f. veröffenlicht worden.

Handel und Verkehr, welche sich der meisten und eingehendsten Behandlung von Seiten damaliger Nationalökonomen erfreuten, dabei aber wurden doch auch die übrigen Zweige der Volkswirthschaft einer aufmerksamen Behandlung gewürdigt. Es darf hier nicht unerwähnt bleiben, dass in der Zeit von 1802—1825, wo das öffentliche Leben der Nation unter Schloss und Riegel des strengen Absolutismus gebracht war, die national-ökonomische Literatur der einzige Zufluchtsort gewesen ist, von wo aus Stimmen über die ewig schäumende Ideengährung der Nation laut geworden, und wo die Vertreter und Dollmetscher der nationalen Anschauungen zum Ausdruck gelangen konnten.

II. Zu den Begründern der ungarischen national-ökonomischen Fachliteratur gehört in erster Reihe Georg Berzeviczy. Er war Verfasser von folgenden Werken: „De commercio et industria Hungariae" (latein. 1797 zu Leutschau; deutsch von Rumy 1802 zu Weimar und in Hildt's „Neue Zeitung für Kaufleute" etc. etc.); „Ansichten über den Welthandel" (Wien 1808); „De conditione et indole rusticorum in Hungaria" (Leutschau 1806). Als Gerichtsbeisitzer der Comitate Zips und Sáros, Inspector der Schulen und evang. Kirchengemeinden diesseits und jenseits der Theiss hatte Berzeviczy, der in seinen oben angegebenen Schriften eine vollständige Kenntniss der ausländischen Literatur zur Schau trägt und in Vielem mit dem schon oben geschilderten Nicolaus Skerletz eine grosse Aehnlichkeit verräth, auch practisch Gelegenheit, sein reiches Wissen und seine ausgedehnte Erfahrung zum Wohle der ungarischen Gesellschaft zu verwerthen. Es lohnt sich wohl der Mühe, hier einen kurzgefassten Auszug aus seinen reichhaltigen Arbeiten einzuschalten.

In der ersten der oben citirten Arbeiten, in welcher er die mercantilen und industriellen Verhältnisse Ungarns behandelt, und die in zehn Kapitel zerfällt, entwickelt er sehr treffend, wie Industrie und Handel durch gesteigerte Bedürfnisse der Menschen und bei höherer Entwickelung der Civilisation aufblühen, und wie wieder die gesunde Vermehrung der Bevölkerung und die Stärkung der innern Staatskräfte in Handel und Industrie eine feste Grundlage besitzen; er weist nach, wie Europa seine Superiorität über die übrigen Welttheile einzig und allein dem Aufschwunge verdankt, den diese beiden Factoren der Volkswirthschaft daselbst genommen. — Der Nationalreichthum — meint Verfasser im Sinne der Smith'schen Schule — bestehe nicht im Gelde, sondern liege in der möglichst grossen Verschiedenheit und dem Reichthume an den verschiedenen Gütern und Producten, der aber nur dort anzutreffen

- 7*

ist, wo Fleiss, Kenntnisse, ein lebhafter Verkehr und eine blühende
Bodenindustrie zu Hause sind. — Geld ist ein Werth- und Preismesser,
es ist das Hauptorgan zur Bewerkstelligung des Tausches und zur Bestim-
mung des Güterpreises, welches auch dort, wo eben keine Gold- und
Silberminen im Betriebe stehen, in genügender Quantität vorhanden sein
wird, weil es einen Zug nach jener Gegend fühlt, wo die Producte im
Ueberflusse existiren. Der Nationalreichthum besteht in der Gesammtsumme
der producirten Güter und Erzeugnisse, sowie aller Kräfte und Mittel,
durch deren Hilfe die Staaten zufrieden, materiell stark und blühend
werden können. — Es ist eine Hauptbedingung echter Staats- und Volkswirthschaft, dass Industrie und Verkehr durch eine weise, wohlwollende
und liberale Regierung gepflegt, in ihrer Entwickelung und freien Entfaltung unterstützt und von höheren Gesichtspunkten aus geleitet werden.
Es ist die Pflicht einer jeden Regierung, an der Beförderung des materiellen Wohles der Völker thätig zu sein, denn wo die Theile stark und
gesund sind, dort ist es auch das Ganze, und es gibt keinen Staat, der
ohne Reichthum und verhältnissmässige Dichtigkeit seiner Bürger zu
Ansehen und Macht gelangen kann. B. anerkennt ferner die hohe Bedeutung des Geldverkehres, die Möglichkeit einer Rechtfertigung des
(gesunden) Luxus von volkswirthschaftlichem Gesichtspunkte aus und die
Unentbehrlichkeit einer positiven und continuirlichen Einflussnahme der
Regierung auf das industrielle Leben. Gleichzeitig aber hebt er geistreich
hervor, von welch' ausserordentlicher Wichtigkeit im volkswirthschaftlichen
Leben die Gewohnheit, das auf derselben beruhende Bedürfniss und die
Lebensweise sei, auf welche entschieden einzuwirken nicht die Regierung, sondern der Zeitgeist, die Erziehung und Bildung der Menschen im
Laufe der Jahrhunderte im Stande ist. — Ein Cardinalpunkt der ganzen
Nationalökonomie ist der freie Verkehr und der ungestörte Handel; nur
auf Grundlage dieses zur Geltung gebrachten Principes können und
werden sich die nationalen Gewerbskräfte entwickeln, die Einwohner vermehren, Consumtion und Circulation wachsen, nur so wird und kann sich
wirthschaftlicher und materieller Wohlstand einbürgern. Ungarn könnte
sich zu einem europäischen Staats ersten Ranges emporschwingen, wenn
seine geistige Entwickelung mit dem Reichthume an physischen Erwerbsquellen gleichen Schritt hielte. Weiter bemerkt er richtig, dass die
ungarische Landwirthschaft durch den gänzlichen Mangel an Industrie
leide, was schon das Missrathen einer einzigen Ernte zu einem fühlbaren
Unglücke macht, weshalb man bald in erdrückendem Ueberflusse, bald
in elender Nothdurft leben müsse. Nebstbei stehen in Ungarn Production
und Consumtion in keinem richtigen Verhältnisse zu einander; es wird
viel mehr producirt als consumirt; aus diesem Grunde haben die Producte weder Absatz noch einen Preis, und deshalb ist auch der Uebergang
zu einem intensivern und rationellern Bewirthschaftungssystem mit so
vielen Schwierigkeiten verbunden. Die Zunahme der Bevölkerung, der
freie Exporthandel und eine ungestörte Entwickelung der Consumtion und
des Verkehres sind die Mittel, welche diesem Uebel abzuhelfen berufen
sind; denn die Ausfuhrverbote in Bezug auf Rohproducte verfehlen auch
in Ungarn ihren Zweck, weil sie bei einer reichen Ernte nur künstlich
die Güterpreise herabdrücken; bei einer Missernte hingegen verhindern
ja die im Lande herrschenden hohen Preise selber schon eine zu grosse
Ausfuhr. — Indem Verfasser auf die einzelnen Industriezweige der Wirthschaft übergeht, erwähnt er mit Bedauern des Zurückbleibens, das bei
uns in denselben bemerkbar ist, und welches er unter Anderem auch dem
Mangel an den nothwendigen Fachkenntnissen zuschreibt. — Im III., von
Industrie und Fabrication handelnden Kapitel versucht der Verfasser
vor Allem, die Definition dieser Beschäftigungen zu geben; dann tadelt
er den Luxus der ungarischen Magnaten, welcher auf dem massenhaften

Ankauf fremder Waaren beruht, da die Liebhaberei fremder Waaren die innere Industrie erstickt, das Aufblühen industrieller Unternebmungen in unserem, an Erfordernissen der Fabrication so reichen Vaterlande erschwert, und so übt das, was sonst zum Vortheile des Landes dienen könnte (nämlich der nüchterne Luxus, wenn er auf die Consumtion inländischer Producte gerichtet wäre), auf die materielle Lage Ungarns einen geradezu schädlichen Einfluss aus. — Am eingehendsten bespricht Verfasser den Handel, das Zollsystem und die Communioationsmittel. Vor Allem weist er treffend auf jene natürlichen Verkehrsrichtungen hin, welche dem Handel Ungarns schon von den physischen und geographischen Verhältnissen dieses Landes vorgeschrieben sind, und welche Ungarn immer vor Augen halten sollte. Sodann hebt er die unentwickelte Lage des innern ungarischen Handels, sowie auch den stockenden Zustand des Verkehres mit dem Auslande hervor, wo er jedoch besonders betont, dass einer der Hauptgründe des letzteren in der verkehrten österreichischen Zollpolitik zu suchen ist, da durch dieselbe zum Schutze deutscher Industriellen der Import ausländischer Fabricate verhindert und so der hierbei internationale Waarenaustausch und Verkehr unmöglich wird; abgesehen von den Plackereien bei der Einhebung der Dreissigstgebühren, denen der ungarische Kaufmann in den österreichischen Provinzen noch immer ausgesetzt ist, abgesehen davon, dass Ungarn in der Handelspolitik nur als Provinz Oesterreichs betrachtet wird, und abgesehen endlich davon, dass die deutsche Regierung gar nicht bestrebt scheint, durch Handelsverträge den diesbetreffenden Interessen Ungarns zu genügen. — In dem von der Handelsbilanz handelnden Kapitel bestrebt sich B. scharfsinnig Jene zu widerlegen, nach denen der Verkehr Ungarns ein activer und das Staatsvermögen vermehrender ist, die da glauben, dass der materielle Aufschwung Ungarns mit den Interessen der nicht ungarischen Theile der österreichischen Monarchie unvereinbar sei, und die da behaupten, dass alles österreichische Geld nach Ungarn fliesse und dass der Reichthum Ungarns zuschends wachse u. s. w. Er zeigt, dass in Ungarn eben das Gegentheil all dieser Zustände anzutreffen ist, dass die günstige Handelsbilanz nur soheinbar eine solche, in Wahrheit aber eine sehr ungünstige ist, dass der Geldvorrath Ungarns im Gegentheile in Form von allerlei Zahlungen und zwar nach Oesterreich und ins Ausland fliesst, dass im grössten Theile Ungarns Armuth herrscht, die Einwohner nicht im Stande sind, die Steuern zu zahlen, dass gewaltsame Executionen an der Tagesordnung stehen u. s. w.; er fügt ferner hinzu: „das Geld läuft nur durch Ungarn durch, bleibt aber nicht im Lande, der Zustand dieses Landes gleicht dem eines an der Auszehrung Leidenden, bei dem die Gesichtsröthe nur das äussere Symptom des im Körper nistenden gefährlichen Uebels ist." — Nachdem er dieses vorausschickt, übergeht Berzeviczy im VI. Kapitel seines Werkes auf die Beurtheilung des Dreissigst-Systems. Er weist hier nach, wie diese Zollgebühr unter verschiedenen Namen mit den entsprechenden Steuern durch die Anordnungen der österreichischen Regierung, und zu unserem Nachtheile in immer grösserem Grade stieg, wie unsere Stände in den Reichstagen über dieses ungerechte Vorgehen klagten, ohne dass ihr diesbezügliches Auftreten vom geringsten Erfolge gekrönt worden wäre; dass dieses Gefälle am Ende die Unterdrückung der ungarischen Industrieentwickelung, die Verhinderung des Exportes ungarischer Rohproducte, die von den Erbländern benöthigt wurden, und endlich die Concentrirung des ganzen Handels und des aus demselben entspringenden Nutzens in deutschen Händen zur Folge hatte, wodurch Ungarn selbst aus dem für ihn so nothwendigen und wichtigen internationalen Waarenaustausch ausgeschlossen blieb. — Hieran anknüpfend beweist Verfasser im VII. Kapitel auf geistreiche und mit den Principien der Nationalökonomie übereinstimmende Weise, dass, da nach dem weisen Weltpläne der Vorsehung jedes Land und jedes Volk einen eigenen national-ökonomischen Beruf hat und jedes Land an besonderen Producten reich ist, die Länder auf den wechselseitigen Austausch dieser Producte, d. i. auf einen zur wechselseitigen Ergänzung dienenden friedlichen internationalen Verkehr angewiesen sind, und dass in dieser Beziehung, wie überall, so besonders zwischen den materiellen Interessen und dem materiellen Wohlstande Ungarns und Oesterreichs kein Gegensatz existirt, dass im Gegentheile leicht eine Interessengemeinschaft erkennbar ist, welche nur jene kurzsichtigen Politiker in Abrede stellen wollen, nach denen das Aufblühen Ungarns nur zum Schaden Oesterreichs Platz greifen könnte. Auf dieses grosse Princip, in dessen bestimmter Formulirung Berzeviczy, auf der von Adam Smith gelegten Basis weiter bauend, den grössten Fachmännern seiner Zeit, einem J. B. Say, Malthus und Ricardo vorangeeilt war, mit dem er eine der grössten Dogmen der modernen Nationalökonomie aussprach und zuerst in einem glänzenden concreten Beispiele angewendet hatte, gründete Verfasser sodann die Forderung nach einer internationalen Verkehrsfreiheit aus allgemeinem Gesichtspunkte, besonders aber aus dem Ungarns und bewies, dass der Curs der ungarischen Rohproducte, sobald dieselben frei nach dem Auslande exportirt werden können, steigen müsse, dass das vom Auslande einfliessende Geld den Verkehr lebhafter gestalten, die Einkünfte des Volkes vermehren, dass die Einwohnerzahl zunehmen wird und Industrie und Fabricationswesen eingebürgert werden. Die auf solchem Wege erreichte Beförderung des Wohlstandes Ungarns wird, fügt Verfasser hinzu, auch den österreichischen Provinzen geradezu nützen, der Abgang ihrer Industrie- und anderer Producte würde gegen Ungarn zu zunehmen, abgesehen davon, dass der Wettstreit zwischen den zwei Reichshälften ebenfalls von guten Folgen begleitet wäre. — Hier übergeht dann Berzeviczy auf eine staatsrechtliche Definition und fragt sehr treffend, ob Oesterreich, wenn auch — dato, non concesso — der materielle Aufschwung Ungarns für dasselbe von Nachtheil wäre, das Recht zustehe, Ungarn in seiner Entwickelung aufzuhalten, dieses Ungarn, das ein selbstständiges und unabhängiges Reich ist, und daher auch in national-ökonomischer Beziehung keinem andern Lande unterworfen sein kann? Um wie viel weniger könne es dies aber jetzt, da Ungarn den Schwerpunkt der Kraft in der Monarchie bildet, die unerschöpfliche Quelle ihrer Machtstellung ist!! Im VIII. Kapitel stellt Verfasser, indem er die Wichtigkeit der Verkehrs- und Transportmittel analysirt, Anträge zur Vervollkommnung des ungarischen Strom-, Weg- und Canalsystemes, während er im IX. Kapitel über den ungarischen nach Norden gerichteten Handel sprechend, den traurigen Verfall desselben beklagt, und zum Schlusse führt er an, um wieviel stärker Ungarn wäre, wenn die reichen Kraftquellen des Landes besser ausgebeutet würden.

Dies war Berzeviczy's erstes Werk. — Sein zweites, das, wie wir oben gesehen, vom asiatisch-europäischen Welthandel handelt, und um ein Jahrzehent später erschien, zeugt von der echt humanen Auffassung des internationalen Verkehrs, und enthält jenen grossartigen Vorschlag des Verfassers, dass es, angesichts der durch die Napoleonischen Weltkriege gänzlich untergrabenen internationalen Handelsverhältnisse, angezeigt wäre, den asiatisch-indisch-europäischen Verkehr den Händen der occidentalen Staaten zu entreissen, ihn durch Oesterreich und Russland durchzuführen. Zu diesem Zwecke beantragt er unter Andern eine engere Annäherung der zwei letztgenannten Staaten und besonders ihre Verbindung durch Handelsverträge (auf Grund des Freihandels), ferner die Errichtung einer grossen privilegirten Handelsgesellschaft, wie die von Häfen und Docks. Wie in seinem ersten Werke will er auch hier, indem er den Vorzug des freien Industrie- und Handelswettstreites von Neuem besonders hervorhebt, beweisen, dass das Aufblühen des Handels und der Nationalökonomie im Reiche und besonders in dem zurückgebliebenen Ungarn, von der Verwirklichung dieser Anträge sicher erwartet werden könnte.

In diesem Werke Berzeviczy's verdient besondere Aufmerksamkeit, dass er sich über Oesterreich viel schonender äussert als in seinem ersten Werke, dass er die Interessen-Gemeinschaft sämmtlicher Bestandtheile der österreichischen Monarchie bestimmt hervorhebt; — während er die Abhandlung selbst damit schliesst, dass durch die Annahme dieses Planes sowohl die national-ökonomische als auch die finanzielle Lage der Monarchie eine günstigere würde.

In seinem dritten und letzten Werke schildert Berzeviczy die socialen und materiellen Verhältnisse der ungarischen Bauernklasse; dieses Werk hat in der Hormayer'schen Zeitschrift: „Archiv für Geographie, Geschichte u. s. w." zu einer sehr interessanten Debatte Gelegenheit geboten und verdient auch deswegen schon einige Aufmerksamkeit, weil es die Schwächen und Mängel des ungarischen Steuersystems und besonders der Dication aufdeckt, und es als ein ergänzender Theil der Facharbeiten des Verfassers betrachtet werden kann.

III. Ausser Berzeviczy haben sich während des Zeitraumes von 1802—1825 noch folgende Männer mit den volkswirthschaftlichen und vorzüglich den Handel Ungarns betreffenden Fragen in grössern oder kleinern Schriften eingehend beschäftigt. Benzoni veröffentlichte 1802 einen „Vorschlag eines Commerzsystemes" zu Fiume, der einige Reformen in Bezug auf die Ausfuhrpolitik ins Leben zu rufen wünscht. Paul Sponer schrieb 1804, „Ideen über Ausfuhr im Allgemeinen und deren Anwendung auf Ungarn" in Schedius' bekannter „Zeitschrift von und für Ungarn" (III. Band, p. 297—305). Stefan Vedres bemüht sich in seinem „A Tiszát a Dunával öszszekapcsoló uj hajozható csatorna" (Ein neuer, die Theiss mit der Donau verbindender, schiffbarer Canal) und „Egy nemzeti jószág" (Ein Nationalgut) betitelten Werken einen Plan zur Verbesserung der ungarischen Communications- und Productionsverhältnisse darzulegen, sowie auch die Nothwendigkeit von dem Binden des Flugsandes um Szegedin nachzuweisen. Um 1809 veröffentlichte Michael Horváth zu Pressburg eine Arbeit unter dem Titel: „Notitia rei commercialis", in welcher er auch die Theorien des Handels entwickelt,

während das Bank- und Creditwesen in Cseörgheő einen
eifrigen Vertreter fand, der in seinem „Bancoregulirungsprojecte"
(1807; 1815) die schwebende Bankfrage zu beleuchten suchte. Die
Zeitschriften „Nemzeti Gazda" und „Tudományos gyüjtemény"
brachten treffliche Arbeiten von Franz Molnár, Szytrokay,
Gáty u. A., welche die Hebung der Landwirthschaft und der
Bodenindustrie bezweckten. Unter diesen Arbeiten verdient eine
Abhandlung über „die Hungersnoth" im VIII. B. des 1817er
Jahrganges in der „Tud. Gyüjt." besondere Erwähnung. Die
„Briefe eines ungarischen Edelmannes" (1806) vertheidigen warm
mehre materielle Reformen. Endlich ist zu erwähnen Wersák
(Zeitungsredacteur und Dr. der Philosophie zu Ofen): „Ueber die
Wichtigkeit des Handels auf der Donau nach dem schwarzen
Meere für das Königreich Ungarn etc. etc.". Dieses Werk wurde
1820 in Pest veröffentlicht und ist schon darum von besonderem
Interesse, weil es im Gegensatze zu Berzeviczy und andern
Freihändlern, ja selbst im Gegensatze zu den Beschlüssen des
Reichstages einen rein mercantilistischen und prohibitionistischen
Standpunkt einnimmt. Verfasser gibt eine Geschichte des Handels
und der Industrie in der österreichisch-ungarischen Monarchie,
die in mancher Beziehung wohl lehrreich ist, durch die auf jeder
Seite sich breitmachende Tendenz aber, die österreichische Regie-
rungspolitik zu rechtfertigen und zu schützen, bald widerwärtig
wird. Einen Hauptzweck des Werkes bildet die Aufgabe, nachzuweisen, dass Pest berufen sei, ein Handelsemporium Mittel- und
Osteuropas zu werden. Neben vielen richtigen Bemerkungen
kommen aber auch Ansichten zum Ausdrucke, deren practische
Giltigkeit nicht unbedingt unterschrieben werden kann.

Bevor wir diese Uebersicht schliessen, können wir nicht
umhin, auch jener Männer Erwähnung zu thun, die wohl nicht
streng genommen in die Reihe der „Nationalökonomen" gehören,
aber doch in Folge der Gründlichkeit und Richtigkeit der in ihren
Werken niedergelegten staatswirthschaftlichen Anschauungen
unserer grössten Aufmerksamkeit werth sind. Wir meinen hier
den Verfasser der „Statistik des Königreiches Ungarn" (2 Bände
1798; 1809—1811), Martin Schwartner und den berühmten
Autor der „Geschichte der Ungarn" (10 Bände 1814—1825)
Aurelius Fessler. Beide schrieben in deutscher Sprache,

waren aber doch für die Interessen und die Rechte Ungarns eifrigst zu wirken bemüht; Beide stunden nicht an, sowohl nach Oben als nach Unten, der Regierung und dem Volke die volle Wahrheit zu Gemüthe zu führen, selbst da, wo es galt, Fehler zu rügen und Unrecht aufzudecken; Beide sind mit der ganzen Kraft ihres Genies für die Freiheit und den Fortschritt eingestanden. Beiden endlich hat es Ungarn zu verdanken, dass es dem Auslande näher gebracht, von demselben besser gekannt und in seiner Thätigkeit aufmerksamer verfolgt wurde.

Eine nicht zu unterschätzende Rolle beginnen nun auch die landwirthschaftlichen Handbücher, Fachwerke und die wissenschaftlichen Zeitschriften zu spielen. Die Naturwissenschaften und mit ihnen die Theorie der Bodenindustrie erwarben sich von Tag zu Tag einen grössern Anhängerkreis; wir erwähnen hier nur Johann Nagyváthy: „A szorgalmas mezei gazda“, Franz Pethe: „Pallérozott mezei gazdaság“ 1805 und „A szarvasmarha tenyésztés“ 1814; Mathias Angyalfi gab die Zeitschrift „Mezei gazdák barátja“ 1824 heraus, während Karl Rumy 1808 ein „Populäres Lehrbuch der Oekonomie mit besonderer Rücksicht auf Oesterreich und Ungarn, auf den Zustand der Landwirthschaft im Kaiserthume Oesterreich“ veröffentlichte. 1817 erschien das Fachblatt: „Nemzeti gazda“; Josef Fábián übersetzte 1819 Columellas classisches Werk von dem Ackerbau; Karl Pfahler schrieb ein „Jus georgicum R. Hung.“ (Pest 1820, 2 B.); K. Pauly die „Const. Rei Urbarialis“ (1817, Wien) und Franz Molnár veröffentlichte in der „Tud. Gyüjt.“ (1821) eine Abhandlung über die Regulirung des Grundbesitzes. Diese unvollständige Aufzählung mag genügen, um den Beweis zu führen, dass man in Ungarn wirklich einzusehen begann, wie sehr man in volkswirthschaftlicher Beziehung dem europäischen Westen nachstand, und wie sehr man bemüht gewesen, die Mängel zu ersetzen und die wahrgenommenen Lücken auszufüllen.

Die Zeitschriftsliteratur fing damals an ihre ersten Blüthen zu treiben, und wenn auch oft das Wort, in welches man den Gedanken kleidete, deutsch klang, so war doch der Geist, der Gedanke selber entschieden ungarisch national. Es würde uns viel zu weit führen, wollten wir uns hier in eine Detaillirung der Zeitschriftsliteratur einlassen; es genüge hier die Erwähnung der

„Zeitschrift von und für Ungarn" von Schedius (Pest, 1802—1804); „Ungarische Miscellen" von Lübeck (Pest, 1805—1807); „Ungarisches Magazin" von Windisch (1781 bis 1787) und dann wieder bis 1798 in Pressburg; „Siebenbürgische Quartalschrift" (Hermannstadt, 1790—1801); „Erdélyi Muzeum" von Döbrentei, (Klausenburg, 1814—1818); „Tudományos Gyüjtemény" von Georg Fejér (Pest, 1817—1841); „Hazai tudositások" seit 1806 u. s. w. Alle diese Zeitschriften waren wohl nicht ausschliesslich der Volkswirthschaft gewidmet, doch haben sie auch nach dieser Seite hin anregend und anspornend gewirkt und dürfen schon deshalb nicht ausser Acht gelassen werden.

Werfen wir nun einen Blick auf den Einfluss, den die Schule auf die Entwickelung der volkswirthschaftlichen Ideen jener Zeit nahm, und der jedenfalls nicht unterschätzt werden darf, da der Same, der vom Lehrstuhl aus in das empfängliche Gemüth der Jugend gestreut worden, bei dem Eintritte derselben in das practische Leben in hohen Halmen aufschoss. In der Schule herrschten ausschliesslich die auf dem Sonnenfelsischen Systeme beruhenden mercantilistischen Principien. Sonnenfels' Lehrbuch war für alle Schulen der Monarchie als Leitfaden vorgeschrieben; so wurde es den Professoren unmöglich, sich über den engen Horizont seiner Ansichten hinaus, zu den Ideen der Smith-Say'schen Schule emporzuschwingen.

Diese Thatsache rief auch eine ihr entsprechende Literatur hervor. So veröffentlichte der Probst und Universitätsprofessor zu Ofen, Michael Horváth, schon 1806 ein Werk unter dem Titel: „Specimen oeconomiae publicae, legibus et moribus Hungariae accomodatum." Es ist dies das erste national-ökonomische, systematisch bearbeitete Lehrbuch in Ungarn, das gleichsam einen Uebergang von den mercantilistischen Ideen zu denen der neuern Smith-schen Schule bildet. — Einer grössern Verbreitung erfreute sich das Werk Wolf Beke's: „Principia Politiae, Commercii et Rei Aerariae", Pressburg 1807—1808. Dasselbe ist, wie schon der Titel besagt: „e germanicis lucubrationibus clarissimi viri Josephi a Sonnenfels latine reddita" ganz im Sonnenfelsischen Sinne gearbeitet und enthält die Principien der „Polizei", der „Handlung" und der „Finanz". Endlich muss auch noch Michael Sax genannt werden, der als Professor an der Pester Universität unter dem Titel: **Adumbratio scientiarum politicarum summaria**" 1808 in Ofen ein Lehrbuch veröffentlichte, welches theils Beke's Uebersetzung im Auszuge wiedergibt, im Ganzen ein lesbarer und richtig zusammengestellter Leitfaden genannt werden kann.

FÜNFTES KAPITEL.

Die öffentlichen Zustände von 1812—1825 und Rückblick auf den ganzen Zeitraum. — I. Regierungsverordnungen und Verfassungsverletzungen. — II. Rückblick auf den ganzen Zeitraum. Der volkswirthschaftliche Ideenkreis Ungarns im Vergleiche zu dem contemporären Ideenkreise im Auslande und zu dem allgemeinen Stande der Nationalökonomie.

I. Die politische Nacht der Unterdrückung und der Willkürherrschaft lastete schwer auf den Gefilden Ungarns, nachdem der Reichstag von 1812 aufgelöst worden. Neue blutige Kriege und ihre bösen Folgen erschöpften die besten Kräfte der Nation, hemmten die geistige Entwickelung, den materiellen Aufschwung und den sehnlichst erwünschten Fortschritt. Noch drückender aber war es, dass in dieser finstern Nacht des Unglücks kein Sternchen des verfassungsmässigen Rechtes aufleuchten durfte, das seinen zitternden Schein über die öde Gegend geworfen hätte; noch bedauernswürdiger ist es, dass jede freie Regung, jedes männliche Wort unterdrückt worden, das gewagt hatte gegen das Unrecht Klage zu führen und die Gerechtigkeit zu vertheidigen. In Oesterreich kamen die schroffste Reaction, polizeiliches Spionirwesen und Autocratismus zur Herrschaft; in Ungarn suchte man die Gemüther zu entnerven, die Aufmerksamkeit von allen öffentlichen Angelegenheiten abzulenken und den faulsten Indifferentismus zu acclimatisiren. Direct hatte man die Verfassung wohl nicht abgeschafft, aber „das System der stillen Untergrabung der unhandlichen ungarischen Verfassung durch hinterrückige Mittel, durch Abnützung und Schaffung verfassungswidriger Präcedentien, wurde von Neuem wieder aufgenommen".

Zu ihren ersten Aufgaben zählte die Regierung die Regelung des Finanzwesens und der Staatsschulden; zu diesem Zwecke, und um sich aus dem Wuste des entwertheten Papieres herauszuarbeiten,

wurden verschiedene Reformen in der Finanzverwaltung, in den
Regalien und Steuern eingeführt, Staatsgüter verkauft; am
1. Juni 1816 hingegen erliess sie ein Patent, welches den Ausgangspunkt für die ganze spätere Finanzverwaltung Oesterreichs
bildete. In demselben wurde ausgesprochen, die Regierung werde
von nun an nie mehr Papiergeld mit Zwangscurs emittiren, das
gegenwärtig circulirende hingegen werde sie nach und nach ein-
lösen. Zur Ausführung dieser Finanzoperation soll in der Haupt-
stadt des Reiches eine privilegirte Bank errichtet werden, die zur
Einlösung der Staatsnoten (in einem gewissen Werthverhältnisse)
auf Silber lautende Banknoten emittiren wird, wofür der Staat der
Bank gegenüber verpflichtet ist. Zum leichtern Erträgniss, respec-
tive zur Verminderung der bis auf 650 Millionen Gulden angewachsenen Staatsschuld wird ein freiwilliges Anlehen
aufgenommen, bei dem die Einzahlungen zur Hälfte in Staatsobli-
gationen, die schon früher auf $2^{1}/_{2}$ Percent herabgesetzt wurden, zur
andern Hälfte aber in Papiergeld bewerkstelligt werden können.—
Die Nationalbank bildete nun das Centralorgan des öffentlichen
Staatshaushaltes, jede bedeutende Finanzoperation wurde mit ihrer
Hilfe ausgeführt, wodurch sich langsam jenes innige Verhältniss
zwischen dem Staate und diesem Geldinstitute entwickelte, das
die Quelle so vieler Uebelstände werden sollte. — Ein anderer
bedeutender Schritt war die Einführung der auf dem stabilen
Kataster beruhenden Grundsteuer in den Kronländern und anderer
Steuerarten, die aber auf Ungarn von keinem directen Einflusse
waren. Drückender für Ungarn waren die S u b s i d i e n, welche
nach mehrfacher Aufforderung von den widerstrebenden Comitaten
und Jurisdictionen geleistet wurden; die Steuern mussten nach
dem neuen Conventionsfuss, also in einer 250percentigen Erhöhung eingezahlt werden; der Salzpreis wurde ohne Einberufung
des Reichstages und ohne Mitwirkung desselben bedeutend erhöht,
ja einem Rescripte vom 20. September 1818 zufolge musste derselbe in Silber bezahlt werden. Als aber alle diese Institutionen
nicht die gewünschten Erfolge erzielten, wurde beschlossen, die
Steuern sollen auch in Ungarn von nun an in klingender Münze
behoben werden, den ungarischen Behörden wurde noch dazu die
Pflicht auferlegt, das Beil zu schleifen, mit dem sie verwundet
werden sollten; sie mussten nämlich einen Bericht erstatten, wie

diese Verordnung am erfolgreichsten durchgeführt werden könnte.
Und was that die Regierung für alle diese schweren Belastungen?
Einige Erleichterungen im Gebiete des innern Handels, einige
Veränderungen der Zolltarifsätze, einige Reformen in Bezug auf
die Schifffahrt und einige fortschrittliche Modificationen betreffs
des Zunftwesens, das Streben, die Urbarialverhältnisse auf admini-
strativem Wege zu regeln und eine neue Comitatsordnung einzuführen, welche die ungarischen Jurisdictionen gänzlich dem Willen
und den Zwecken der Regierung unterwürfig machen sollte; das
war Alles, was die Regierung als Gegenleistung anbot. Solche
Umstände waren nicht danach angethan, eine materielle Hebung
des gesunkenen Landes zu bewirken, und wenn sich Stimmen
erhoben, die wegen des traurigen Zustandes Klage führten, oder
Rathschläge ertheilten, welche den Uebeln abzuhelfen meinten,
so wurde ihnen immer die stereotyp gewordene, officielle Antwort
zu Theil, alle Ursachen des Darniederliegens und der Versumpfung
lägen in der Verfassung und in dem Charakter der Ungarn selber. —
Ein solcher Druck konnte nicht verfehlen, auch von anderer Seite
einen gewaltigen Gegendruck hervorzurufen; in den Comitaten
organisirte sich bald eine mächtige, verfassungstreue Opposition,
die bei jeder Gelegenheit darauf hinwies, dass in Ungarn nur ein
Factor berufen sei, den Wünschen des Monarchen nach deren
Erwägung beizustimmen, und das ist der Reichstag. Am treuesten
und erschöpfendsten äusserte sich die am 8. Juli 1816 abgehaltene
Congregation des Pester Comitates in ihrer Adresse an den König.
In derselben wird das Verfassungswidrige der geschehenen Ver-
ordnungen nachdrücklich betont, es wird hervorgehoben, dass die
Einnahmen aus den Kronbergwerken, über die endgiltig nur der
Reichstag zu verfügen hat, den Interessen einer Privatbank hinge-
opfert werden, welche mehr ihren eigenen Nutzen als den der
Bürger zu befördern sucht, wodurch zu befürchten steht, dass
Ungarn, welches ohnehin schon den übrigen Kronländern nachgesetzt worden, nun vollständig seiner wirthschaftlichen Freiheit und
Unabhängigkeit beraubt werden könnte. Einen ähnlichen, ja oft
noch härtern Ton schlagen auch die Adressen der übrigen Comitate
an, das Verhältniss zwischen dem Fürsten und den Unterthanen
wurde immer gereizter und gespannter und es fehlte wenig, dass
dieses Verhältniss zu einer für beide Parteien gefährlichen

Catastrophe führte. Selbst die ungarische Hofkanzlei rieth dem König, den Weg der Sanftmuth und der Nachgiebigkeit einzuschlagen, sie machte geltend, in ganz Ungarn seien keine vier bis fünf Millionen Gulden in Silber anzutreffen, der König müsse daher sein erstes Augenmerk auf die Hebung der ungarischen Volkswirthschaft wenden. Aber alles dies nützte nichts gegenüber den Einflüsterungen der deutschen Rathgeber, ja es diente nur dazu, dass die eiserne Hand des Druckes sich mit noch grösserer Wucht auf das ohnehin schwer gebeugte Haupt Pannoniens niederliess. Erst die Wolken, die sich gewitterschwanger am orientalischen Horizonte erhoben, erst die Noth, welche den Staat überfiel, vermochten es den König dahin zu bewegen, dass er den ungarischen Reichstag nach dreizehnjährigem Scheintode wieder ins Leben rief und so die gesetzliche Arena der Poltitik wieder eröffnete.

II. Wir haben nun gerechtfertigt, was wir in der Einleitung zu dem Zeitraume von 1790—1825 behauptet. Es ist dies die Periode selbständiger Ideenentwickelung und selbstbewusster Reformbestrebungen. Die volkswirthschaftlichen Theorien erhielten Glätte, der Reichthum an Principien und Wahrheiten wuchs, so dass man die ganze Entwickelung als eine höhergradige und vollkommenere bezeichnen muss. In die Dunkelheit mancher Begriffe drang der aufklärende Strahl selbstbewusster Erfahrung, und wenn auch die Grundprincipien der Nationalökonomie in dieser Periode ebenfalls noch keiner echt wissenschaftlichen Ausbildung sich erfreuten, so darf doch nicht übersehen werden, dass sich die Theorien über Geld, Credit und Staatshaushalt in dem heftigen finanziellen Kampfe dieser ganzen Periode bedeutend schärften und durchsichtigere Klarheit erlangten. Immer mehr schwindet der mittelalterliche Nebel, der sich düster und grau wie ein schädlicher Mehlthau auf die Organe der Gesellschaft gelagert, und aus dem zerrissenen Nebel heraus leuchtet in immer glänzenderer Schöne der moderne Gedanke der Freiheit, der Interessengemeinschaft, der Civilisation und der staatsbürgerlichen Gleichheit. Die Wechselwirkung zwischen Recht und Wirthschaft, Constitutionalismus und wirthschaftlichem Interesse erwirbt sich eine immer wachsende Anzahl von anerkennenden Vertheidigern und nicht zu unterschätzen ist es, wenn wir sehen, dass in Ungarn die Principien des Freihandels — wohl nur auf den freien Export beschränkt — schon zu einer Zeit in der Praxis sich geltend machten, wo sie in Mittel- und Westeuropa nur noch in der Literatur gekannt waren.

Zu nicht ganz befriedigenden Resultaten gelangen wir aber, wenn wir das Verhältniss des ungarischen, volkswirthschaftlichen Ideenkreises zu dem West- und Mitteleuropas in Augenschein nehmen. Denn die vielfachen Hindernisse, die der geistigen Entwickelung Ungarns im Innern entgegenwirkten, die eifersüchtige Politik der Wiener Regierung, die durch eine nähere Bekanntschaft Ungarns mit der fortgeschritteneren Cultur des europäischen Westens ihr absolutistisches Gebäude gefährdet sah, waren Ursachen genug, um Ungarn fernzuhalten vom Herde volkswirthschaftlicher, moderner Entwickelung, wie dieselbe zu gleicher Zeit in Westeuropa zu Tage trat. Wohl muss Derjenige, welcher die literarische und legislative Thätigkeit dieses Zeitraumes mit Aufmerksamkeit verfolgt, eingestehen, dass einzelne Männer die westeuropäischen Ideen mit Pfeilgeschwindigkeit auch in das für die Freiheit so empfängliche Gemüth der ungarischen Gesellschaft zu verpflanzen suchten; aber was zählt dies Alles gegenüber den Leistungen der grossen Culturvölker jener Epoche?

Draussen hatte die Nationalökonomie einen mächtigen Aufschwung genommen, der Smithianismus brachte neues Leben in die durch mercantilistische und physiocratische Veilletäten gebundene Wissenschaft; in Frankreich erregten J. B. Say, Canard und Sismondi ungemeines Aufsehen; der epochemachende Malthus, der geistreiche Ricardo, der scharfsinnige Torrens und der ausgezeichnete James Mill verliehen der Nationalökonomie durch ihre gediegenen Werke eine ungeahnte Autorität; der deutsche, ordnende Fleiss gab der Wissenschaft durch die Arbeiten eines Sartorius, Schlözer und Soden, eines Hufeland und Lotz, eines Jakob und Adam Müller eine breitere, systematische Grundlage; in Italien brachten der mit ungeheurem Wissen ausgerüstete Gioja und Bosselini die Nationalökonomie zur Blüthe, in Holland und der Schweiz, in Spanien und Portugal, überall traten mächtige Apostel auf, welche die ewigen Wahrheiten des wirthschaftlichen Ideenkreises weithin verbreiteten und allen diesen gegenüber kann Ungarn höchstens einen Skerletz und Berzeviczy hinstellen, welche des Ruhmes würdig sind, neben den genannten Männern ein bescheidenes Plätzchen einzunehmen. Bedenkt man, dass im Auslande der national-ökonomische Ideenkreis die mächtig anregende Basis einer blühenden Industrie und Gewerbethätigkeit, eines lebhaften Handels und Verkehres besass, was in Ungarn fehlte; so wird man auch bald den Grund heraus haben, warum Ungarn nur so schwer und langsam auf dem Wege des Fortschritts vorwärts zu kommen vermochte. Einen Vorzug hatte es aber doch. Während nämlich im Auslande die freiheitlichen Ideen — mit Ausnahme Englands — nur grösstentheils in der Theorie lebten, drangen sie, so weit sie bekannt waren, in Ungarn, Dank seiner Verfassung, in alle Schichten des practischen Lebens ein und wurden zu Fleisch und Blut, während sie im Auslande nur noch todtes Wort gewesen.

Vierter Zeitraum.

Von 1825—1840.

Das Reifen der grossen Reformideen und ihre ersten Errungenschaften.

ERSTES KAPITEL.

Die Grundlagen und Richtungen der volkswirthschaftlichen Ideenentwickelung in diesem Zeitraume. — I. Allgemeiner Ueberblick über die politischen und volkswirthschaftlichen Verhältnisse dieses Zeitraumes. — II. Die national-ökonomischen Ansichten dieses Zeitraumes im Allgemeinen.

I. Kaum waren wieder die absolutistischen Schranken entfernt, welche das segensreiche Gut politischer Freiheit und verfassungsmässigen Rechtes einfriedeten, kaum hatte der Druck in etwas nachgelassen, der mehr als ein Jahrzehent auf dem ungarischen Volke gelastet; als es sich auch schon in allen Ecken und Winkeln desselben frisch zu regen begann; der gehemmte Lauf des Stromes öffentlicher Theilnahme an den Entscheidungen über das Geschick der Nation wurde wieder frei, und im Bewusstsein dieser Freiheit ging die Nation an die Riesenarbeit, das Versäumte nachzuholen und das Begonnene zu vollenden. „Der österreichische Hof meinte — sagt der tiefblickende und auch den ungarischen Verhältnissen gerecht werdende Gervinus im VII. Bande seiner Geschichte des XIX. Jahrhunderts p. 103 — das Genügende gethan zu haben, um die Geister in Ungarn zu erschlaffen, die Leidenschaften einzuschläfern, den Muth zu brechen, die Patrioten zu ermürben. Allein in diesem asiatischen Volke von scythischem Blute ging nie wieder jene Reizbarkeit verloren, in welcher der ganze Nationalkörper jede Rechtsverletzung empfand, noch jene unverwüstliche Hartnäckigkeit des Widerstandes, die Frucht der ewigen Kämpfe um die Verfassung."

Es ist nicht unsere Aufgabe, hier eine eingehende Schilderung der politischen Entwickelung Ungarns in dieser glänzenden und an strahlenden Momenten reichen Epoche zu liefern; nur so weit dies zum Verständniss der gleichzeitigen national-ökonomischen Entwickelung nöthig ist, wollen wir dieselbe kurz und fragmentarisch zeichnen.

Durch die welthistorischen Begebenheiten im Westen Europas angeregt, konnte sich auch Ungarn dem mächtigen Drange nach Vorwärts nicht entziehen, und wenn es auch heisse Kämpfe absetzte, und wenn es auch jetzt noch eine starke Partei gab, die der „Invasion" (wie sie es nannte) der modernen Ideen mit aller Gewalt entgegenarbeitete; so musste doch die jüngere, lebensfähigere Generation, welche mit kühner Entschlossenheit den Weg des Fortschrittes betrat, zum Siege gelangen. Vor dem Andrange europäischer Ideen musste sehr oft die rein nationale Tendenz zurückweichen und eine glückliche Verknüpfung der Verhältnisse, die Ungarn eine Zeit lang hindurch fast zum Mittel- und Schwerpunkte der europäischen Geschichte machten, leistete dieser bessern Richtung nicht unbedeutenden Vorschub. Dabei wird ein Heraustreten aus dem altgewohnten Indifferentismus bemerkbar, in den Palästen der Grossen wie in der Hütte des gemeinen Mannes wurden die Fragen, welche das materielle und geistige Wohl der Nation betrafen, mit gleichem Interesse discutirt, so dass man im Ganzen und Grossen eine Klärung der Ideen, ein Hellerwerden im Bereiche der Principien und eine glückliche Abnahme des unsichern Herumtappens constatiren muss.

Mit dem Zusammentritte des Reichstages von 1825 geht ein glänzender Tag über die Gebiete der Stefanskrone auf. Nach den vielen heissen Kämpfen und Wirren, welche die Monarchie bald nach aussen hin, bald nach innen zu bestehen hatte, kehrte nun der längst ersehnte Friede wieder ein und mit ihm als unausbleibliches Gefolge zogen auch alle die Segnungen wieder in die Mitte der ungarischen Nation, die nicht auf blutgetränktem Schlachtfelde, sondern nur auf dem von Fleiss und Arbeit gepflügten Felde der Cultur zu gedeihen vermögen. Vor Allem begann man auch in Ungarn einzusehen, dass die alten schwerfälligen Formen der Wirthschaft mit den verjüngten staatlichen Verhältnissen in grellem Widerspruche stehen; die noch immer vorherrschende

Naturalwirthschaft erschien als hemmend und störend für die gesunde materielle Entwickelung, und der Ruf nach wirthschaftlichen Reformen wurde ein allgemeiner und immer lauter. Wir werden noch oft Gelegenheit haben, die Reformbestrebungen dieser Epoche einer eingehenden Würdigung zu unterziehen, hier wollen wir nur reasummiren, dass die Bewirthschaftungsmethode eine rationellere, der Geld- und Waarenverkehr sammt dem Credite regelmässiger, die Last der Bauern vermindert, der Geist der Association ein lebhafterer, Handel und Gewerbe blühender, die Communication verbessert, kurz die ganze materielle Entwickelung eine befriedigendere wurde, wenn auch den vielen schönen Plänen, die in diesem Zeitraume auftauchten, die Geldunterlage und genügenden materiellen Mittel fehlten, um zur Ausführung zu gelangen.

II. Es ist ein Charakterzug von grosser Tragweite, der diesem ganzen Zeitraume anhaftet und der sich in dem Divergiren der national-ökonomischen und constitutionellen Interessen manifestirte. Volkswirthschaft und Staatsrecht traten in immer schärfern Gegensatz zu einander, und den Tieferblickenden konnte es nicht verborgen bleiben, dass die alte ungarische Verfassung, so wie sie bestand, gegenüber der brennend gewordenen Nothwendigkeit volkswirthschaftlicher Reformen unhaltbar geworden ist und radicaler Umgestaltungen bedarf. Diese Ansichten manifestirten sich vorzüglich auf dem Wege der Literatur. Die Fortbildung und treue Wahrung der nationalen Sprache bildete einen Hauptpunkt in den von den Comitaten an ihre Deputirte ertheilten Instructionen; es wurde die ungarische Academie der Wissenschaften errichtet, die als Brennpunkt dienen sollte für die Thätigkeit des Fortschrittes; wissenschaftliche Zeitschriften und die politische Presse erwarben sich von Tag zu Tag einen immer wachsenden Leserkreis, und inmitten all dieser geistigen Thätigkeit tauchte eine Riesengestalt auf, die mit prophetischem Blicke und echt patriotischem Gefühle den Samen zu streuen begann, der einst in üppigen Halmen aufschiessen und das Ungarn, „das erst sein wird", mit seinen goldenen Aehren durchwogen sollte; dies war Stefan Széchenyi, dessen staatsmännische Pläne nun die ersten Triumphe feierten.

Bei einer solchen Ausweitung des allgemeinen geistigen

8*

Strombettes musste auch der national-ökonomische Ideenkreis eine
intensive und extensive Stärkung erfahren. Die Ansicht, dass
eine Nation nur dann politisch gross werden könne, wenn sie sich
eines materiellen Wohlstandes erfreut, dass ein Land voll Sclaven
nicht reich, ein armes Land nicht frei sein kann, verschaffte sich
allgemeine Anerkennung, und sie war Stachel genug, um alle
massgebenden Kräfte zu Reformen, zu harmonischen Bestrebungen auf dem Gebiete der Volkswirthschaft anzuspornen. Freilich
blieben auch hier nicht die Gegner aus, und die Partei, die mit
zäher Hartnäckigkeit am Altgewohnten hing, die mit dem
Niederreissen der mittelalterlichen, freiheitstörenden Barricaden
die Freiheit des Landes gefährdet sahen, war keine unbedeutende.
Aber in Folge der innigen Verknüpfung der materiellen Interessen
mit den politischen Fragen konnte der Sieg der Fortschrittsmänner in Bezug auf die letztern, in deren Mitte sich die Waffen
der Bildung, des Geistes, des Patriotismus und der hinreissendsten
Beredsamkeit vorfanden, auch für die Fortschrittsmänner in
Bezug auf die erstern nicht ausbleiben. So schlug das moderne
Princip der staatsbürgerlichen Rechtsgleichheit immer tiefere Wurzeln; die Interessengemeinschaft der verschiedenen Volksklassen
trat immer bemerkbarer hervor; der fast ausschliesslich aristocrati-
sche und feudale Ideenkreis, wie er bisher in den obern Schichten
der Nation geherrscht, musste einer mehr democratischen Richtung den Platz räumen, kurz man gestand ein, dass man die
mittelalterlichen Fesseln abwerfen müsse, wenn man sich zur
Höhe anderer europäischer Culturvölker emporschwingen wolle.

ZWEITES KAPITEL.

Der volkswirthschaftliche Ideenkreis von 1825—1831,
namentlich in der Gesetzgebung. — I. Die national-ökonomischen Ideen und Richtungen auf den Reichstagen in den Jahren 1825—1827
und 1830. — II. Die herrschenden Ansichten in Bezug auf das Finanzwesen.

I. Wohl mehr für die politische Entwickelung Ungarns
von Interesse, sind doch die beiden obenerwähnten Reichstage
auch für den national-ökonomischen Ideenkreis von besonderer
Bedeutung, da sie den Ausgangspunkt vieler Reformen bilden,
die später von segensreichen Resultaten begleitet werden sollten.
Die Thronrede des Königs hatte dem 1825er Reichstage die

Aufgabe gestellt, die Reformprojecte des 1791er Reichstages einer
Verwirklichung zuzuführen. Nun schloss aber der eben zusam-
mengetretene Reichstag noch viele Elemente in sich, die jeder
Neuerung und jeder Reform entgegen waren; sie hatten nur das
eine Streben, vor Allem die arg verletzte Verfassung. vor neuen
Angriffen zu schützen, sie bewegten sich vorzüglich auf rein nationalem Boden, während nur noch Wenige so glücklich waren, ihren
Blick auch ausserhalb der Grenzen des Reiches schweifen zu lassen
und sich auf einen allgemeinen, europäischen Standpunkt zu
stellen; man war den gestellten Aufgaben nicht genug gewachsen;
und das Mittel, durch welches man zu entkommen suchte, war der
Beschluss, eine aus 80—90 Mitgliedern bestehende grosse „Com-
missio systematica" einzusetzen, welche für den nächsten Reichstag
die 1791—1793er Reformpläne überprüfen und das Elaborat demselben unterbreiten sollte. Diese Commission ging auch wirklich
1828 an ihre Arbeit, sie theilte sich in neun Sectionen, welche
ihre Thätigkeit auf alle Zweige der Volkswirthschaft ausdehnten,
und es fehlte ihnen weder an Fleiss und Muth, noch an Willen
und Fähigkeit, um ihrer grossen Aufgabe gerecht zu werden.
Doch war all' ihre Thätigkeit von keinem besondern Erfolge
gekrönt. Die Arbeiten wurden wohl bis 1829 fertig; in ein syste-
matisches Ganzes zusammengestellt und ein Gemeingut der Oeffentlichkeit aber wurden sie nicht. Die Jurisdictionen hatten dieselben
einer Prüfung unterzogen und insoferne waren sie auch auf die
allgemeine Ideenentwickelung von Einfluss; der 1830er Reichstag
aber benutzte sie nicht als Grundlage zu seinen Debatten, und ihr
höchster Werth bestand nur darin, dass sie den Sinn für Reformen wieder erweckten und so ein schwacher Ausgangspunkt für
eine intensivere Thätigkeit waren. [1]

Von besonderem Interesse sind die Ansichten über Handel
und Zollwesen, welche im Laufe der Reichstagssitzungen laut

[1] Sie trugen den Titel: „Opiniones" und erschienen bei Weber in
Pressburg 1830. Der vollständige Titel lautet: „Opinio excelsae Regnicola-
ris Deputationis, motivis suffulta, pro pertractandis in Consequentiam
Articuli 67 : 1790—91 elaboratis Systematicis Operatis Articulo 8 : 1825—27
exmissae, circa Objecta etc." Die Arbeit der Handelssection erschien auch
deutsch unter dem Titel: „Operat der 1825—27er Commerzdeputation." Im
Jahre 1832 erschien über das ganze Elaborat folgende Schrift: „Véleménye
az országos rendszeres munkálatoknak megfontolására a tek. Pestmegye
rendei által hiküldött bizottmánynak."

wurden. Dem lebhaften Waarenverkehre gegenüber, welcher um diese Zeit in dem Handel der Monarchie sowohl im Innern als auch nach aussen hin zu Tage trat, musste sich das Princip Bahn brechen, dass alle Fesseln gelöst werden müssen, welche den freien Verkehr hinderten, wenn der Handel nicht gestört und die Steuerkraft des Volkes nicht gebrochen werden sollte. Viele Deputirte verlangten eine völlige Umgestaltung des Handels, während Andere, die durch das Binden so vieler Arbeitskräfte keinen günstigen Erfolg erwarteten, wenigstens doch die Beförderung eines leichtern Absatzes der Rohproducte auf legislativem Wege zu erreichen suchten. Mehr wie einmal findet man in den Acten des 1824er Reichstages Sätze, wie der folgende, welcher für den Freihandel laut und entschlossen plaidirt. Opum nationalium augmentum unice ab incremento industriae, — heisst es in den Act. 1825/7 p. 429 — hujus autem promotionem non aliter, quam favore, libertate et flore commercii provocari et sustentari posse etc. Auch in den Adressen an den König hat die Handelsfrage eine der ersten Stellen eingenommen, und wenn dies Alles auch augenblicklich zu keinem Erfolge führte, so bewirkte man doch, dass der König das Vorhandensein des Gebrechens einsah und seine Bereitwilligkeit zur Abhilfe aussprach.

Die vom 1827er Reichstage entsendete Commerz-Deputation wendete sich in ihrem Elaborate gegen das drückende Zollsystem; dieselbe Deputation macht sich aber einer tadelhaften Inconsequenz schuldig, wenn sie den alten mercantilistischen Kohl wieder aufwärmt und ihn als Panacee gegen die Verkehrsmängel servirt. Sie meint, die Zollverbindung mit den Erbländern sei in Bezug auf den Handel mit dem Auslande auch fernerhin aufrecht zu erhalten, denn wenn der ungarische Handel mit dem Auslande gänzlich freigegeben würde, wäre das Land von ausländischen Waaren so sehr überschwemmt, dass es mit Rücksicht auf den gegenwärtigen Stand seiner Industrie in Nachtheil geriethe. Der Exporthandel Ungarns ist daher nur insoferne frei zu geben, als er mit der Civilisation und Bevölkerung gleichen Schritt haltend, den Export und Absatz der vaterländischen Erzeugnisse in richtigem Verhältnisse zu den fremdländischen Producten sichern könnte. Durch Herabsetzung des Zolltarifes soll dem ungarischen Getreide und Vieh ein leichterer Zugang zu den österreichischen

Märkten, wo sie sonst mit den türkischen und bairischen Producten nicht concurriren können, geschaffen werden. Die ungarischen und österreichischen Länder sollen innerhalb des Zoll_ systems gleiche Rechte geniessen, die Zollsützte sollen constant und nicht ewigen Schwankungen unterworfen sein, ferner soll die Regelung des Zollwesens durch die ung. Dicasterien und unter ihrem Einflusse bewerkstelligt werden.

Zum Behufe einer Vervollkommnung des Communicationswesens wurden vielfache Verordnungen getroffen, auch verlangte man, dass der nach Fiume gerichtete Verkehr nicht durch künst. liche Hindernisse aufgehalten werde, es sollen vielmehr die in Fiume verfertigten Waaren bei ihrem Importe in's Reich nicht wie ausländische besteuert werden; die 1825—1827er Commission stellte schon ein bestimmtes System in Bezug auf den Ausbau der Verkehrswege auf, bezeichnete mehre Hauptstrassenrichtungen und wollte den Bau und die Instandhaltung.derselben nicht den Behörden, sondern dem zu errichtenden Landesfonde anvertrauen. Diesem Systeme zufolge war Pest als Centralpunkt der ungarischen Communication angenommen, von wo aus sich zwei Arme, nach dem schwarzen Meere einerseits und den österreichischen Erbländern andererseits, nach Südost und West hinziehen sollten. Auf ähnliche Weise war man bedacht, durch Regelung der Flüsse und Canäle die Schifffahrt zu befördern, Ueberschwemmungen zu verhüten und Sümpfe trocken zu legen. — Zum erstenmale begegnen wir in diesem Zeitraume dem Gedanken, zur Beförderung der Landwirthschaft und des Credites Banken, nach preussischem Muster, in's Leben zu rufen, die Tabak- und Weincultur blieb nicht unberücksichtigt, eine besondere Subcommission wurde entsendet, um über die Art und Weise zu berathen, wie man dem Weinhandel aufhelfen könnte; strenge Gesetze sollten die Weinfälscher bestrafen und man überlegte, ob es nicht angezeigt wäre, den Juden das Recht zu entziehen, Weingärten zu besitzen. Die einwandernden Industriellen und Handwerker sollten nicht steuerfrei sein, sondern eher durch Ertheilung von Prämien zu thätigem Fleisse angespornt werden. Mit Rücksicht auf die Existenz der Zünfte in den Erbländern wollte man dieselben auch in Ungarn nicht auf einmal aufheben, aber es sollten doch Meister, die ausserhalb jeder Zunft standen, auch ganz frei ihr Gewerbe betreiben

können. Auch war man allgemein bestrebt, das Verhältniss zwischen
Gläubiger und Schuldner so zu regeln, dass keiner von ihnen zu
unverdienten Vortheilen gelange oder zu schädlichem Nachtheil
komme. In der Praxis leider wurde der Schuldner nur zu oft
bevorzugt!

II. Es waren theure und bittere Erfahrungen, welche sioh die
ungarischen Staatsmänner durch die unglücklichen Finanzwirren
des vorangegangenen Zeitraumes angeeignet hatten. Mehr wie je
trat daher jetzt als nothwendige Folge und Lehre der Gedanke auf,
die Finanzen Ungarns müssen vor der Invasion österreichischer
Geldoperationen geschützt werden. Einen Hauptpunkt der reichstäglichen Verhandlungen von 1825—1831 bildeten die Regelung
des Finanzwesens, die Beseitigung der herrschenden Calamitäten,
die Hebung des Bergbaues, das Ausfuhrverbot auf edle Metalle,
die Einschränkung des Einflusses der Nationalbank auf den ungarischen Geschäftsgang und endlich die Errichtung eines Landesfondes. Sowohl 1825 wie 1830 wurde es mehr wie einmal und mit
allem möglichen Applomb betont, dass Finanzoperationen, die
ohne Einwilligung und Zustimmung des Reichstages ausgeführt
werden, für Ungarn keine bindende Kraft haben; directe sowohl
wie indirecte Steuern, und vorzüglich der Preis des Salzes können
nur auf dem Reichstage und mit dessen Einwilligung festgesetzt
werden. Man verlangte den Umtausch des entwertheten Papiergeldes durch vollwerthiges Metall. Auch in Bezug auf das Princip
der allgemeinen Besteuerung wurde ein Schritt nach vorwärts
gethan, indem nun auch jene A d e l i g e n schon, welche im Laufe
der Zeit verarmt oder durch andere Umstände gezwungen auf
Bauerngütern wohnten, besteuert wurden; doch wenn 1830 schon
mächtige Stimmen laut wurden, der ganze Adel möge die Pflicht
der Steuerzahlung auf sich nehmen, und vorzüglich die Reichstagskosten ganz aus eigenem Säckel decken; so muss dieses wohl
als ein Zeichen des Fortschrittes anerkannt und constatirt werden;
es blieb aber ohne Erfolg, ja es zog die Entrüstung der grossen
Majorität in den beiden Tafeln nach sich. Von nicht unbedeu-
tendem, politischem und finanziellem Interesse waren die Debatten
des 1825er und 1830er Reichstages, welche sich um die Steuer-
ordonanzen, um die Eintreibung neuer und erhöhter Steuersummen und endlich um das ganze österreichische Finanzsystem

bewegten. Ungarn, sagte man, sei ebenso wenig verpflichtet, die von der Wiener Bank emittirten Noten anzuerkennen, wie das lombardisch-venetianische Königreich; man legte feierlichst Verwahrung ein gegen den Act der Regierung; demzufolge sie unfundirte Geldzeichen in Ungarn in Circulation brachte; die Regierung habe wohl versprochen, kein neues Papiergeld zu emittiren, aber man weiss, wie viel dieses Versprechen zu bedeuten hätte; die Nationalbank ist ja nur scheinbar ein unabhängiges Privatunternehmen, in Wirklichkeit aber sei sie ein unselbständiges Organ des österreichischen Finanzministers und ihre Banknoten unterscheiden sich nicht viel vom Staatspapiergelde. Das Diarium des Reichstages 1825—1827 ist reich an geistreichen und tiefblickenden Bemerkungen über das Verhältniss Ungarns zu der Nationalbank, über das Wesen des Geldes und des Staatscredites, doch muss man auch eingestehen, dass in vielen Köpfen auch jetzt noch diese Fragen betreffend verwirrendes Dunkel und systemlose Unklarheit herrschte.

Ein heftiger Streit entwickelte sich, als die Frage der legislativen Regelung privatrechtlicher Verhältnisse auf's Tapet kam. Diese Frage involvirte die in Folge der Auflösung des vorangegangenen Reichstages offen gelassene Frage über die Stellungsnahme Ungarns gegenüber dem Finanzpatente von 1811. Die vom Reichstage entsendete Commission verlangte, dass nur Edelmetall als ausschliessliches Zahlungsmittel anerkannt werde, dem sich natürlich die Regierung aus gerechter Furcht vor einer noch grössern Entwerthung ihres Papieres so heftig widersetzte, dass selbst der zweimalige Wechsel von Adressen und Rescripten zu keinem günstigen, beiderseits befriedigenden Resultate führen konnte und Alles beim Alten blieb. — Endlich muss noch erwähnt werden, dass man sich auch mit der Frage über den Staatsfond eingehend beschäftigte; vorzüglich war es die Commerz-Deputation, welche an dem Principe festhielt, dass die Leitung des Staatsfondes, der aus verschiedenen Taxen, der Erhöhung des Salzpreises und andern ähnlichen Einnahmen gebildet werden sollte, einer besondern Landesdeputation, die technische Verwaltung hingegen dem Statthaltereirathe anvertraut werde. [2]

---

[2] Es mögen hier noch folgende Sätze eine Wiedergabe finden, welche in den damaligen Reichstagen laut ausgesprochen wurden, da sie auf die

DRITTES KAPITEL.

I. So sehr auch die westeuropäischen, die modernen Ideen
auch in Ungarn von Tag zu Tag an Terrain gewannen, so mussten
sie bisher es immer doch noch dulden, dass sie, einmal nach Ungarn importirt, auch einen magyarischen Zuschnitt erhielten. Sie
wurden so zugestutzt, wie es die alte ungarische Verfassung verlangte; was dieser widersprach, musste wegkommen; daher geschah
es, dass diese Ideen in Ungarn eine ganz andere Gestalt, eine ganz
andere concrete Realisirung erhielten, wie in ihrem eigentlichen
Mutterlande; dabei mussten sie freilich Vieles, oft den besten und
wesentlichsten Theil einbüssen. Selbst Männer wie Paul Nagy,
Somssich und Andere, welche sich mehr wie einmal gefallen lassen
mussten, dass man ihnen auf dem Reichstage wegen ihrer freiheitlichen Anträge das „non stultiset" zurief, konnten es nicht über
sich gewinnen, den rein magyarischen Standpunkt dem allgemeinen,
europäischen aufzuopfern. Da trat nun aber ein Mann auf, der
lange Zeit im Auslande gelebt und bei seiner Rückkehr nach
Ungarn dieses Land nicht nur mit den herrschenden, europäischen
Ideen bekannt machen, sondern es selber zu einem europäischen
machen wollte, dessen Auge die Welt überblickte und der von
seinem hohen Standpunkte aus den Tieferstehenden nicht nur
salbungsreiche Worte predigte, sondern sie durch Opfer und

national-ökonomischen Ansichten der damaligen Gesetzgeber Ungarns ein
helles Licht werfen: „Die Steuern dürfen nie die Kraft des Volkes über-
steigen, nie das Capital selber angreifen; es muss Sparsamkeit in den
Staatsfinanzen herrschen, und das Heer soll immer in geradem Verhältnisse stehen zur Kraft des Landes. Steuern, welche die ersten Bedürfnisse
treffen, sind nicht gegen die natürliche Gerechtigkeit, nur dürfen sie nie
hoch sein." Andere wieder machten geltend, die genannten Steuern drücken
die armen Volksklassen am meisten und haben das Schlechte, dass sie
nicht das Einkommen, sondern die Consumtion treffen. Die Luxussteuer
wird grösstentheils wirkungslos bleiben, weil man eben die Luxusgegen-
stände entbehren kann. Die Volkszählung ist die Grundlage eines jeden
richtigen Steuersystemes; die Steuern sollen in einem solchen Gelde festgesetzt werden, dessen Werth sich nicht ändert.

Thaten zu sich selber hinaufzog; dieser Mann war Graf Stephan Széchenyi, mit dessen Auftreten eine neue Aera in dem öffentlichen Leben Ungarns beginnt, ein Mann, der auf seine Zeitgenossen einen so mächtigen, mitreissenden Einfluss ausübte, dass man die ganze Periode seiner Thätigkeit von 1827—1848 würdig die „Széchenyi-Periode" nennen kann. Das Mittel, wodurch Széchenyi seine Nation zu einer grossen europäischen heranbilden wollte, war die Schaffung einer blühenden, materiellen Unterlage, die Beförderung des Geistes auf der Basis materiellen Wohlstandes. So wurde er der Vertreter einer neuen national-ökonomischen und volkswirthschaftlichen Richtung, der Begründer neuer, den veränderten Verhältnissen angemessener Principien, der Vater beglükkender Ideen von unermesslicher Tragweite.

II. In dem Gedankensysteme und den practischen Bestrebungen Széchenyi's sind drei grosse Ziele zu unterscheiden, deren Erreichung den heissesten Wunsch seines Herzens bildete. Diese Ziele sind: *a)* eine vollkommenere Entwickelung der ungarischen Nation, die Begründung ihres moralischen, materiellen und politischen Einflusses; *b)* die Verbesserung der ungarischen Staatsverfassung, die nach seiner Ueberzeugung mit dem Geiste und der Richtung des XIX. Jahrhundertes nicht mehr harmonirte; endlich *c)* eine Reform der ungarischen, verwahrlosten Volkswirthschaft nach jeder Richtung hin, die Abschaffung der feudalen Institutionen, die Umgestaltung der Naturalwirthschaft in eine Geld- und Creditwirthschaft, eine entsprechendere Organisation der Arbeit und Industrie, des Verkehres und der Communication, ferner eine rationellere Regelung des Steuerwesens und der Staatshaushaltung.

So grossartig wie die Pläne, waren auch die Mittel, die sie ausführen halfen. Es musste ein neues, ungeahntes Leben in die Glieder der Nation fahren, sollten alle Theile derselben an dem Vervollkommnungswerke einen Antheil haben. Es musste im Volke ein Interesse für seine öffentlichen Angelegenheiten, es musste der Associationsgeist in der ungarischen Gesellschaft geweckt werden. Das sah Széchenyi sehr wohl ein, und desshalb war er auch zu allererst auf diesem Gebiete thätig. Dabei suchte er die Vorurtheile zu bannen, die centnerschwer auf allen Gemüthern lasteten, welche die Zukunft Ungarns in den schwärzesten Farben malten und jeden Aufschwung, jeden höhern Flug hemmten. „Ungarn

wird noch erst sein", war das mächtige Zauberwort, mit dem er auf
einmal Tausende von Hoffnungen frisch belebte, Tausende durch
Furcht und Misstrauen zu sich selber gebundene Kräfte entfesselte,
und neues, thätiges Streben in die Gemüther goss. Es war nicht
schnöder Materialismus, der ihn die Blüthe des Geistes auf einem
Baume sehen liess, der seine Wurzeln in den Boden materiellen
Wohlstandes geschlagen; die feste Ueberzeugung war es, dass
eine volkswirthschaftlich ohnmächtige Nation nie wahrhaft frei
sein könne. Mit gesundem Blicke begriff er die Wichtigkeit des
Reichstages als volkswirthschaftlichen und politischen Factors;
aber nicht in ewigen Klagen und in nutzlosem Fingerziehen mit
den Organen der Regierung liege der Schwerpunkt seiner Thätigkeit;
soll er in Wirklichkeit der Beschützer und Wächter der Nation
sein, so muss er selber thätig eingreifen in das grosse Reformwerk,
muss er die Kleinlichkeiten bei Seite schieben und seinen Blick
unverwandt nach der Seite des Fortschrittes richten. Als einen
andern Factor, der am meisten berufen ist, im Sinne des Fortschrittes auf alle Schichten der Bevölkerung einzuwirken, erkannte
Széchenyi die Pflege der nationalen Literatur. Ihr brachte er
bedeutende Opfer, und in seinen eigenen Schriften steht er als
bewunderungswürdiges Muster da, denn nie hatte noch ein ge-
schriebenes Wort so sehr die Gemüther ergriffen und die Geister
erfüllt, wie das seinige, und selten vereinigte ein practischer Staatsmann die Fülle der Erfahrung mit dem einflussreichen Schrift-
stellertalente, wie er selber. [1]

III. Mit seinen schriftstellerischen Arbeiten hat Schéchenyi eine
politische und national-ökonomische Literatur in Ungarn geschaffen;
er hat jenen Cultus begründet, mit welchem man nun seit damals
in Ungarn die Nationalliteratur verehrt, er hat die letztere als eine
der werthvollsten Bürgschaften für den Bestand und die Freiheiten
dieses Landes anzusehen begonnen.

Von diesen ausgezeichneten Geistesproducten Széchenyi's
reiften dreie schon in dem Zeitraume, den wir hier zu schildern
haben. Es sind dies „Hitel" 1831; „Világ" 1831 und „Stádium"
1833. Sie bilden die theoretische Grundlage der reformatorischen
Richtung ihres Verfassers und wenn sie auch mit Rücksicht auf

---

[1] Vergleiche hierüber: Sigmund Kemény in Csengery's „Status férfiak és szónokok" p. 333—512; Max Falk „Széchenyi és kora".

ihren literarischen Werth von spätern Erzeugnissen seines schaffenden Geistes überflügelt werden, so sind sie doch schon darum von unsterblichem Ruhme, weil sie zuerst den brennenden Funken der Reformidee in das empfängliche Gemüth der Nation geworfen, und weil sie einen weitaus mächtigern Eindruck auf das öffentliche Leben machten, als alle seine spätern Werke.[1]

Es kann hier nicht unsere Aufgabe bilden, eine Darstellung der p o l i t i s c h e n Ideen und Principien Széchenyi's zu liefern, so interessant dieselbe auch scheinen mag; was wir hier versuchen, ist eine kurze Skizze seiner Ansichten über volkswirthschaftliche und national-ökonomische Fragen oder solche, welche mit diesen in enger Verbindung stehen, um dadurch ein schwaches Bild von dem mächtigen Einflusse zu zeichnen, welchen dieser für die Geschichte und die neuere Entwickelung Ungarns so hochbedeutende Mann auf die Umgestaltung und Entwickelung der national-ökonomischen Ideen in seinem Vaterlande ausgeübt hat.

„Alles Grosse und Schöne wird nur durch A r b e i t und M ü h e erreicht. — Es ist die Aufgabe einer jeden guten Regierung, den Bürgern die Wege zu nützlichen und fruchtbringenden Beschäftigungen zu eröffnen, die Interessen und Ansprüche auszugleichen, den Fleiss, die Thätigkeit zu befördern, weil nur diese zum Reichthume, zum materiellen Wohlstande führen. — Die individuelle Freiheit, die Rechtsgleichheit und Sicherheit des Eigenthumes sind die Grundpfeiler eines gesunden Regierungslebens. — Geistig und materiell starke Völker schreiten auf der Bahn der Civilisation mit Pfeilgeschwindigkeit vorwärts, während die armen und unentwickelten zertreten werden. — Arbeit und

[1] Széchenyi schrieb folgende Werke:
1. Lovakról, 1828. — 2. Hitel, 1830. 4. Ausg. 1831. — 3. Világ, 1831. — 4. Magyar Játékszinről, 1832. — 5. Jelentés a budapesti hidegyesülethez, 1833. — 6. Stádium, 1833. — 7. Néhány szó a Dunahajózás körül, eine Artikelreihe im Társalkodó 1834—1836. — 8. Hunnia, 1835 (herausgegeben 1858). — 9. Néhány szó a lóversenyről, 1838. — 10. A minimum kérdése, im Társalkodó 1839. — 11. Selyemről, 1840. — 12. Kelet népe, 1841. — 13. A magyar Akademia körül, 1842. — 14. Üdvlelde, 1843. — 15. Pesti kikötő, 1843. — 16. Adó és Két Garas, 1844. — 17. Magyarország kiváltságos lakosaihoz, 1844. — 18. Rede bei der Plenarversammlung der Academic. (In Akadémiai Evkönyvek. VII. B.), 1844. — 19. Balatoni Gőzhajózás, 1846. — 20. Politikai Programmtöredékek, 1847. — 21. Javaslat a magyar közlekedési ügy rendezéséről, 1848. — 22. Jelentés a Tiszaszabályozásról, 1848. — 23. Töredékek Gróf Sz. I. hátrahagyott munkáiból, 1860. — 24. Magyarország sarkalatos törvényei és államjogi fejlödése, 1848-ig, 1864. — 25. A pesti Por és Sár, 1866.

Kraftanstrengung finden nur dort eine wahre Belohnung, wo das Gemeingefühl die Glieder der Gesellschaft mit einander verbindet. Das Streben, Geld und Schätze zu erwerben, ist nothwendig und lobenswerth, die Armuth ist die Quelle aller Uebel und Laster, ein materiell zerrüttetes Land bleibt ewig ohnmächtig und auf einer niedrigen Stufe der Cultur stehen, andererseits aber ist die unersättliche Schätzegier und der nicht zu stillende Gelddurst das charakteristische Zeichen einer niedrigen Seele, eine der gefährlichsten und unheilbarsten Krankheiten. Leider ist der Ungar Alles, nur nicht berechnend; deshalb bleibt er in Bezug auf Gewerbe und Industrie so tief zurück, seine Kenntnisse in Geldangelegenheiten sind noch sehr lückenhaft und die Lehre der politischen Oekonomie kennt er kaum dem Namen nach. — Der erste Factor und die reichste Quelle der Nationalwirthschaft ist die menschliche Arbeit, aber nur die richtig angewandte und mit Verständniss ausgeführte Arbeit; zur Steigerung der Fruchtbarkeit jeder Arbeit sind der Credit, die leichte Communication und der ungehinderte Verkehr unumgänglich nothwendig. Alles, was die freie Entwickelung der wirthschaftlichen Kräfte und Fähigkeiten erschwert, den Handel und die Communication hemmt, das gewerbliche und industrielle Leben gekünstelten Regeln und dem Zwange unterwirft, erzeugt schädliche und verkehrte Folgen, während umgekehrt in der belebenden Luft der Freiheit, durch die Unterstützung guter Gesetze und einer billigen Regierung, in Folge richtiger Concentrirung der Kräfte nothwendigerweise Alles zur Blüthe gelangt und fortschreitet. Ungarn müsse bestrebt sein, den Hemmschuh zu beseitigen, der seinen volkswirthschaftlichen Aufschwung erschwerte, es muss zu diesem Zwecke seine politischen, socialen und wirthschaftlichen Verhältnisse umgestalten, die modernen Principien und Institutionen bei sich einbürgern, mehr Fleiss und Thätigkeit entwickeln, sich geistig und social stärken, bilden, kurz es muss in die Fusstapfen der Culturvölker treten, um sich auch ihre Errungenschaften anzueignen. — Freier Besitz und freie Concurrenz sind der grösste Segen der Länder und die mächtigsten Hebel, um Güter zu produciren. — Ungarn leidet an dem grossen Mangel einer inländischen Consumtion, was die Production in grossem Masse hemmt; der Geldverkehr ist von höchster Bedeutung in der Volkswirthschaft und dort am gesündesten, wo er frei und ungehindert bleibt. Der Mangel an intensiver Bevölkerung ist für Ungarn nur erst der zweite Grund seiner Zurückgebliebenheit, der erste liegt in der Unvollkommenheit des Communicationssystemes, in dem Mangel an Fleiss und Arbeit, in dem herrschenden Luxus, in dem Bestehen feudaler Einrichtungen. — Ungarns materielle Schwäche und sein volkswirthschaftliches Darniederliegen werden so lange dauern, bis nicht seine Geldverhältnisse geregelt sind, bis nicht der fehlende Credit wieder hergestellt ist. — Der ungarische Besitzer ist ärmer, als er seinem Besitze gemäss sein müsste. In Ungarn haben weder der Grund und Boden, noch auch das Capital und die Arbeit jenen Werth, den sie haben müssten, wenn es einen wirthschaftlichen Aufschwung nehmen soll. Der Grundherr ist ohnmächtig, denn sein Besitz ist gebunden, der Capitalisten giebt es nur wenige und auch diese sind sehr furchtsam, weil es keinen Credit und kein Creditsystem gibt. Viele kennen nicht einmal ihre eigenen Vermögenszustände. Daher kommt es, dass Alles darnieder liegt, dass Verkehr und Industrie unentwickelt bleiben, dass der Gewerbsgeist keine Fortschritte macht, daher der Mangel an einer Kenntniss der ausländischen Errungenschaften auf dem Gebiete der Volkswirthschaft. In Ungarn fehlt der Associationsgeist, der hier so reiche Früchte tragen könnte; der ungarische Landwirth kann sein landwirthschaftliches Gewerbe nicht vervollkommnen, denn erstens sucht er gerne jedes Uebel, das seine Schuld ist, auf Andere zu wälzen, zweitens hindern ihn daran Robot und die Zehnten, die Untheilbarkeit der Weiden und Güter, die Zünfte und Limitationen und endlich der gänzliche Mangel an Credit. Der Leibeigene arbeitet oberflächlich; deshalb kann die landwirthschaftliche Arbeit nur zur Hälfte productiv sein. Der Landwirth wird nur dann seine Mühe belohnt finden, wenn er selber wirthschaftet. Sechzigtausend Robotarbeiter vollbringen in einem Jahre dieselbe Arbeit, welche zwanzigtausend gedungene Arbeiter leicht beendigen könnten; die Zehnte ist der grösste Ruin für die Landwirthschaft, denn je mehr sich der Leibeigene anstrengt, desto mehr wird er bestraft, denn je mehr er producirt, desto mehr muss er zahlen. Ungarn hat keinen Handel, Ursache hiervon ist seine ungünstige geographische Lage, der Mangel an natürlichen Verbindungslinien, die Unvollkommenheit des Flusssystemes und der Communicationsmittel, die Armuth an Geld und

sonstigen Capitalien, die Unmöglichkeit, mit andern Völkern die
Concurrenz zu bestehen; ferner vermag der Export keine bedeutende Höhe zu erklimmen, weil die Ausfuhrzölle zu schwer auf
demselben lasten. Allen diesen Uebeln könnte aber durch Fleiss
und Anstrengung wenigstens bis zu einem gewissen Grade abge-
holfen werden. Das beste Mittel hierfür ist die Civilisation; Ungarn
muss sich heranbilden nach dem Muster westeuropäischer Staaten.
Der nationale Handel wird ferner durch die vielen Patente und
sonstige bureaucratische Eingriffe erstickt, auch müsste sich die
Handelswelt einer grössern Pünktlichkeit und Solidität in ihrem
Geschäfte befleissigen. — Ungarn bedarf einer wohlorganisirten
Nationalbank, die zu fruchtbaren Zwecken Geld vorstrecken würde.
Dieselbe sollte nur durch Solche errichtet werden, welche in der
Angelegenheit vollkommen zuhause sind, und die aus dem Ge-
schäfte einen Nutzen zögen. — Empfehlenswerth sind Preisver-
theilungen und Belobungen, um die Producenten vortrefflicher
Artikel auszuzeichnen und Andere anzuspornen. — Dies Alles
werde mit einem wohlgeordneten Credit in Verbindung gebracht;
der Credit kann, rationell angewendet, ebenso segensreich sein, als
er ein Fluch ist, wenn man mit ihm Missbrauch treibt; sein bester
Schutzengel aber ist die Oeffentlichkeit. — Ungarn muss daher
trachten, eine gesunde Theilung der Arbeit herbeizuführen, sein
Gerichtswesen zu verbessern, ein gutes Wechsel- und Handels-
gesetz zu schaffen, kurz jede Gelegenheit zu ergreifen, die seinen
Credit heben und entwickeln kann."

Diese Ideen hatte Széchenyi in seinem „Hitel" entwickelt,
wodurch er sich keine kleine Anzahl von Gegnern geschaffen, die
mit der Ausführung dieser Neuerungen das ganze politische und
volkswirthschaftliche Gebäude in Ungarn zerfallen sahen. In Schrift
und Sprache wurde Széchenyi heftig angegriffen, aber er führte
eine glückliche Vertheidigung in seinem zweiten Werke: „Vilàg",
wo er mit der überzeugenden Kraft der Logik und der verführ-
renden Macht stylistischer Schönheit seine Feinde unbarmherzig
niederschmetterte. Dieses Werk ist eigentlich nur eine eingehende
Detaillirung der im „Hitel" ausgesprochenen Ansichten; seine
Grundgedanken sind folgende:

„Freier Besitz ist eines Landes schönster Segen, aber die
Aufhebung der Zehnten und der Robot ohne jede Entschädigung,

so auch der staatliche Zwang in Betreff der Ablösung sind nicht unbedingt zu loben. — So lange der Credit und das Besitzsystem so bleiben, wie sie jetzt sind, wird Ungarn nie ein starkes Land werden. — Der Absenteismus ist schädlich, denn er entzieht dem Vaterlande viele Kräfte und Capitalien. Unter den nationalen Beschäftigungszweigen muss ein gewisser Zusammenhang bestehen. — Die Concurrenz und der Wetteifer sind die Grundlagen der Bildung. Die Einbürgerung der Industrie ist keine leichte Aufgabe, aber alle Völker, die vorwärts kommen wollen, müssen Industrie haben."

Was in diesen ersten zwei Werken begonnen wurde, das setzte Széchenyi in seinem „Stádium" fort. Hier verficht er das Recht der Nichtadeligen, Güter zu besitzen, und kämpft für die Rechtsgleichheit aller Staatsbürger; das Einkommen der Staatscassa und die Reichstagskosten sollen von jedem Bürger, im Verhältnisse zu seinem Besitze, gedeckt werden; die Hauptcommunicationslinien bezeichne der Reichstag, zu ihrer Erhaltung steuere Jeder gleichmässig bei; Monopole und Regalien, Zünfte und Limitationen sind aufzuheben. — Je reicher irgend ein Land ist, desto grösser ist seine Steuer- und Wehrkraft. In Bezug auf den Reichthum besteht eine Interessensolidarität zwischen Nation und Regierung; je reicher die Bürger sind, desto reicher ist auch die Regierung. Das Nationalcapital wächst nur dort, wo Jeder von den Zinsen lebt und das Capital unberührt lässt. Man suche die Quelle der Uebel immer zuerst in sich selber, bevor man sie einem Andern zuschreibt; das argumentum pigritiae hat in Ungarn besonders schon vielen Schaden angerichtet. Im Gefolge des Credites erscheint überall ein lebhafter Waarenaustausch. Wuchergesetze sind nirgends zu loben und nirgends ausführbar. — Nicht die Quantität, sondern vorzüglich die Qualität der Bevölkerung bedingen die Blüthe oder den Verfall irgend eines Reiches. — Mit dem Abschaffen der Zünfte, Monopole und Privilegien muss auch eine entsprechende Umgestaltung des allgemeinen wirthschaftlichen Lebens Hand in Hand gehen, weil sonst die guten Wirkungen jener Abschaffung sehr zweifelhaft sind. Das ungarische Finanzwesen muss eine neue Grundlage erhalten, die Steuerfreiheit der Adeligen ist zu modificiren, die bevorzugten Klassen müssen zu den Domesticalsteuern beitragen. Der Adel nützt sich selber am meisten, wenn er die Pflicht anerkennt, Steuern zu zahlen. Die Philosophie des Steuerzahlens besteht darin, dass die Nation wisse, wozu und wie sie zahlt. Der beste Schlüssel eines jeden gerechten Steuersystemes liegt in dem Grundsatze, dass man zum Behufe der Besteuerung nie das Capital, sondern nur die Zinsen, beziehungsweise das Nettoeinkommen angreife. [3]

IV. Die erhabene Idee, welche Széchenyi in den drei bedeutendsten Werken dieser Periode, dem Hitel, Világ und Stádium zum Ausdrucke bringen wollte, und welche den Zweck hatte, in die öffentliche Meinung das Element der modernen Auffassung hineinzutragen, wurde wesentlich erreicht, denn gross und immer grösser wurde die Zahl der Anhänger, die mit den mittelalterlichen Anschauungen brachen und dem begeisterten Propheten einer neuen Aera in Ungarn folgten. Sein gesunder practischer Blick verrieth es ihm, dass Ungarn nur dann gross und mächtig werden könne, wenn es vorerst alle die Segnungen und Reichthümer entfaltet und rationell verwerthet, mit denen es die Vorsehung überschüttete; deshalb stellte er in die erste Reihe des zu Leistenden die Reformen, sollten diese selbst auf Kosten des noch von der Majorität über Alles hochgehaltenen Althergebrachten ausgeführt werden. Darum finden wir ihn oft bereit, der österreichischen Regierung dort nachzugeben, wo Andere in der Nachgiebigkeit die Selbständigkeit des Landes gefährdet sahen; die alten Institutionen waren ihm eine leergewordene Form, die man mit neuem Inhalte ausfüllen musste; zeigte es sich nun, dass sie nicht fähig waren den neuen Inhalt aufzunehmen, so opferte er sie ohne weiters auf, ja er drang sogar auf ihre Zertrümmerung, denn er wollte die Form nicht über das Wesen setzen, und dann verstand er es ja mit echt staatsmännischem Geiste, an die Stelle des Niedergerissenen ein besseres Neues zu setzen. „Die Grundanschauung Széchenyi's — sagt Springer — war Achtung vor den bestehenden Gewalten. Er wollte das spröde Verhalten Ungarns brechen, in seiner Weise so manche Aufgabe lösen, deren Durch-

---

[3] Im Stádium bespricht Sz. auch das Verhältniss Ungarns zu Oesterreich; er hebt hervor, wie beide Länder auf einander angewiesen sind, und dass der Handelsverkehr zwischen Beiden für Beide von gleichem Nutzen sei; Zollverbote dienen Beiden zum Schaden, wiewohl nicht zu läugnen sei, dass jene hohen Zölle, mit denen von Seiten Oesterreichs ungarische Producte belegt werden, in erster Reihe Ungarn benachtheiligen.

führung längst im Wunsche der Regierung gelegen; er hatte an die Spitze seines Programmes sogar den Satz gestellt, dass Ungarn nur dann gedeihen könne, wenn es seine Institutionen und Rechts-. verhältnisse im Einklange mit den Interessen der übrigen österreichischen Provinzen reformire. Es war das letzte Mal, dass ein einflussreicher ungarischer Staatsmann Oesterreichs im friedlichen Sinne gedachte und die Ueberzeugung von dem unauflöslichen Bande zwischen Ungarn und dem Kaiserstaate aussprach. Aber die österreichischen Staatsmänner waren kurzsichtig.[1]

Was Széchenyi aus Ungarn machen wollte, das war ein „östliches England", ein Land, das dem Oriente ebenso als Musterstaat gelten sollte, wie England dem Occidente. Wohl war er sich der grossen Verschiedenheiten bewusst, welche die Nation zwischen den drei Bergen und vier Flüssen von den Söhnen Albions trennt, wohl mochte er es auch eingesehen haben, dass tausend äussere und innere Umstände die Erreichung dieses Zieles auf Jahrhunderte hinausschieben; aber er fühlte sich berechtigt, den Grund zu legen, auf dem die kommenden Geschlechter mit unermüdlichem Fleisse das prächtige Gebäude des ungarischen Zukunftsstaates aufführen sollten.

Wer auch nur flüchtig die geistigen Producte Széchenyi's durchgeblättert, wird es finden, dass ihr Autor auf der Höhe europäischer Wissenschaft gestanden, dass er mit den modernen Principien Westeuropa's innig vertraut gewesen. Say und Bentham finden in ihm einen eifrigen Anhänger ihrer Theorien, und besonders des Letzteren Utilitarismus war es, auf den er — aber in wärmerer und milderer Gestalt, wie ihn sein Urheber dachte — sein ganzes Reformsystem aufgebaut; seine öfteren Berufungen auf Smith und Say, auf Joung, Thaer und andere berühmte Männer beweisen, wie hoch er die ausländische Wissenschaft geschätzt und wie geläufig sie ihm war; noch vor Liszt betonte er nachdrücklich die Reciprocität der politischen und materiellen Factoren, und noch ehe Nebenius durch sein classisches Werk: „Ueber den öffentlichen Credit", die denkenden Geister auf eine neue Seite des volkswirthschaftlichen Lebens hinlenkte, beschäftigte sich schon Széchenyi mit dem Probleme des Credits und erfasste die

---

[1] Siehe auch noch: Max Falk in der „Oesterr. Revue" 1866.

9*

ganze Tragweite und mächtige Bedeutung desselben. So wie
später Roscher, war Széchenyi der Vertreter der historischen,
inductiven Methode, suchte er in der richtigen Verbindung der
aristocratischen und democratischen Principien die beste Basis
für einen gesunden Staatsorganismus, kämpft er sowohl gegen den
übertriebenen Conservativismus, wie gegen den extravaganten
Radicalismus; Beide verfechten das Bestehende dort, wo es
lebensfähig ist, fordern aber die Neuerung, wo das Neue besser,
zweckmässiger und entsprechender ist als das Alte. Beide endlich
erwarten eine gesunde Entwickelung nur von dem harmonischen
Fortschritte der materiellen Interessen u n d der moralischen, der
industriellen, der socialen und geistigen Cultur. Széchenyi war
demnach der e r s t e und einzige ungarische Staatsmann seiner
Zeit, der sich, unterstützt von seinem reichen Wissen, seiner umfassenden Erfahrung und seinem schöpferischen Geiste ein eigenes
System der Volkswirthschaft gebildet, so dass man ihn — um mit
einem berühmten Zeitgenossen zu sprechen — in den Mittelpunkt
der ungarischen Geschichte stellen muss, so dass alles Frühere als
Vorbereitung auf ihn, alles Spätere als Entwickelung von ihm
erscheint.

V. Mit Recht können die wenigen Jahre, deren Skizzirung
uns hier obliegt, der Anfang eines Blüthezeitalters ungarischer
volkswirthschaftlicher Literatur genannt werden; Széchenyi's
unermüdliche Thätigkeit wirkte wie ein Steinwurf in die Welle
auf das empfängliche Gemüth der ungarischen Gesellschaft;
immer grösser und grösser wurden die Ringe, in die seine Ideen
drangen und neben ihnen und gegen sie entwickelte sich ein lebhafter Ideenaustausch in Schrift und Rede; die Journalistik trieb
ihre ersten Keime und bemächtigte sich eifrig der „neuen" Wissenschaft, welche die Lehre von dem Reichthume der Nationen zur
Grundlage hatte; und nimmt man noch die literarische Thätigkeit
auf dem didactischen Felde der Schule in Betracht, so wird es
sich zeigen, wie bunt das Bild ist, welches die literarisch-volks-
wirthschaftliche Bewegung jener Zeit darstellt.

In erster Reihe ist hier zu erwähnen: Johann B a l á s h á z y,
der in seinem Werke: „Tanácslatok a magyarországi mezei gazdák számára" 1829 und in einer 1830 erschienenen Abhandlung
über die Steuerfrage auf physiocratische Principien gestützt, die

Commassation und Zusammenlegung des Grundbesitzes, Erleichterung des Grundbesitzverkaufes, bessere und schnellere Gerichtsbarkeit, Einlösung der Zehnten in Geld vorschlägt, das Creditwesen noch vor Széchenyi einiger Prüfung unterzieht, und eine
innige Vertrautheit mit den Reformvorschlägen von 1791 verräth.
— Franz Huber, Lehrer am Lyceum zu Klausenburg, baut
sein Werk: „Politia Civitatis, cum adplicatione ad Transylva-
niam", das wohl nur für Schüler geschrieben ist, aber doch einige
richtige Bemerkungen enthält, grösstentheils auf Justi, Sonnenfels, Weber, Jakob und Pölitz auf. — Mehr Vertrautheit mit der
neuen Richtung zeigt Johann Henfner, Professor in Agram
und dann später an der Pester Universität, in seinem 1831 zu
Agram erschienenen: „Introductio in Oeconomiam politicam, alias
nationalem". Henfner ist der erste Schriftsteller, der in einem
systematischen Werke in Ungarn die Verkehrtheiten des hier so
tiefe Wurzeln geschlagenen Sonnenfelsianismus nachweist und
sich auf den Standpunkt der Adam Smith'schen Schule stellt.
Er zeigt auf die Mangelhaftigkeit der Bevölkerungstheorie hin,
denn nicht die Anzahl der Bevölkerung, sondern die innere Kraft,
der Fleiss und die Bildung derselben sind jene Factoren, auf
denen die Macht der Staaten und das Wohl der Völker beruht.
Er hebt die Vortheile des Freihandels gegenüber der Prohibitiv-
Zollpolitik hervor. Ein besonderes Verdienst Henfner's ist es,
dass er sich überall selbständig über den herrschenden Ideenkreis
erhebt und eine richtigere Definition der Nationalökonomie zu
geben sucht. Gleichzeitig mit Kaufmann's: „Untersuchungen im
Gebiete der politischen Oekonomie" hebt er noch die Bedeutung
der sittlichen und geistigen Güter für die Volkswirthschaft
hervor.

Paul Magda, der Verfasser von: „A mezei gazdaság philo-
sophiajának szabályai szerint okoskodó és munkálkodó gazda"
beschäftigt sich mit der Erläuterung jener Principien, denen
zufolge die landwirthschaftliche Industrie durch staatlichen Einfluss befördert werden soll. Er behandelt ferner noch die Fragen,
betreffend die Robotablösung, die Freiheit des Grundbesitzes, die
Aufhebung der Zehnten, die Verbesserung der Communication,
die Hebung der Fabriksindustrie und der inländischen Consumtion. In dem ganzen Werke ist der Einfluss Sinclair's und der

Ideen Széchenyi's bemerkbar. — Balásházy's: „A mezei gazdaság tudománya" wurde preisgekrönt und erschien zu Debrezin,
1838; Johann Török und Galgóczy schrieben ähnliche Handbücher; die fachwissenschaftlichen Zeitschriften jener Zeit sind
schon reich an guten einschlägigen Artikeln. Endlich veröffentlichte auch Schams schon damals mehrere gute Schriften über
die Weincultur. — Daniel Berzsenyi schrieb 1833: „A magyarországi mezei szorgalom némely akadályai" und behandelt schon
einige socialistische Principien. Er beantragt die Errichtung
landwirthschaftlicher Vereinigungen, in denen der Betrieb ge-
meinschaftlich bewerkstelligt werden sollte; an dem Einkommen
dieser Vereinigungen soll Jeder nach Verhältnissnahme seines
beigesteuerten Geldes oder seiner geleisteten Arbeit einen Antheil
haben, und sollten die Mitglieder derselben gemeinsame Verkösti-
gung und Haushaltung haben u. s. w. Uebrigens will er Eltern,
die viele Kinder erzeugen, prämiiren; er urgirt die Vermehrung
der Bevölkerung durch Colonisation, Zusammenlegung des Grund
und Bodens, will, dass der Staatsbesitz aufhöre und regt den Gedanken einer Nationalbank an, ohne sich eingehender über denselben auszusprechen. In ähnlicher Richtung bewegen sich Hal-
lok's: „Egy pillantás a dézsmára" und Kuliffay's: „Tagosz-
tály-kulcs a mezei gazdák számára", Ofen 1839, die aber aus
Mangel an origineller Auffassung von keinem practischen
Werthe sind.

In der 45. Nummer des „Társalkodó" vom Jahre 1839 veröffentlichte Széchenyi einen Artikel über das „Minimum", welcher
bald die höchste Aufmerksamkeit aller Schichten der Bevölkerung
hervorrief. Széchenyi wies hier nach, wie die fortgesetzte Parcellirung des Bodens den Ruin des niedern Adels bewirke und endlich
die völlige Verarmung und den Untergang desselben herbeiführen
müsse. Darum wollte er, der Reichstag möge gesetzlich bestimmen, dass ein adeliges Gut von 50 oder weniger Joch nicht weiter
getheilt werden dürfe. Neben Széchenyi fochten der ausgezeichnete Statistiker Fényes mit den Waffen gründlicher Wissenschaft und ruhiger Ueberlegung, dann Johann Fogarassy und
Szegedy, von denen der Letztere auch das von den Gegnern
verfochtene „Maximum" anerkannte. Zu diesen Gegnern gehören
Carl Balla, Csabay, Mándy, Albert Édes und der Ver-

fasser von „A népérdekek", im „Századunk" 1830, die geltend machten, dass man den Begriff und die Grenze des Minimums nicht festsetzen könne, dass die Besitzer kleinerer Güter eine bessere Wirthschaft betreiben und grössere Erfolge erzielen, dass der grosse Grundbesitz zum Schuldenmachen führt, dass der freie Kauf und Verkauf der Güter, Ehebündnisse u. s. w. ohnehin der zu grossen Zerstückelung ein Gegengewicht bieten.

Das Handels- und Communicationswesen blieb auch in der Literatur nicht ohne Vertreter. Paul Petrovics zeigt auf die Nothwendigkeit der Regulirung des Donaustromes in seinem untern Laufe hin. Beszédes behandelt die Wichtigkeit und Bedeutung des Ingenieurwesens vom Standpunkte der Communication. Mit der „Donauregulirung" beschäftigte sich Franz Pulszky in seinen „Észrevételek" und Beszédes in der „Tud. gyüjt." 1830, V. B., in dem Artikel: „A Dunáról világkereskedési tekintetben"; ferner Györi im II. Bande der Jahrbücher der k. ungar. Academie der Wissenschaften von 1835. Dem Communicationswesen ist Hallók's Werk: „Az utak készitéséről" 1837 gewidmet; Szányi behandelt in seinem „Státusadósság és papirpénz" 1834 die Frage über Creditpapiere, Geld und Staatsschulden, während Andreas Fay in seinem „Terve a pestmegyei köznép számára felállitandó takarékpénztárnak", Ofen 1839, einen heilsamen Gedanken zur Errichtung einer Sparcassa anregte und denselben auch seiner practischen Effectuirung entgegenführte. Der practische Geschäftsmann Pucher schrieb: „Der ungarische Seeausfuhrhandel", Ofen 1830; die „Kereskedési szemléletek", Kaschau 1832, enthalten Arbeiten von einzelnen practischen Fachmännern, sie verlangen die Errichtung eines grossen Central-Handelsinstitutes und erklären den französischen Colbertismus als ein schädliches System.

Es ist vorzüglich dem Einflusse Széchenyi's zuzuschreiben, wenn uns diese Zeit mehre Arbeiten aus der Feder hochadeliger Autoren zu Tage fördert, welche sich eingehend mit den materiellen Interessen und den Reformfragen beschäftigen. Hierher gehören: Graf B. D.: „A nemzeti jóllétről", Wien 1831; die Werke der Grafen Desewffy, welche sich auf Széchenyi's „Hitel" und „Világ" beziehen, und Vesselényi's „Balitéletek", Bukarest 1833. Besonders hervorzuheben ist des Grafen Josef Desewffy:

„A Hitel czimü munka taglalata", Kaschau 1831, in welchem der gelehrte Verfasser Széchenyi als kühnen Reformator angreift, seine Principien zu widerlegen sucht und auf dem Standpunkte des aristocratischen Conservativismus für die alten ungarischen socialen Institutionen das Wort erhebt. Die zu grosse Mobilisirung des Bodens — meint er — ist gefährlich, die Vermehrung der Bevölkerung sei eines der zumeist anzustrebenden Ziele u. s. w. Trotzdem verdient das Werk als der bedeutendste und letzte Ausdruck der altmagyarischen politischen Schule unsere ganze Aufmerksamkeit. Es ist das letzte Aufflackern der im Verlöschen begriffenen Fackel des Feudalismus. Hingegen hatte Vesse-lényi wie Széchenyi die Bahn der Reformen betreten, und in seinem oben angeführten Werke zeigt er mit vielem Geiste die Nothwendigkeit der Reformen nach.

Diesen Arbeiten müssen noch die „Umrisse einer möglichen Reform in Ungarn", Deutschland 1833, angereiht werden. Das in deutscher Sprache geschriebene Buch unterzieht die Reform-arbeiten der Reichstagsausschüsse von 1790—91 und 1825—27 einer schonungslosen und harten Kritik. Sodann hält es zum Aufblühen Ungarns protectionistische Einrichtungen für noth-wendig und meint, ein Abschliessen Ungarns von dem Auslande und besonders von den österreichischen Provinzen wäre anfangs wohl mit grossen Schwierigkeiten verbunden, würde aber später durch die Hebung und Beförderung der Consumtion ein Factor des allgemeinen Wohlstandes werden. Der Verfasser weist auf die hohe Bedeutung der Communication für den Staat hin und plaidirt für den Ausbau eines wohlangelegten Eisenbahnnetzes. Der ano-nyme Autor spricht ferner für die Errichtung einer Nationalbank, deren Thätigkeit sich auf die Hauptzweige des Bankgeschäftes erstrecken würde, unter der Garantie des Reichstages stünde, auf Landes- und Privatfonde fundirt wäre, den Credit heben und aus-ländische Capitalien in's Land bringen würde. „Nationalbank, heisst es auf Seite 19, sollte jetzt das allgemeine Schlagwort sein. Dies ist der Stab Mosis, der schon allein im Stande wäre, unsere Sandwüsten zu befruchten." Ein anderes nicht minder bedeuten-des Werk ist „Nemzeti iparunk" von Johann Erdélyi, Verwal-ter der Károlyi'schen Güter (verfasst in den Dreissiger Jahren, aber erst 1843 in Pest von Fényes mit Anmerkungen herausgegeben). Verfasser bewegt sich in dem Széchenyi'schen Reformenkreise, eifert zu Arbeit, Fleiss und Sparsamkeit an und verlangt eine allgemeine Fachbildung, eine Nationalbank, Credit- und Communications-Institute u. s. w. Es ist dies das erste systematische Werk der ungarischen national-ökonomischen Literatur, welches sich nach allen Kräften bestrebt, eine glückliche Verbindung der Theorie und Praxis zu bewerkstelligen.

„Köszhaznu Ismeretek Tára", eine Zeitschrift, die 1831 bis 1834 erschien, enthält viele gute national-ökonomische Artikel. Auch die ungarische Academie suchte theilweise durch Preisausschreibungen, theils durch Uebersetzungen die Theorie der. Volkswirthschaft in die ungarische Literatur zu verpflanzen. K o s - sovich und Michael H o r v.á t h haben sich in dieser Beziehung die meisten Verdienste erworben. Auch andere Zeitschriften, wie die „Tudománytár", „Tudományos Gyüjtemény", „Tudos társaság Évkönyvei", die „Gazdasági tudositások" u. s. w. sind reich an geistreichen und gediegenen'national-ökonomischen Aufsätzen. Wir erwähnen hier nur folgende Arbeiten:

Alexander G y ö r y: „Ist es wahr, dass durch die Anwendung der Maschinen, ferner durch Erleichterung der Communication zu Wasser und zu Lande die Arbeiterklasse in ihrem Erwerbe gefährdet würde?" Diese Frage wird verneinend beantwortet und mit vielen richtigen Bemerkungen gelöst. Derselbe schrieb auch: „A közlekedés rendszereiről" im Tudománytár 1834, III. Heft und 1835, VIII. Heft. — Paul C s a t ó: „Egy pillántás a közgazdaság tudományára" im Tudománytár 1835, VII. Heft.

Stefan N y i r i: „Az ipar- és népszaporodás számalapjai, nehány hitel és adósságtörlő kérdésnek megfejtésére". Verfasser führt zum erstenmale die politische Arithmetik in die ungarische Literatur ein (Tudománytár, neue Folge, 1837, I.); ferner: „Az angol müipar philosophiája". In dieser Philosophie der englischen Industrie liefert der geistreiche Autor ein grossartiges Bild des britischen Industrie- und Verkehrslebens. (Ibid. 1837, II.) — K á l l a y: „A szükség mint az éldelés egyik fôrugója" in „Magy. tud. Társaság Évkönyvei, 1837, III. — Josef P é c z e l y: „A nemzeti gazdagság befolyásáról a nemzeti mivelődésre". Ibid. 1837, IV. — Johann B o g n á r: „Vasutak, különösen a Bécs és Bochnia közti", Tudománytár, neue Folge 1838, III.

Eine untergeordnete Rolle nimmt nur noch die Zeitungs-
literatur ein; erwähnt aber müssen doch werden: „Hirnök" und
„Századunk", ferner „Nemzeti Ujság" und Széchenyi's Organ
„Jelenkor" in Verbindung mit „Társalkodó", die doch schon
einige bessere national-ökonomische Arbeiten und ·mit ihnen
bessere Ideen und Principien in die Hände unzähliger Leser
brachten und so ein Gemeingut der ganzen Nation werden liessen.

VIERTES KAPITEL.

Der volkswirthschaftliche Ideenkreis innerhalb der Reichstage 1832—1836 und 1839—1840. — I. Die 1832—1840er Gesetzgebung
im Allgemeinen. — II. Ansichten und Verordnungen bezüglich des Grundbesitzes und des Urbarialwesens während dieses Zeitraumes. — III. Die
Ansichten der Legislative in Betreff des Handels und der Communication, der Gewerbe und des Städtewesens, des Credites und der Steuern.

I. Nicht leicht war die Arbeit, welche die Reichstage von
1832—1840 zu vollführen hatten. Mächtiger als je waren die
Ideen der Freiheit und Gleichheit im Westen Europa's aufge-
schossen, die französische Julirevolution mit ihrem vorzüglich
socialen Charakter hatte die europäische Gesellschaft bis in ihre
untersten Schichten hinein aufgewühlt und neue, blühende Gei-
steselemente zu Tage gefördert. Dem gegenüber aber stand
Ungarn noch da mit seiner starren aristocratisch-feudalen Verfassung, mit seinen finstern, mittelalterlichen Institutionen, seiner
ungeregelten Gesellschaft. Nun aber begann es in den bessern
Köpfen zu gähren, und dieser bessern Köpfe gab es nicht mehr
wenige. ·Seitdem Széchenyi das Ferment der Reformen in die
todte Masse der denkfaulen Societät hineingeworfen, da fing es
an zu brodeln und lebendig zu werden; Theile lösten sich von
einander los, und andere wieder verbanden sich enger; ein Drängen und Stossen, eine ungeahnte Rührigkeit wurde sichtbar,
Parteien entstanden und stellten sich kämpfend einander gegenüber;
hinauf und hinunter wallte es, galt es doch aus dem Chaos des
Bestehenden.das Jahr 1848 zu brauen! Und das war die Aufgabe der frühern Reichstage. Und wahrlich, an muthigen, talent-
vollen und hochbegabten Männern fehlte es ihnen nicht, auch
die Regierung zeigte sich geneigter, den Wünschen der fort- ·

schreitenden Partei theilweise Genüge zu leisten, und mehr wie je zuvor war die Bevölkerung selber in allen ihren Schichten von der Grossartigkeit des Kommenden durchdrungen und von eifriger Mitthätigkeit ergriffen.

Eine Eigenthümlichkeit der genannten Reichstage ist es nun, dass eine mächtige Partei so sehr von der Unaufschiebbarkeit der Durchführung der volkswirthschaftlichen Reformen überzeugt war, dass sie dieselbe höher hielt als die Verbesserungen auf dem Gebiete der Politik und Staatsverfassung oder doch wenigstens denselben gleichstellte. Wenn nun aber das von diesen Reichstagen angestrebte Ziel dennoch nicht seinem ganzen Umfange nach erreicht wurde, so liegt die Ursache dieses ungünstigen Erfolges darin, dass die Verhältnisse noch zu verwirrt, die Interessen einander noch zu schroff entgegengesetzt, die zu lösenden Aufgaben endlich viel zu verwickelt und gross gewesen. Uebrigens darf das Geleistete nicht unterschätzt werden, bildete es doch die Grundlage, auf der die Reichstage von 1843—44 und 1848 ihre Errungenschaften einheimsen konnten.

II. Unter der Beleuchtung westeuropäischer, moderner Ideen musste in erster Reihe der Zwiespalt hervortreten, der in Ungarn zwischen den bestehenden Urbarialverhältnissen und den neuen Principien der Freiheit herrschten. Wohl gab es auch jetzt noch Männer, die eine Beschränkung des diesbezüglichen Rechtes der Adeligen als die grösste Gefahr für die Verfassung hielten, und die Ansicht, dass der wahre Eigenthümer des Grundes der Grundherr, der Leibeigene hingegen nur ein einfacher Usufructuar sei, war noch die vorherrschende. Trotzdem hatte es die Deputirtentafel durchgesetzt, dass ein Gesetzesvorschlag dem Könige unterbreitet wurde, in welchem die Freizügigkeit eine breitere Basis erhielt, die Meliorationen auf Grund und Boden dem Bauern zugute geschrieben, die Wahl des Ortsrichters neben dem Candidationsrechte des Grundherrn auf die Gemeinde übertragen, viele Missbräuche beseitigt, die Einlösbarkeit der Roboten beantragt, die gerichtliche Macht des Grundherrn beschränkt und das Princip ausgesprochen wurde, dass der Leibeigene fernerhin ohne richterlichen Urtheilsspruch weder in seinem Vermögen, noch in seiner Person verletzt oder bestraft werden dürfe. Nach einer neunmonatlichen Pause erfolgte endlich die königliche Antwort, welche einige in dem

Gesetzesvorschlage ausgesprochenen Erleichterungen der Bauernklasse wohl anerkannte, die Hauptsache aber, die Ablösung der Robot nämlich, nicht zugeben wollte. Dieser Widerstand hatte nur ein
um so heftigeres Auftreten von Seiten des Reichstages, und zwar
vorzüglich der Deputirtentafel zur Folge. Die bedeutendsten Männer traten, mit den Waffen ihrer Alles mit sich fortreissenden
Beredsamkeit ausgerüstet, in die Schranken für das gute Recht
der steuerzahlenden Klassen der Bevölkerung; Bezerédy und
Balogh, Klauzal und Beöthy, Paul Nagy und Palóczy und vor
allen Andern Franz Deák und Kölcsey haben in den Debatten
über diesen Gegenstand sich ihre nie welkenden Kränze begeisterter Freiheitskämpfer errungen.

Aber all' diese begeisterten Ausrufe der von dem Strome
des Zeitgeistes vorwärts getriebenen Partei verhallten erfolglos,
wie ein Ruf in der Wüste; mit Weglassung der wesentlichsten
Punkte wurde der Gesetzentwurf vom Könige sanctionirt, nachdem die Majorität der Deputirtentafel in die von der Regierung
gewünschte Modification desselben willigte. Was die liberale
Opposition retten konnte, war der Beschluss, dass der wegziehende Unterthan die Nutzniessung seines Hauses und Grundes
verkaufen, seine Schulden vom Grundherrn ablösen konnte, ohne
dadurch gänzlich von der grundherrlichen Gewalt befreit zu sein;
endlich konnte auch die Auftheilung der Weide, wenn dies der
Grundherr und die Majorität der Unterthanen wünschten, bewerkstelligt werden. Ausserdem setzten noch andere Gesetzartikel
fest, dass Contracte behufs Ablösung der Kirchen-Zehnten gestattet seien, auch wurden die Reichstagskosten nunmehr ebenfalls auf die Adeligen und auf die mit adeligen Vorrechten ausge-
stattete Geistlichkeit vertheilt.

Einen würdigen Abschluss fanden diese Gesetze in der
Thätigkeit des 1840er Reichstages, der dem Andringen der Zeit-
anforderungen nicht mehr widerstehen konnte und festsetzte, dass
die Unterthanen nunmehr ihre Frohnden und sonstigen Abgaben
für ewige Zeiten ablösen können, so dass es Jedem freisteht, sein
mit Frohnden und Schulden belastetes Gut in freien Besitz umzuwandeln. [1] Noch eine andere altungarische Institution hatte

---

[1] Vergl. die Acten und Diarien von 1836. — Gleichzeitig mit den
heftigen Debatten im Reichstagssaale hatte sich auch die Literatur dieser

im Laufe dieses Reichstages einen mächtigen Todesstoss erhalten, wir meinen die Aviticität. Wohl gelang es auch diesbezüglich nicht den Reformern, die von der hemmenden Wirkung dieses Institutes vollauf überzeugt waren, einen endgiltigen Sieg zu erfechten und die feudalen Ueberreste der Fideicommisse, der Seniorate, Majorate und das Erbrecht des königlichen Fiscus zu vertilgen, aber das Princip wurde doch bis in seine Grundfesten erschüttert und das völlige Niederreissen desselben einem spätern Reichstage leichter gemacht. Ein anderer Beschluss bezog sich auf die Parcellirung des Bodens und der IV. und V. Gesetzartikel vom Jahre 1836 verbieten beim Kaufe oder Verkaufe der Güter die Ansässigkeiten zu zerstückeln; die Parcellirung dürfe nur mit Einwilligung des Grundherrn und auch dann nur bis zu einer gewissen Grenze geschehen; in vorkommenden Fällen aber soll auf die Verbindung der getheilten Sessionen Rücksicht genommen werden. Auch die Nothwendigkeit eines rationellern landwirthschaftlichen Betriebes entging nicht der Aufmerksamkeit der damaligen Gesetzgeber; die Reichstagsschriften enthalten zahlreiche Stellen, wo eine intensivere und der fortgeschrittenen Wissenschaft mehr entsprechende Behandlung gefordert wird. Ja, in Bezug auf die Feldpolizei wurde sogar ein Gesetz geschaffen, welches vom Standpunkte der damaligen Verhältnisse erschöpfend, zweckmässig und auch ziemlich liberal genannt werden kann.

III. Trotz der Erleichterungen, welche die österreichische Regierung seit dem Beginne der Dreissiger Jahre in Bezug auf den Verkehr und die Dreissigstabgaben einführte, litt Ungarn doch immer noch unter dem alten Zollsysteme, ja der Druck wurde noch schwerer, seitdem die Dreissigstabgabe bei der Ausfuhr des Weines erhöht, die Tabakproduction durch den Aufkauf für die Schatzkammer ungemein belastet wurde, und die in den Erblän-

wichtigen Frage bemächtigt. Wir führen hier nur an: S á r v á r y, Az 1836-ki urbéri törvények, Pest 1837. — P r e y e r, Des ungarischen Bauern Zustand, Pest 1838. — S e b e s s y, Az urbéri törvények, Pest 1837. — C z i b u r, A tagosztály ügyében, im „Társalkodó" 1837. — F r á t e r, A közös birtok öszszesitéséről, ibid. — Alexander G y ő r y, Urbéri szabályvozásokról, ibid. 1839. — Stefan S á t y, Tagosztály, ibid. 1837. — G u b o d y, A tagositás és öszszesitéről, ibid. 1839. — Andreas H o l c z e r Egy érdekes kérdés, im „Athenaeum" 1840. — U d v a r d y, Telekszabályozás, im „Társalkodó" 1836, Tud. Gyüjtemény 1834.

dern eingeführte Verzehrungssteuer den ungarischen Export in nicht geringem Masse schwächte. Deshalb verlangte ein grosser Theil der Stände, dass die Verhandlungen über das Zoll- und Handelswesen vor allem Andern auf die Tagesordnung gesetzt werde; auch beantragten sie, es möge eine vom ungarischen Reichstage zu entsendende Deputation mit einer aus den österreichischen Erbländern ebenfalls zu entsendenden Deputation zusammentreten, um die Zollangelegenheit zu berathen und das Handelswesen zu regeln. Sie verlangten ferner völlige Freigebung des Verkehres und besonders zollfreien Export des Getreides, damit durch das Wachsen der Preise auch die Arbeit ihren Lohn finde und die Industrie und Production gesteigert werde. Aber alle diese Wünsche wurden entweder gar nicht angehört oder gar im harten Tone der Verweigerung beantwortet.

Es waren nur Vorarbeiten und Vorschläge, zu denen der 1836er Reichstag die Communication betreffend gelangte. Die grösste Aufmerksamkeit nahm die Donauregulirung und da vorzüglich die Beseitigung der Verkehrshindernisse beim „Eisernen Thore" in Anspruch; Széchenyi und der berühmte Ingenieur Vásárhelyi sorgten dafür, dass sich das Publikum genügende Aufklärung über die betreffenden Verhältnisse verschaffte und dass das Interesse für die Sache in demselben wach bleibe. Es tauchten Pläne auf, die eine Verbindung der Städte Pest und Szegedin durch einen Canal und die Regulirung der Theiss und der Maros bezweckten. Ja es wurde sogar im 25. Gesetzartikel vom Jahre 1836 gesetzlich ausgesprochen, dass Unternehmungen, welche von Pest-Ofen, als Centralpunkt, ausgehende Verkehrverbindungen mit Wien, dem Meere, Galizien und Siebenbürgen herzustellen beabsichtigen, vielfache Begünstigungen und Unterstützungen geniessen sollen. In demselben Gesetze gelangte auch schon das Princip der Expropriation zu entschiedenem Ausdrucke, wobei der Wirkungskreis der Regierung sich nur so weit zu erstrecken hat, als dies das Gesammtinteresse des Staates fordert. Mehr zu leisten war aber erst dem Vierziger Reichstage überlassen. Derselbe betraute eine Commission mit der Ausarbeitung eines Donauregulirungsplanes, versprach den Unternehmungen, welche eine Verbindung der Donau mit der Theiss bezweckten, besondere Vortheile und leistete auch wirklich der Eisenbahn-Bauunternehmung, welche eine durch Ungarn hinziehende Verbindung Wiens mit Triest herzustellen bezweckte, die im 25. Gesetzartikel von 1836 versprochenen Begünstigungen.

Von bedeutenderer Tragweite, als dies im ersten Augenblicke scheinen würde, war der Plan Széchenyi's, die beiden Schwesterstädte Pest und Ofen durch eine Kettenbrücke zu verbinden. Wohl genügt schon der Umstand, dass der Bau dieser ständigen Brücke eine fühlbare Lücke des Verkehres ausfüllte, um unser Interesse zu erregen. Denn die bisher bestandene Schiffbrücke musste beim Andrange des Eises ausgehoben werden, wodurch nicht nur eine Stockung des Verkehres zwischen den beiden Donaustädten, sondern auch oft der beiden Landeshälften eintrat. Doch es waltete hier noch ein anderes Verhältniss ob, welches der Kettenbrückenangelegenheit auch einen erhöhten politischen Reiz bot. Auf der durch eine Actiengesellschaft zu erbauenden Brücke sollte nämlich jeder Passirende ohne Unterschied des Standes einen kleinen Zoll entrichten. Freilich widersetzte sich der bevorzugte Adel dieser Neuerung mit feurigem Eifer und nur erst nach langen und bittern Kämpfen gelang es der rührigen Thätigkeit Széchenyi's, den Artikel 26 : 1836 in beiden Tafeln durchzubringen, welcher in das morschgewordene Diplom des ungarischen Adels das erste Loch gerissen und so dem Principe der gleichmässigen Besteuerung eine freie Bahn eröffnete.

Das Jahr 1840 brachte Ungarn auch mehre Handelsgesetze, welche den Anforderungen der neuen Verkehrsverhältnisse Genüge zu leisten bestrebt gewesen und unstreitig einen Fortschritt im Bereiche der volkswirthschaftlichen Gesetzgebung bedeuten.

Von nicht geringerem Werthe ist das in demselben Jahre geschaffene systematische Wechselgesetz und das Concursverfahren ; Gewerbe und Verkehr erhielten dadurch einen bedeutenden Aufschwung, auch wurde die rechtliche Stellung der Juden nach humanern Principien geregelt, wodurch ein regeres Leben in die Geschäftswelt fuhr. Ein anderer Plan zur Hebung des Credites war die Errichtung einer ungarischen Nationalbank gegenüber der privilegirten österreichischen, welche nur zu oft die Interessen Ungarns nicht nur ausser Acht liess, sondern auch absichtlich denen der Erbländer nachsetzte. Doch blieb der Plan nur Plan und konnte nicht zur Verwirklichung gelangen.

Zum Zwecke der Beförderung der Industrie wurden zwei Mittel ergriffen. Einmal verbesserte man die politische Stellung der Städte, als den Mittelpunkt des industriellen Lebens, als die Grundlage für einen zukünftigen, auf sicherer Basis ruhenden Bürgerstand; zweitens war man bestrebt, das industrielle Unterrichtswesen auf bessere Füsse zu stellen. Ein Gesetzesvorschlag vom Jahre 1836 verordnete die Errichtung einer oder mehrerer Realschulen in jeder Stadt, und eines Polytechnicums in Pest-Ofen; aber die Regierung wollte diesen Gesetzesvorschlag nicht sanctioniren; sie meinte, es wäre überflüssig ein besonderes Gesetz zu bringen, da es doch ohnehin ihre Pflicht ist, nach dieser Richtung hin für die Interessen der Nation Sorge zu tragen.

Schon aus dem früher Gesagten wird ersichtlich, wie weit sich auch die Idee einer allgemeinen Besteuerung Bahn gebrochen hatte; es möge hier nur noch zur Ergänzung des Bildes über die damaligen Anschauungen bezüglich des Steuerwesens erwähnt werden, dass einmal die Einführung der Kopfsteuer beantragt wurde; ferner wies man darauf hin, dass nach den grössten Nationalökonomen jede nur auf dem Fleisse beruhende Steuer ungerecht sei und die Entwickelung des Nationalvermögens verhindere; ebenso zeugt es auch von gesunder, volkswirthschaftlicher Auffassung, wenn auf dem 1836er Reichstage die Abschaffung des Lottoregales mehr wie einmal gefordert wird.

Fünfter Zeitraum.

Von 1840 bis 1849. Die nationalen Reformpläne und Kämpfe.

ERSTES KAPITEL.

Die Grundlagen und Richtungen der volkswirthschaftlichen Ansichten in diesem Zeitraume. — I. Charakterisirung des Zeitraumes von 1840—1848 im Allgemeinen. — II. Die volkswirthschaftlichen und Culturverhältnisse dieser Periode.

I. Je mehr wir uns der Gegenwart nähern, desto schwieriger wird die Aufgabe, ein wahrhaft getreues Bild der immer mehr und mehr verwickelten, weil immer mehr und mehr der Vervollkommnung näher rückenden Zustände zu liefern. Wo etwas Fertiges vorliegt, da genügt dem Historiker die objective und durch keinerlei Parteiinteressen beirrte Anschauung; wo aber Alles in regem Flusse ist, wie in der eben zu besprechenden Periode, wo Alles nach Umgestaltung ringt, und Altes und Neues in zweifelhaftem Kampfe sich befindet; da wird eine getreue Darstellung tausendfach erschwert. Es ist ein Leichtes, einen Sieg oder eine Niederlage zu constatiren, und erfordert nur ein gesundes, ungetrübtes Auge, die Folgen derselben vorauszusehen; aber welch' umfassendes Talent gehört nicht dazu, die Schlacht selber zu schildern, deren Ausgang Sieg von der einen und Niederlage von der andern Seite bedeutet. Der Zeitraum, den wir hier zu beschreiben haben, bildet nun das Gebiet, auf welchem in Ungarn das Mittelalter mit der Neuzeit ihre grosse politische Schlacht geschlagen, und Dank dem Genius der ungarischen Nation können wir schon hier vorauszusagen, dass die Neuzeit hoch die Siegesfahne schwingend aus derselben hervorgegangen.

Es war ein grosses, erhabenes Ziel, dem die Nation zusteuerte, zu dessen Erreichung sie nicht mehr eitle Wünsche nährte und Hoffnungen grosszog, sondern mit mächtiger, thatkräftiger Hand

eingriff in das Rad, das den Staatswagen zu diesem Ziele hin-
führte; es war das Ziel, Ungarn zu einem, den europäischen Weststaaten ebenbürtigen Staat zu
erheben und dabei doch seine Nationalität in
ungefälschter Reinheit zu wahren. Dabei erhielt aber
die nationale Betonung der Bewegungen einen stärkern Nachdruck
wie im vorigen Jahrzehnte, wo Széchenyi's wahrhaft europäische
Weltanschauung die Interessen der ungarischen Nationalbestre-
bungen mit dem cosmopolitischen Zuge des Zeitalters so herrlich
zu versöhnen verstand. Denn ebenso wie im vorigen Jahrzehnte
Széchenyi die Zügel der öffentlichen Meinung leitete, so war es
jetzt Kossuth, der sich durch seine unvergleichliche Rednergabe
und seinen mächtigen Geist, der nach hohen und neuen Bahnen
seinen kühnen Flug richtete, von den breiten, aber unbeständigen
Schultern der Volksgunst getragen, zum tonangebenden Beherr-
scher der ungarischen Gesellschaft, zum fast alleinigen Lenker des
ungarischen Staatsschiffes emporschwang; aber während Széchenyi
auf jede mögliche Weise bestrebt gewesen, die Fluth der Verhältnisse zu glätten, damit das Schiff gefahrlos in den Hafen der staatlichen und volkswirthschaftlichen Neugestaltung einlaufe; beschwor
Kossuth aus der Tiefe derselben immer mächtigere, immer gewal-
tigere Stürme empor, weil er in dem irrigen Wahne lebte, das
Schiff könne auf gar zu glatter Bahn nicht vorwärts kommen.
Deshalb kam es, dass mit dem Golde auch die Schlacken, mit
dem Weizen auch die Spreu an die Oberfläche getrieben wurde;
deshalb kamen Früchte zum Vorschein, die nicht das Resultat
einer organischen Entwickelung, sondern das einer ephemeren
Treibhauscultur waren, und deshalb musste auch Vieles, was in
Wirklichkeit lebensfähig war, unter der eisernen Hand des einmal
heraufbeschworenen Misstrauens, sammt dem Unzeitigen und dem
Verfalle geweihten Unreifen todt zusammenknicken.

Auf dem Gebiete der Volkswirthschaft tauchen neue Factoren und Triebfedern auf; einerseits beginnt die Gestaltung von
politischen Parteigruppirungen, die auf dem Boden neuer volkswirthschaftlicher Grundsätze ein neues Staatsgebäude aufführen;
andererseits sind der politischen Journalistik während des Fluges
die Schwingen gewachsen, so dass sie sich zu einer einflussreichen
und wichtigen Macht erhebt, die im Vereine mit der immer mehr

aufblühenden volkswirthschaftlichen Literatur auf dem geistigen Acker der Nation neue, segensreiche Furchen zieht. Inmitten all' dieser folgenschweren Thätigkeit kam der Legislative in den Jahren 1840, 1843—44 und 1848 keine geringe und keine leichte Rolle zu. Die neuen Ideen haben die Reichstagshallen erhellt und sich bis zum Herzen der ungarischen Gesetzgeber mächtig Bahn gebrochen. Von dem Baume der alten, mit den Principien der Neuzeit in so grellem Widerspruche stehenden Verfassung fällt Zweig auf Zweig; dafür aber keimt, wächst und blüht mit Riesenschnelligkeit ein neues Ungarn empor, und aus dem wechselvollen Partei- und Interessenkampfe geht der Liberalismus in ungeahnter Strahlenschönheit siegreich hervor.

II. In volkswirthschaftlicher Beziehung trägt dieser Zeitraum unverkennbar den Stempel eines bedeutenden Fortschrittes an sich. Die Agitation wurde nunmehr von einer eingehenden Discussion abgelöst; so Manches trat in das Stadium des Bestehenden, die Richtigkeit der Theorien wurde an dem Probirsteine des practischen Lebens geprüft. Ein System von Plänen und Vorschlägen reichte den Versuchen zu seiner Ausführung die thätige, alle Hindernisse wegräumende Hand, und wie früher auf dem Gebiete der Verfassung, so bildeten sich jetzt auf dem Felde der Volkswirthschaft Parteien, die sich wechselseitig durch einen die Fragen allseitig erleuchtenden Kampf zugleich förderten und unterstützten.

Mit dem mächtigen Aufschwunge, den Handel und Verkehr in Folge der riesigen Fortschritte nahmen, welche die ungemein veränderten Verhältnisse hervorgerufen, ging einerseits die Blüthe der übrigen Zweige der Volkswirthschaft, andererseits die Veränderung der ungarischen volkswirthschaftlichen Interessenverhältnisse zu denen der Erbländer Hand in Hand. Die Separirung der beiden Theile der Monarchie erwies sich immer für unhaltbarer, die gleichen Interessen und ähnlichen Verhältnisse forderten eine grössere Aehnlichkeit der Einrichtungen und volkswirthschaftlichen Verordnungen. Andererseits aber riefen die in den Erbländern noch aufrechtbestandenen absolutistischen Verhältnisse und ihre gesellschaftlichen Folgen die Aufmerksamkeit der ungarischen Staatsmänner wach, um die Invasion des Polizeiwesens, des Bureaucratismus und der dortigen Finanzverwaltung von Ungarn fernzuhalten. Vorzüglich war es die Regelung der Besitz- und Urbarialverhält-

10*

nisse, des Creditwesens, der Gewerbe und Industrie, des Zollsystems, der Militärverpflegung und der Staatscassa, welche die Geister aller Schichten der Bevölkerung und der Legislative mächtig beschäftigte und auch so manches segensreiche Resultat zu Tage förderte.

Ein merklicher Fortschritt in den geistigen Producten der ungarischen Nation konnte nicht ausbleiben; die politischen und socialen Reibungen brachten eine Wärme hervor, an welcher sich die Fackel der Aufklärung und der geistigen Thätigkeit entzündete; dazu kam noch, dass die ungarische Sprache durch das Gesetz eine staatliche Anerkennung und Berechtigung auf Bestand, durch ihre innere Ausbildung ein echt nationales und wissenschaftliches Gepräge erhielt, das Unterrichtswesen wesentlich und in ausgesprochen humanistischer Richtung vervollkommnet worden ist: ebenso viele Factoren, um die öffentliche Bildung zu blühender Entwickelung zu bringen.

ZWEITES KAPITEL.

Die volkswirthschaftlichen Ideen und Reformfragen vom Auftreten Kossuth's bis zum Schlusse des 1843 bis 1844er Reichstages. — I. Der Zeitraum von 1841-1844 im Allgemeinen und die Tragweite des Auftretens Kossuth's insbesondere. — II. Die materiellen Reformfragen während des Zeitraumes von 1841—1848 im Allgemeinen und die staatswirthschaftlichen Anschauungen Kossuth's insbesondere. — III. Die materiellen Reformfragen im Einzelnen : Die Institutionen betreffend das Besitzrecht, ferner die Ansichten und Bestrebungen in Bezug auf die Agriculturinteressen. — IV. Das Creditwesen und die Bankfrage in der Literatur, der Presse und in der Gesetzgebung. — V. Die herrschenden Ansichten betreffend das Steuerwesen und die Staatsfinanzen in der Tagespresse, der Literatur und in der Gesetzgebung. — VI. Fernere volkswirthschaftliche Leistungen des 1844er Reichstages; das Elaborat des Handelsausschusses. VII. Das erste ungarische national-ökonomische Handbuch und der höhere Unterricht in der Volkswirthschaft.

I. Betrachtet man die Factoren, deren Werk die grosse Vorbereitung zu der spätern Umgestaltung der öffentlichen Verhältnisse in Ungarn gewesen; so muss in erster Reihe das rege Leben in den Comitaten angeführt werden. Der politische Eifer, das lebhafte Interesse für die staatlichen Angelegenheiten, welche als Resultat der neuen Principien alle Glieder der ungarischen Nation durchzitterten, kamen zu allererst in den Comitatssälen bei den Congregationen zum Ausdrucke. Man begnügte sich nicht mehr mit der reproducirenden Approbirung oder Verwerfung der vom Reichstage gebrachten Gesetze, sondern trat berathend und discutirend selbstthätig auf, so dass fast jeder Comitatssaal ein eigenes Parlamentchen, jedes Comitat ein Ländchen im Lande bildete.

Zweitens übte die Journalistik einen mächtigen Einfluss auf die Gemüther. Nach dem Schlusse des 1840er Reichstages trat eine kleine Versöhnung zwischen der Nation und der Regierung ein, worauf Letztere dem öffentlichen Gedankenausdrucke mehr Freiheit gönnte, als dies die niederdrückende Fessel der strammen Censur bisher gestattete. Vielleicht war es aber auch nur der Wunsch, die Flamme des in der öffentlichen Meinung eingetretenen Parteikampfes zu schüren, die Nation zu spalten, der die Regierung jetzt gegenüber der Presse etwas nachsichtiger stimmte. Jedoch dabei vergass sie, dass geistige Kämpfe, wie bitter und heiss sie auch geführt werden mögen, doch einen gemeinsamen Ausgangspunkt haben können, von dem aus alle Parteien im Falle der Noth einem dritten Feinde gegenüber mit vereinter Kraft die bisher gegeneinander gekehrten Waffen zur Abwehr des neuen Angriffes schwingen. Und so war es wirklich in Ungarn der Fall. Auf der einen Seite warf Kossuth im „Pesti Hirlap" seine geistsprühenden und beredten Artikel in das empfängliche Gemüth seiner freiheitsdürstenden Leser, und als ebenso viele zündende Funken setzten sie den grössten Theil der Nation in wärmenden wohl, aber auch theilweise verheerenden Brand. Seinem ausgesprochenen agitatorischen Naturell zufolge wollte er die Festung, in welcher die Freiheiten einer Nation gefangen sassen, im Sturme erobern, unbedacht darauf, dass bei einem solchen Vorgange auch in den eigenen Reihen so manche Blume geknickt, so manche schon eingenommene feste Stellung wieder aufgegeben werden musste. Auf der andern Seite hingegen hatte der geniale Aurel Dessewffy um die Fahne des „Vilá g" seine Getreuen geschaart; Schritt für Schritt wollte er das Terrain einnehmen; nichts sollte auf einmal niedergerissen, sondern Alles erst nach und nach neu umgestaltet werden. So standen sich der Radicalismus und der reformatorische Conservativismus gewappnet gegenüber, mit Geist und Wissen einander bekämpfend, die besten Männer der Nation in ihren Lagern bergend und mit derselben Rüstung den gemeinsamen Feind angreifend.

Ebenso fördernd wie nachtheilig war die Nationalitätenbe-
wegung, die am Anfange der Vierziger Jahre höher wie sonst
zuvor ihr giftiges Haupt erhob; denn wenn sie auch einerseits der
geistigen Thätigkeit neue Bahnen schuf und sie in ungekannte
Richtungen drängte; so entzog sie doch auch andererseits der
öffentlichen Thätigkeit wirksame Elemente und glänzende Talente,
die sonst im Interesse des Ganzen hätten heilsam thätig sein
können.

Endlich dürfen die Leistungen des 1843—44er Reichstages
nicht übersehen werden. Die Majorität desselben hatte schon die
Principien der Gleichheit, Brüderlichkeit und Freiheit auf ihre
Fahne geschrieben und unter der jubelnden, aufmunternden Zustimmung der Nation schwang sie dieselbe mit begeisterter Hand.
In volkswirthschaftlicher Beziehung hatte er eine rege Thätigkeit
entfaltet, und theilweise durch Entsendung verschiedener Depu-
tationen, theilweise durch Schaffung einschlägiger Gesetze die
volkswirthschaftliche Entwickelung nicht wenig gefördert.

Aus der Mitte dieser Ereignisse aber tauchte eine über-
wältigende Riesengestalt empor, die der ganzen Periode den
Stempel ihres Wesens aufdrückte, L u d w i g K o s s u t h; er, der
Begründer der ungarischen Journalistik, der Vater und die Seele
der Agitationen betreffend den Schutzverein und den Schutzzoll,
der unübertreffliche Meister parlamentarischer und revolutionärer
Rednerkunst, der glückliche Rivale Széchenyi's, der Haupt-
factor der 1848er Umgestaltung, und der berühmteste Vertreter
der 1849er Freiheitskriege.

Es liegt ausserhalb des Rahmens unserer Aufgabe, jenen
mächtigen Einfluss zu schildern, den dieser providentielle Mann
auf die sociale und politische Umgestaltung Ungarns ausgeübt;
auch ist unsere Feder viel zu schwach, um ein getreues Bild seiner
vielfachen Thätigkeit zu entwerfen, wie er bald mit seinen unwi-
derstehlichen Reden die tiefsten Leidenschaften des Volkes wach-
ruft, um aus der Kammer des Gefühles die schneidendsten Waffen
zur Vertheidigung der nationalen Freiheit hervorzuholen, und sich
den Glorienschein der Volksgunst um sein geniales Haupt webt;
wie er durch seine feurigen Artikel die Gemüther der besten
Männer aufregt, eine ungarische Journalistik schafft und der bisher
nur trägen Literatur ein mächtiges Schwungrad verleiht; wie er

die Reihen der aristocratischen Reformer lichtet und den Principien des Democratismus zum glücklichen Siege verhilft; die Schilderung alles dessen überlassen wir getrost geweihtern Händen ; uns liegt es ob, mit einigen Strichen den Einfluss zu zeichnen, den Kossuth auf die Umgestaltung des national-ökonomischen Ideenkreises ausgeübt, und dieses soll die Aufgabe der folgenden Zeilen bilden.

II. Széchenyi hatte das Rad der Reformen zum Rollen gebracht, Kossuth trieb es mit agitatorischer Fiebermacht gewaltig vorwärts. Aber nicht nur die Schnelligkeit der Bewegung, auch die Bahn wurde theilweise eine andere. In volkswirthschaftlicher Hinsicht strebte man die Begründung einer selbständigen, ungarischen Staatswirthschaft an, stellte man die Hebung der Industrie und Gewerbe in den Vordergrund des zu Erzielenden, suchte man alle feudalen Hindernisse wegzuräumen, welche dem Aufschwunge der Landwirthschaft im Wege stunden, dem Handel und Verkehre neue Bahnen zu eröffnen, dem unentwickelten Creditwesen eine entsprechendere Gestalt zu verleihen, das Steuer- und Finanzwesen radcial zu verbessern, dem Auslande, und besonders den Erbländern gegenüber, auch auf materiellem Gebiete die Unabhängigkeit Ungarns zu wahren.

Von allen den genialen Kämpfen, welche im vierten Jahrzehnte unseres Jahrhunderts im Auslande mit Schrift und Wort die national-ökonomischen Ideen läuterten und einer glänzenden Vollendung näher führten, hat Friedrich List, der Verfasser des „nationalen Systemes der politischen Oekonomie" den meisten Anspruch auf unser Interesse, wenn sich auch der Einfluss der übrigen grössern Nationalökonomen auf Ungarn nicht verkennen lässt. Friedrich List ist der einzige ausländische, grosse National-ökonom, der auch Ungarn in den Kreis seiner Untersuchungen hineinzog [1]; und dadurch, dass seine Ideen in den Vierziger Jahren von Kossuth vertheidigt wurden, hatte er sich in Ungarn eine maassgebende Autorität erworben, diente er als Richtschnur aller national-ökonomischen Bestrebungen und war die Fackel, die zum Ziele leuchtete. List's klare Principien, welche ein selbständiges nationales Wesen vertheidigten und von dem warmen Gefühle des

[1] Vergl. „Die nat.-ökonomische Reform von Ungarn" 1845 (Ges. Schriften 1850. II. B. p. 299—366).

Patriotismus durchweht waren, konnten nicht ohne Eindruck auf Kossuth und die ungarische Nation verhallen; so kam es, dass Kossuth das Lager der Freihändler mit einemmale verliess, in die Reihe der Schutzzöllner trat, so gegen Széchenyi harte Stellung nahm und der Ansicht huldigte, die ungarischen Staatsmänner brauchten nichts weiteres zu thun, als die Listischen Theorien aus Deutschland nach Ungarn zu importiren und ihnen hier practisches Bürgerrecht zu gewähren.

Kossuth ging von der Ansicht |aus, dass jeder Staat, und so auch Ungarn, insolange arm und unentwickelt bleiben müsse, als er blos dem Ackerbau sich hingibt, Gewerbe und Industrie hingegen in seinem Innern vermisst. Es sollten daher alle Capitalien und Arbeitskräfte, die in der Agricultur mehr keine entsprechende Verwerthung finden können, zu Industrieunternehmungen verwendet werden. Ungarn soll alle seine Kräfte anstrengen, um den Charakter eines überwiegenden Agriculturstaates abzustreifen, um den eines Industrielandes anzunehmen und zu diesem Zwecke gelange man am sichersten durch Anwendung des Schutzzollsystemes. „Die Hauptbedingung unseres Bestandes (schreibt Kossuth bei einer Gelegenheit) liegt in unserer Nationalität; aber eine Nation wird ewig schwach und machtlos bleiben, wenn wir im Handel und in der Industrie die Herrschaft der Fremden dulden und nicht ein nationales Verkehrsystem und eine Fabriksindustrie zu begründen streben." Die politischen Ansichten Kossuth's bringen es mit sich, dass er mit der ganzen Macht seines Genies für die Abschaffung der noch vom Mittelalter her bestehenden Hörigkeitsverhältnisse eintrat; sowie er in dem Bürgerstande die beste Unterlage für die Beförderung seiner democratischen Ideen fand; so sah er den Grundstein der Civilisation, der Gerechtigkeit und des Constitutionalismus in dem Mittelstande, der „nicht so hoch steht, dass seine Interessen mit denen der Nation in Widerspruch gerathen, aber auch nicht so tief, dass er sich zum Werkzeuge höherer Supremationgelüste erniedrigen und für Geld und Lobhudeleien verkaufen lässt."

III. Der Thätigkeit Kossuth's ist es grösstentheils zuzuschreiben, wenn man während des Zeitraumes von 1840—1848 den landwirthschaftlichen Interessen weniger Aufmerksamkeit schenkte wie früher, und dafür mehr die Industrie als Schoosskind behan-

delte. Aber auch die ersteren gingen nicht leer aus. Sowohl die
Theorie als auch das practische Leben hatte sich ihnen vielfach
zugewendet.

So veröffentlichte Emerich Klauzal in den „Gazdasági
tudositások" 1837. I. 124—127 und 1841. I. einige sehr werthvolle
Abhandlungen, in welchen er die Schwierigkeiten der Bewirthschaftung von Latifundien, die Nothwendigkeit einer Decentralisation der reinen Agriculturgemeinden im ungarischen Tieflande,
die Vortheile einer langsamen Einbürgerung der Pächterwirth-
schaften, die Einführung der Tantièmen für die Wirthschafts-
beamten u. s. w. hervorhebt und zugleich mit Nachdruck auf das
grosse Princip der Arbeitstheilung hinweist, die übertriebene
Ausdehnung der ungarischen Getreideproduction verurtheilt, die
Vermehrung der urproductiven Betriebsarten, der Cultur der
Industriegewächse, die Vervollkommnung und Vergrösserung der
Schafzucht anräth; andererseits betont er auch die Entwickelung
der Industrie und Fabrikation (vorzüglich der Mehlproduction)
und hebt noch hervor, dass die Landwirthschaft ohne Geld, Credit
und Industrie nie einen Aufschwung nehmen und nie zur Blüthe
gelangen kann. [2]

Zu gleicher Zeit trat auch Ladislaus Korizmics auf. In
seinen Abhandlungen über die „Bewirthschaftungssysteme", über
die Bedeutung der Arbeit" über den „Pacht" u. s. w. [3] hielt er
sich grossentheils an Thaer und bestrebte sich nachzuweisen, dass
den mächtigsten Hebel der Industrie die landwirthschaftliche
Arbeit bildet, dass es nothwendig sei, im Pachtsysteme eine solche
Richtung zu verfolgen, welche der Selbstthätigkeit einen Sporn
und Ausdauer verleiht und die sowohl das Privat- wie auch das
Nationalvermögen zu heben im Stande ist. Durch die in den Jahren
1836 und 1841 eingetretene Dürre angeregt, beschäftigte er sich
practisch und wissenschaftlich mit der Idee der Wiesenbewässerung, wodurch er sich schon damals trotz seiner Jugend einen
geehrten Namen erwarb. [4]

[1] Siehe noch: Érkövy: „Nemzetgazd. magy. irok" in „Magyar
vilag" 1866 vom 27. Mai.
[3] Siehe: „Ismertető" 1840, 28; 1841, 37—38; 28—29; „Magyar
Gazda" 1845, 15—25. Nummer.
[4] 1842 schrieb er über die Hindernisse der Irrigation; 1843 machte
er das Wesen und den Nutzen der im Lombardischen eingeführten Irri-
gationsmethode bekannt; 1843 nahm er an der Verfertigung des vom

Den Dritten im Bunde bildete Adolf É r k ö v y. Ein scharf-
blickender Nationalökonom und mit der national-ökonomischen
Literatur des Auslandes völlig vertraut, hatte Érkövy seit 1838 an
der Beförderung der, volkswirthschaftlichen Interessen Ungarns
einen grossen Antheil genommen. Seine Abhandlungen im „Ismertető", sein Werk „Homokkötés" (Die Bindung des Flugsandes)
1846; „Robot és Dézma" (1846), ferner seine Arbeit über die
Landwirthschaft des Baranyaer Comitates zogen die Aufmerksamkeit der Gebildeten auf sich. Im Jahre 1842 beschäftigte er
sich eingehender mit dem Bevölkerungs- und Colonisationswesen;
dabei kommt er zu dem Resultate: Lassen wir aus unsern Rech-
nungen die Nationalität nicht weg; hüten wir uns, ein zweites
Babel zu werden; desshalb diene uns zur Richtschnur das Princip,
dass das Privatinteresse nie mit dem der Nationalität in Collision
gerathe, dass sich die Bürger eines Landes einander unterstützen
sollen; nicht in der Quantität, sondern in der Qualität der Bevölkerung liegt das Schwergewicht, wesshalb wir vaterländische Elemente zur Colonisirung verwenden müssen.

Eine nicht geringe Thätigkeit entfaltete der noch junge
„Landwirthschaftliche Verein". Durch das Ausschreiben von
Preisfragen erzielte er das Zustandekommen von Arbeiten, die
auf der Höhe der Wissenschaft stunden und den Anforderungen
der Praxis entsprachen. Hierher gehören: „A Haszonbérrend-
szerről" (über das Pachtsystem) von Eduard B u j a n o v i c s,
Ofen 1843, ferner die Monographie „Robot és Dézma" von
É r k ö v y, H e t é n y i und K i r á l y i (Pest 1846), welcher mit
feurigen Worten für die Freiheit des Grund und Bodens und die
Aufhebung der denselben belastenden Frohnden und Abgaben
plaidirt.

Die conservative aristocratisch-feudale Partei erhielt einen
eifrigen Vertheidiger ihrer Ansichten in Johann T ö r ö k, der als
Secretär des „Landwirthschaftlichen Vereines" im „Magyar Gazda"
und in den „Gazdászati Tudositások" die Hindernisse einer Entwickelung der ungarischen Landwirthschaft nachzuweisen bestrebt war.

landwirth. Vereine dem Reichstage unterbreiteten Gesetzesvorschlages über
die Bewässerung regen Antheil, und 1845 veröffentlichte er die Schrift:
„Levelek a rétöntözés érdekében" (Briefe über die Wiesenbewässerung),
die sich eines sehr grossen Beifalles erfreute.

Mit eigentlich national-ökonomischen Theorien beschäftigte sich G o r o v e in seinen Werken „Nemzetiség" und „Nyugat" (1842). Der damals noch junge, aber doch schon wissensreiche T r é f o r t veröffentlichte mehre geistreiche Abhandlungen, welche die Industrie, die Rohproduction und das Bodencreditwesen behandelten. ⁵ Im 12. Bande des „Tudománytár"(1842, p. 42—62) befindet sich von ihm eine Studie über die „National-ökonomischen Systeme", in welcher er mit Vorliebe zu dem List'schen Werke: Nationales System der Pol. Oeconomie hinneigt, ohne aber, wie Kossuth und Andere, die in demselben ausgesprochenen Ideen auch in Bezug auf Ungarn unbedingt zu unterschreiben. Ungarn, meint er, habe noch nicht jene Stufe der Entwickelung erreicht, dass es gerathen wäre, schon jetzt der Landwirthschaft Arbeitskräfte und Capitalien zu Gunsten der Industrie zu entziehen; ferner bemerkt er ganz richtig, dass Ungarn in Folge seiner geographischen Lage und seiner politischen Verhältnisse seinen sichersten Markt in den österreichischen Erbländern findet, von wo es wieder seinen Bedarf an Fabrikswaaren am ehesten und billigsten zu decken vermag. — Erwähnt müssen noch werden Alexius F é n y e s, der eine Abhandlung über die „Zurückgebliebenheit Ungarns" schrieb, und Graf Emil D e s s e w f f y, welcher sich in seinen „Alföldi Levelek" (Briefe aus dem Tieflande) mit der staatswirthschaftlichen Seite und Organisation der landwirthschaftlichen Industrie eingehend beschäftigt. Die Bankfrage, das Communicationswesen, die Grundentlastung, sowie auch das Credit- und Steuerwesen finden darin eine wohl mehr im conservativen und aristocratischen Geiste gehaltene, aber doch sehr lehr- und geistreiche Besprechung. ⁶ Wohl mehr in das Privatrecht einschlagend, aber auch für die Volkswirthschaft von Interesse sind die Discussionen betreffend die Majorate und Fideicommisse, welche die conservative Schule des „Világ" (1842, Nr. 76) vertheidigte und aufrecht zu erhalten suchte, während hingegen die

⁵ Siehe: H i r l a p 1845, Nr. 458, 460, 508; 1845, Nr. 426; 1844, Nr. 375, Nr. 407; 1845, Nr. 508.
⁶ Ausserdem sind noch zu nennen: B a l á s h á z y: „Elárult pályairat" (Debrezin 1841); Johann W a i s z: „Elmélkedések Magyarország hitelés földbirtok viszonyai fölött" (Pressburg 1843); Z á b o r s z k y: „Az urbéri telkek örökös megváltásáról" (Pressburg 1843); ferner viele einschlägige Artikel in den damaligen Journalen, vorzüglich im „Pesti Hirlap", Társalkodó" und „Athaeneum" von Gabriel Lónyay, Franz Pulszky, Szegedi, Szöllösy, Lorenz Tóth, Somogyi u. s. w.

Anhänger des „Pesti Hirlap" (1842, Nr. 172, 186, 187, 192 u. s. w.) das Princip der freieren Vertheilung des Grund und Bodens und somit die Aufhebung jener veralteten Institutionen verfocht. Aber auch auf practischem Gebiete hatte die Landwirthschaft nicht wenige Fortschritte gemacht. Die Bauern erfreuten sich einer humanern Behandlung von Seiten ihrer Grundherren; einzelne Grundbesitzer entbanden ihre Unterthanen sogar schon nach vorhergetroffener Vereinbarung ihrer Lasten; andererseits waren Fachblätter und landwirthschaftliche Vereine eifrigst bemüht, nach jeder Richtung hin den Ackerbau zu heben und die neuern Errungenschaften der Wissenschaft nach dieser Seite hin ein Gemeingut der ackerbautreibenden Bevölkerung des Landes werden zu lassen. Die Ansichten der ungarischen Bevölkerung betreffend die volkswirthschaftlichen Reformen werden wohl am besten charakterisirt, wenn wir die einschlägigen Punkte des Programmes aufzählen, welches das Szatmarer Comitat für seine Deputirten bei dem nächsten 1843—44er Reichstage aufgestellt, von der grossen Majorität der übrigen Comitate angenommen und seitdem unter dem Namen „Die Szatmarer zwölf Punkte" berühmt geworden ist. Diese Punkte sind: 1. Die Abschaffung der Aviticität. 2. Ergänzung des Creditgesetzes, Errichtung von Grund- und Schuldbüchern und einer Bodencreditanstalt. 3. Obligatorische ewige Auslösung aller Bauerngüter. 4. Verbesserung des Mercantilwesens, Abschaffung der Zünfte, Aufhebung aller Arten von Privilegien und Monopolen u. s. w. 5. Jeder Bewohner des ungarischen Reiches habe das Recht, zu besitzen und ein Amt zu bekleiden. 6. Der 64. Gesetzartikel vom Jahre 1486, betreffend die Besteuerung des Clerus und des Adels, soll wieder in seine frühere Kraft eingesetzt werden .... 9. Befreiung und Regelung der Städte .... Nun gelang es wohl dem genannten Reichstage noch nicht, dieses Programm gänzlich zu verwirklichen; doch insoferne er in einer und der andern Hinsicht den Anforderungen desselben Genüge leistete, hatte er wieder ein gutes Stück jener Bahn geebnet, auf der die 1848er Legislative ungehinderter vorwärts schreiten konnte.

IV. Seitdem Széchenyi mit so viel Geist und Entschlossenheit die Wohlthaten eines selbständigen ungarischen Bankwesens besprochen hatte, tauchten der Reihe nach die mannigfaltigsten

Pläne und Vorschläge auf, welche eine Beförderung des Bank-
und Creditwesens zum Zwecke hatten. Die erste und gründlichste,
und darum auch epochemachende Behandlung dieses Gegenstandes
lieferte Graf Emil Dessewffy in seinem schon oben citirten
Werke: Alföldi levelek, wo er in den letzten drei Abschnitten
vom Standpunkte der europäischen Wissenschaft und Praxis aus
die Idee und Nothwendigkeit einer Bodencreditbank einer eingehenden Erläuterung unterzog. Für Ungarn, sagt Verfasser, ist die
Errichtung einer wohlgeregelten Bank, welche den Landwirthen
und Gewerbetreibenden billigere Capitalien verschaffen könnte,
eine brennende Nothwendigkeit; aber zu diesem Zwecke müssen
früher die besitzrechtlichen Institute, die Wechsel- und Creditgesetze einer gründlichen Umgestaltung unterzogen werden. Dabei
vertheidigt er das System mehrer Banken, weil er der Ansicht
ist, dass in einem Lande mit so vielen Nationalitäten, wie Oesterreich, die Banknoten nicht aus Einer Quelle fliessen können, eine
Ansicht, die nur dann richtig ist, wenn die Note Zwangscurs hat,
d. h. wenn sie das Metallgeld nicht nur vertritt, sondern vollständig
ersetzt. Ferner will er die Domesticalsteuerbestände der Comitate
nicht als Bankfundation annehmen, erstens weil sich in den Comitaten nur wenige Sachverständige vorfinden, zweitens weil eine
Bank, die auf eine öffentliche Steuer fundirt ist, nur eine Staats-
bank sein kann, die keinesfalls so zweckmässig ist, wie die Privatbank, und weil man die einfliessenden Steuersummen nicht auf's
Spiel setzen darf. Man beeile sich nicht zu sehr mit der Errichtung einer Bank, eine solche könnte durch die Wiener Nationalbank leicht zurückgedrängt werden, sondern begnüge sich vorderhand mit der im Entstehen begriffenen Pester Handelsbank und
bestrebe sich, jene Bedingungen zu verwirklichen, die nach dieser
Richtung hin zu einer erfolgreichen Thätigkeit nöthig sind. Man
erwarte keine Wunderwerke von der Bank, gestatte der Regierung
keinen Einfluss auf die Manipulation derselben, dann werde sie
bald auch ausländische Capitalien anziehen. Man unterscheide
wohl zwischen Handels- und Bodencreditbank. Letztere möge nach
preussisch-schlesischem Systeme, auf Grundlage solidarischer
Vereinigung des ganzen Adels errichtet werden, wobei man der
Regierung die ihr gebührende Oberaufsicht und dem Principe der
Oeffentlichkeit unbedingte Anwendung gestatte.

Auf die Initiative Dessewffy's hin bemächtigten sich auch Fogarassy[7], Ladislaus Kovách[8] und Franz Farkas[9] dieses Gegenstandes; ihr Streben ging wesentlich dahin, die Bodenauslösung im Vereine mit der Begründung eines nationalen Finanzwesens und mit Hilfe der Errichtung von Bankinstituten zu regeln, und grössere Operationen mit Papiergeld zu bewerkstelligen, welche Ansichten von Dessewffy eine gerechte absprechende Würdigung voll beissenden Hohnes erhielten.[10]

Dagegen focht auch August Tréfort in mehren Artikeln des „Pesti Hirlap" und in einer Brochüre: „A Bankügy"(Pest 1842) mit viel Geschick gegen das Heer jener kühnen Bankpläneschmieder, die den ungarischen Markt mit einer Papiergeldfluth zu überschwemmen vorhatten; auch ihm genügt vorderhand die Errichtung einer Hypothekarbank, doch gibt er später einer Creditmobilier-Bank den Vorzug, weil letztere sowohl dem Kaufmannsstande als auch dem Grundbesitzer Unterstützung zu leisten vermag. Ausserdem enthalten seine Arbeiten noch viele sehr gesunde Ansichten über Credit und Papiergeld, auch meint er, die Errichtung einer ungarischen Nationalbank könne am zweckmässigsten mit Hilfe eines Nationalanlehens und einer Fundirung auf Actien bewerkstelligt werden.

Um dieselbe Zeit veröffentlichte auch der bekannte italienische Socialist Corvaja einen Plan zu einem Bodencreditinstitute, in welchem er bezüglich Ungarns die Errichtung einer grossartigen Sparcassa anräth. Die von den ärmern Classen eingesammelten Ersparnisse sollten den Grundbesitzern, Gewerbetreibenden und Kaufleuten dargeliehen werden, so aber, dass die Gesellschaft statt der Sparcassabüchlein Noten emittirt, welche ihren Besitzern an Geldes Statt dienen und Zinsen tragen sollten. Diesen Plan

---

[7] „Magyar Bank" (Ungarische Bank), 1841.

[8] „A bankokról" (Von den Banken), Debrezin 1842.

[9] „Egy nemzeti hitelbank és élelembiztositó intézetnek tervezeti szabályai" (Plan zur Errichtung einer nationalen Creditbank und eines Leibrenteninstitutes), Ofen, 1841; „A Bankügy és Europa jelesebb bankjai" (Das Bankwesen und die bedeutenderen Banken Europas), im „Tudománytár" 1841, X. B.

[10] Vergleiche noch: „Hitelintézeteink szelleméröl és befolyásáról a nemzeti jóllétre" (Der Geist unserer Creditinstitute und ihr Einfluss auf den Nationalwohlstand) in den Jahrbüchern der k. ung. Academie der Wissenschaften 1845, VI; und „Pesti Hirlap" 1841, Nr. 10, 33, 49. 51.

machte T r é f o r t im „Pesti Hirlap" (1842, Nr. 118) bekannt und
wies die Schwächen und Nachtheile desselben nach.

Diesem Drängen nach einer Creditbank im Schoosse der
öffentlichen Meinung schloss sich auch der 1843—44er Reichstag
an; indem er den von ihm eingesetzten Finanzausschuss anwies, einen
diesbezüglichen Gesetzesvorschlag auszuarbeiten. Diesem Ent-
wurfe gemäss sollte in Ofen eine vom Lande garantirte Creditbank
errichtet werden, welche gegen fünfpercentige Verzinsung dem
Grossgrundbesitze bis zum dritten Theile seines Werthes Anlehen
vorstrecken würde; die Direction der Anstalt, welche die Regierung unter den vom Reichstage Candidirten zu wählen hätte,
sollte der Legislative verantwortlich unterstehen. Der Entwurf
wurde nach eingehender Discussion dem Könige unterbreitet, wo
aber dessen Ausführung an dem Widerstande der Wiener Regierung Schiffbruch litt. — Nicht übersehen darf endlich noch werden, dass sich der Handelsausschuss desselben Reichstages direct
gegen das Bankmonopol erklärte.

V. Alle die schönen Hoffnungen, die man an die vielseitigen
volkswirthschaftlichen Reformen knüpfte und die alle das materielle Aufblühen Ungarns zum Ziele hatten, konnten nicht eher
ihrer Erfüllung entgegenreifen, so lange noch in der Mitte des
Landes eine grosse Klasse lebte, welche alle öffentliche Steuer
von sich abwälzte, so lange noch der Adel in Bezug auf die
Besteuerung eine privilegirte Stellung einnahm. Das hatte
man nun klar eingesehen, und um diesen Uebelstand, dieses
Hinderniss des volkswirthschaftlichen Aufschwunges wegzuräumen, entfaltete man eine rege Thätigkeit im Schoosse der
Presse und der Gesetzgebung, während die Literatur hierbei nur
eine untergeordnete Rolle spielte; aber auch diesem Zeitraume
war es noch nicht gegönnt, das Princip der allgemeinen Gleich-
besteuerung ausgeführt zu sehen; was geleistet wurde, war nur
eine Vorbereitung auf bessere Tage.

Die eigentliche Debatte über diese grosse Reformfrage
begann damals, als Graf Albert S z t a r a y im conservativen „Hirnök" und vorzüglich in dem Beiblatte „Századunk" einen Aufruf
veröffentlichte, wo er die Steuerfreiheit des Adels in Betreff der
innern Verwaltung des Landes als einen abnormen Zustand, ja als
eine der ewigen Wahrheit widersprechende Thatsache hinstellte;

doch als er im Verlaufe seiner Vorschläge bei der Festsetzung
der innern Verwaltungskosten und der Steuerrepartirung denen
ein entscheidendes Votum zusprach, die am meisten besteuert
sind, und dadurch eine neue Rechtsungleichheit und eine neue
Klasseneintheilung der Bevölkerung zu inauguriren bezweckte,
da schwächte er selber das Interesse für seine Ansichten ab, und
Viele, die sich früher unter seine Fahne geschaart, verliessen dieselbe unbefriedigt und unversöhnt. [11]

Dem gegenüber führte Kossuth seine beredte und agitatori-
sche Feder im „Pesti Hirlap". Indem er die Geschichte und den
Ursprung des ungarischen Steuersystemes zeichnete, bestrebte er
sich zu beweisen, dass die alten Steuerbefreiungsgesetze auf die
aus jüngerer Zeit her datirende Domesticalsteuer eigentlich gar
keine Anwendung finden können, dass die von Jedem gleichmässig
zu leistende Einkommensteuer allein der Wahrheit, der bürgerlichen Gleichheit und dem allgemeinen Wohle entspricht, dass die
Steuerfreiheit in einem wohlgeordneten Staate eine Erniedrigung
ist, und speciell gegen Sztáray gewendet, meinte er, dass in dem
Falle, wo es sich darum handelt, ob zuerst das Princip der zu
socialen Verbesserungen zu verwendenden Landessteuer, oder der
zur innern Verwaltung nöthigen Domesticalsteuer verwirklicht
werden soll, der letztern der Vorzug gegeben werden müsse, d. h.
dem Principe der Theilnahme an der Deckung der Verwaltungskosten des Comitates sei jede andere Frage unterzuordnen. Diese
Artikel wirkten mit bezaubernder Kraft auf alle Schichten der
Bevölkerung; in der Tagespresse sowohl, als auch in den Comitatssälen war die Steuerfrage von nun an der Angelpunkt, um
den sich das Hauptinteresse drehte, und während man in der
ersten mit Witz, Hohn, Geist und Satyre kämpfte, nahm der
Zwiespalt in den letztern leider oft einen im strengen Sinne des
Wortes blutigen Ausgang.

Unter den einschlägigen Producten der Literatur verdienen
wieder D e s s e w f f y's „Alföldi Levelek" an die Spitze gestellt
zu werden. Im zweiten Anhange dieses vielgenannten und viel-

---

[11] Es genüge hier zur Erklärung, dass in Ungarn vor 1848 zwei
Arten von Steuern bestanden: Die Domesticalsteuer, d. i. die Steuer, welche
zur innern Verwaltung des Reiches und der Comitate diente; dann die
Kriegssteuer, welche die eigentliche landesfürstliche Steuer bildete.

gelesenen Werkes zeigt Autor auf die Ungerechtigkeit und Verkehrtheit hin, welche in der Befreiung des Adels vom Beitrage
zu den Domesticalsteuern liegt; er behauptet ferner, dass die mit so
vielen Kosten und Schwierigkeiten verbundenen directen Steuern
keine so sehr zweckmässige Form der Besteuerung bilden, wie die
indirecten; demzufolge solle das ordentliche, d. i. das im Vorhinein festzusetzende Budget auf Grundlage der directen Besteuerung des Adels und der übrigen Klassen; das ausserordentliche
Budget aber als eine „quantitas non cognita" auf Grundlage einer
das ganze Land treffenden indirecten Besteuerung ausgearbeitet
werden. Er verlangt ferner, dass die Kosten der innern Verwaltung durch directe Steuern, die Kosten zur Verbesserung der
Verkehrsmittel, zur Hebung der geistigen Interessen u. s. w.
aber durch indirecte Steuern gedeckt werden. Mehr weniger
schloss sich diesen Ansichten auch Tréfort an, der in mehren
Artikeln (so im „Pesti Hirlap" 1844, Nr. 370, 399; 1845, Nr. 421,
422) das ganze Steuerwesen und die Idee einer Landescassa mit
gesundem und klarem Urtheile bespricht.

Von grösserem Interesse und mehr in das practische Leben
eingreifend war Széchenyi's „Zweigroschensteuer-Plan", mit
dem er zu Anfang des 1843er Reichstages, als er die tumultuari-
sche Bewegung in den Comitaten wahrgenommen, vor die Oeffentlichkeit trat. Man nehme — so lautet der Plan — ein National-
anlehen von ungefähr hundert Millionen Gulden auf, damit das
Land in den Besitz der zum Ausbau eines Verkehrsnetzes
und zur Erreichung der Cultur- und anderer öffentlicher Zwecke so nothwendigen Summen gelange. Zum
Zwecke der Tilgung dieses Anlehens und zur Bezahlung der für
dasselbe zu leistenden Zinsen soll eine allgemeine Grundsteuer eingeführt werden, die sich auf zwei von jedem Adeligen
oder Nichtadeligen nach je einem Joch Grund jährlich zu zahlende
Groschen belaufen würde, was jährlich ein Einkommen von 5—6
Millionen bildet, die so zu verwalten wären, dass $3\frac{1}{2}$ Millionen als
Interessen, $1\frac{1}{2}$ Millionen als Tilgungsquote der aufgenommenen
Schulden, der Ueberschuss aber zur Gründung einer Bodencredit-
bank verwendet werden soll, welche den Grundbesitzern auf billige
Zinsen Geld leihen würde. So könnte die ganze Schuld in
35 Jahren zurückgezahlt sein, während das Land auf Grundlage

dieser Operation in 30 bis 40 Jahren Investirungen im Betrage
von ungefähr 150 Millionen veranstalten könnte, die der Volkswirthschaft zu keinem geringen Aufschwunge verhelfen würden.
Das Werk beschränkt sich aber nicht nur auf eine weitläufige
Detaillirung dieses Planes, sondern behandelt auch mit eingehender
Schärfe, und vorzüglich gegen die Partei des „Pesti Hirlap" gerichtet, alle übrigen Interessen, welche das Steuerwesen Ungarns
betreffen.

Dieser Antrag Széchenyi's erfreute sich eines grossen Beifalles und selbst Kossuth stimmte ihm bei, nur wollte er der
ganzen Angelegenheit einen mehr democratischen Anstrich ver-
léihen.

Auch im Schoosse der Legislative blieb die Steuerfrage nicht
unberührt. Die vom Reichstage entsendete Finanzcommission
nahm wohl die Idee der allgemeinen Besteuerung im Principe an,
hielt aber dieselbe gegenwärtig noch nicht für ausführbar; ferner
empfahl sie die Errichtung einer Landescentralcassa auf Grundlage einer patriotischen Schenkung von drei Millionen Gulden
und trug auch zugleich die Principien vor, nach denen die Repartirung der Steuern stattzufinden hätte. Wenn nun auch die Majorität, welche noch immer dem Principe der Steuerfreiheit von
Seiten des Adels huldigte, diesen Vorschlag zu Falle brachte, so
ist er doch wegen der vielen, den westeuropäischen Steuersystemen
sich anschliessenden, in ihm ausgesprochenen Principien für die
volkswirthschaftliche Entwickelung Ungarns nicht ganz ohne
Bedeutung. [12]

VI. Nach mehr wie einer Seite hin entfaltete der 1844er
Reichstag eine rege, vorwärtsstrebende Thätigkeit; doch die
Frucht der neuen Ideen hatte jetzt noch nicht die gehörige Reife
erhalten, und was hoch und erhaben angelegt war, konnte noch
nicht zur befriedigenden Vollendung gelangen. So kam es, dass
alle die schönen Pläne und Vorschläge, welche im Schoosse dieses

[12] Von literarischem Interesse ist noch eine unter dem Titel: „Sege-
delemröl", in Leutschau 1843 von einem Ungenannten erschienene Flugschrift, in welcher das Inslebenrufen des Steuersystemes sehr charakteristisch „finanzielle Production" genannt wird, eine Idee, die in jüngster
Zeit von Dietzel (System der Staatsanlehen) mit so viel Geschick entwickelt wurde. — Für die Idee einer allgemeinen Restenerung traten noch
muthig in die Schranken der Freiherr Josef v. Eötvös, „Reform" S. 124.
und Moritz Perczel im „Pesti Hirlap" 1844, Nr. 316.

Reichstages bezüglich der von den Hörigen zu leistenden Frohnden, der Errichtung eines statistischen Bureaus, der Verpflegung und Einquartierung der Soldaten, der Regelung der Städte auftauchten, nur Pläne blieben und höchstens den Standpunkt erhöhten, von dem aus man eine freiere Aussicht in die Zukunft gewinnen konnte. Auch die Zoll- und Handelspolitik und mit ihr die Stellung Ungarns gegenüber den Erbländern beschäftigte vielfach die Gemüther, und bot zu heftigen Debatten Anlass; doch wollen wir die diesbezüglichen Erscheinungen erst später, wenn wir von den mit dieser Angelegenheit unzertrennlich verbundenen Reformfragen sprechen werden, einer eingehenden Würdigung unterziehen; hier soll nur noch eine kurze Skizze jenes Berichtes ihren Platz finden, welchen der vom Reichstage entsendete Handelsausschuss als „Gutachten" veröffentlicht hatte. [13]

Es wird im Anfange dieser Arbeit auf die Vortheile hingewiesen, mit welchen die Natur Ungarn ausgestattet und die es befähigen, ein blühender volkswirthschaftlicher Staat zu werden; andererseits werden aber auch die vielen Mängel, Gebrechen und Hindernisse nicht verschwiegen, welche einem derartigen Aufblühen entgegenstehen, zu denen in erster Reihe das schlechte Handelssystem und die verkehrte Zollpolitik gehören.

Die Zollpolitik erschwert den Export ungarischer Waaren, begünstigt die Industrie der Erbländer auf Kosten Ungarns und regelt das Zollwesen, ohne dass Ungarn irgend eine Einflussnahme auf dasselbe hätte. Demzufolge sei es Aufgabe der Gesetzgebung, diese Hindernisse hinwegzuräumen, die Zollpolitik in den Rechtskreis der ungarischen Gesetzgebung hineinzuziehen, damit die Interessen Ungarns auch nach dieser Richtung hin gewahrt bleiben. Zum Schlusse weist der Bericht noch darauf hin, dass ein Aufblühen und Erstarken Ungarns ohne eine vaterländische Industrie nicht möglich ist, und dass eine gesunde Entwickelung derselben nicht nur Ungarn, sondern dem ganzen Kaiserstaate ungeahnte Vortheile verleihen würde.

VII. Bei der innigen Interessengemeinschaft, welche die politischen, socialen und staatswirthschaftlichen Reformen umgürtete, ist es klar, dass auch in den, eigentlich politischen Ver-

[13] Ein Auszug erschien in der Zeitschrift „Századunk" 1844, Nr. 56—62.

hältnissen gewidmeten Werken eines S z é c h e n y i (Kelet népe),
E ö t v ö s (Reform), K o s s u t h und D e s s e w f f y national-ökonomische Gesichtspunkte eine eifrige Vertretung fanden. Aber
auch die speciell national-ökonomische Richtung fand ihre Pfleger
und sind ausser dem vielgenannten T r é f o r t noch zu nennen:
Abraham S z ü c s, der auf populäre Weise, wenn auch noch hie
und da veralteten Ansichten huldigend, dennoch den modernen
Ideen eine offene Strasse zu ebnen bestrebt war. Dies versuchte
er in seinen Schriften: „A kelet népének gazdasági állása a gyakorlati életben" (Pest 1842) und „A pipás nemesembernek véleménye az adó, örökváltság és ösiség iránt" (Kecskemét 1844).
Mehr in der mathematischen Richtung thätig war G y ő r y in
verschiedenen Abhandlungen, die nicht ohne Einfluss blieben. [14]
Eine andere Erscheinung von literarischer Bedeutung ist
das von August K a r v a s s y (damals Professor an der Rechtsakademie zu Raab, später an der Universität zu Pest' und seit
1871 pensionirt in Pressburg) herausgegebene systematische
Werk „A politikai tudományok" (Die politischen Wissenschaften)
in zwei Bänden; erster Band: Politik; zweiter Band: Staatswirthschaft und Finanzwissenschaft. Mit diesem Werke war die Fessel
gebrochen, welche der Schulzwang um den freien Unterricht
gelegt hatte. Die ungarische Sprache war nämlich in ihre Rechte
eingesetzt worden, wodurch es ihr sehr bald gelang, ihre lateinische Schwester vom Lehrstuhle zu vertreiben; ferner hatte die
Censur in den Vierziger Jahren ihre bleierne Hand leichter auf
den Producten der Presse ruhen lassen; und mit der Vorschrift,
sich beim höhern Unterrichte ebenfalls an ein vorgeschriebenes
Handbuch zu halten, das speciell in Bezug auf die Nationalökonomie noch dazu veraltet war, wurde es jetzt auch nicht mehr
so ernst gemeint; so kam es, dass mit dem Verfalle des Sonnenfelsianismus das zu Raab 1842—43 und dann in einer zweiten
Auflage 1846—1847 erschienene Buch Karvasy's eine sehr fühlbar
gewordene Lücke ausfüllte. Dasselbe entspricht in formaler Hinsicht sehr gut seinem Zwecke als Schulhandbuch; in dogmatischer
Beziehung schliesst es sich den Anhängern der neuern Richtung

[14] Siehe „Nemzeti viszonyok" im „Tudománytár" 1842, XI. B., pag.
259 ff., 323 ff.; 1843, XIII. B., p. 139, 195, 270 ff., XI. B., p. 270 und 321,
XIII. B. p. 173, 223 ff., 270—294.

der Smith'schen Schule an und stützt sich vorzüglich auf Jakob, Pölitz und Rau. Dabei trägt es schon dadurch den Stempel des Zeitraumes, in welchem, und der Einflüsse, unter welchen es entstanden, an sich, dass es neben den gewöhnlichen drei national-ökonomischen Hauptsystemen (Mercantilismus, Physiocratismus, Smithianismus) auch noch die Lehren Friedrich Liszt's als ein viertes anführt und der schutzzöllnerischen Richtung mehr huldigt, als sich dies eigentlich mit dem im ganzen Werke zu Grunde gelegten Smithianismus verträgt. Der Theil des Buches endlich, welcher vom Staatshaushalte handelt, ist nicht viel mehr als ein Compendium von Rau's „Grundsätze der Finanzwissenschaft".

Gleichzeitig mit dem eben skizzirten Werke erschien auch Szeremlei's „Politika" 1843 in Sárospatak und eine Uebersetzung von Liszt's „Das nationale System der politischen Oekonomie" in Güns 1843. Aber auch auf dem Gebiete des höhern wissenschaftlichen Unterrichtes haben sich im Einklange mit den Bewegungen im öffentlichen Leben die neueren Ideen eine ausgedehntere Anerkennung erworben. Das beweisen nicht nur die Collegienhefte der damaligen Studenten, nicht nur der Eifer, mit dem die lernende Jugend damals in den Bibliothecen die neuern Autoren studirte, sondern auch die Thesen, welche an der juridischen Facultät bei den damaligen Promotionen den Gegenstand öffentlicher Discussionen bildeten.

DRITTES KAPITEL.

I. Es war nur ein halbes Werk, das der eben geschlossene Reichstag zu Stande gebracht hatte. Wohl war es nicht seine

Schuld, denn er hatte treu und redlich an dem Aufbaue einer neuen Aera gearbeitet, auch fehlte es ihm nicht an dem erforderlichen Fleisse, mit dem die Riesenarbeit, die er vorhatte, angepackt und behandelt sein will. Doch theilweise war es die kalte, schroffe, verweigernde Behandlung von Seiten der noch nicht genug klar blickenden Regierung, theilweise aber leider auch die Dunkelheit in den Köpfen vieler Volksvertreter, was seiner Thätigkeit auf kaum halbem Wege Halt gebot. Deshalb machte sich allüberall die Ansicht breit, dass die Agitation nun in höherem Massstabe betrieben werden müsse, damit sie sich über alle Schichten der Bevölkerung ausdehne, wenn man zu einem sichern Endziele gelangen will. Ueber diesen Ausgangspunkt der neu zu beginnenden Thätigkeit und des mit verjüngter Kraft zu erfassenden Reformfadens war Alles einig; aber in Bezug auf die Endziele dieser Agitation, da gingen die Wege auseinander.

Den einen dieser Wege wandelte Ludwig K o s s u t h, den andern Stefan S z é c h e n y i; die Wege wurden immer divergirender, und die beiden Parteiführer geriethen immer in härtere Opposition zu einander. Kossuth wollte der ganzen Agitation einen ausgesprochenen democratischen Charakter verleihen; Széchenyi hingegen war geneigt, der nunmehr auch freisinniger gewordenen Regierung in manchen Stücken nachzugeben und die aristocratischen Interessen nicht ganz aus dem Auge zu verlieren. Beide hatten mächtige Anhänger, aber schon hatte Kossuth dem „grössten Ungar" die Krone der Popularität abgerungen.

Und es zog ein Hauch des schöpferischen Genius durch die ungarische Nation, der alle Elemente in Bewegung setzte, die feindlichen von einander schied und die freundlichen aneinander reihte; Vereine traten in's Leben, Unternehmungen keimten und wuchsen und eine fieberhafte Aufregung drückte den Stempel ihrer Hast auf die menschlichen Geschehnisse. Es war ein wohlthuender, wärmender Kampf, der entbrannte, denn es war ein Kampf der vornehmsten Geister; Széchenyi und Kossuth, Deák und Szalay, Lónyay und Tréfort, Dessewffy und Eötvös, Csengery und Batthiány traten in die Schranken; so wurde die Basis gelegt zu dem Palast der neuen ungarischen Staatsverhältnisse, so reiften die Principien, welche diesen Palast aufbauen halfen.

II. Als in den Vierziger Jahren die ungarische Industrie und

Landwirthschaft einen fühlbar werdenden, leisen Aufschwung nahm, trat die Zurücksetzung der ungarischen Interessen zu Gunsten der Erbländer, bewirkt durch das bestehende Zollsystem, stechender als je zuvor zu Tage. Um dieselbe Zeit wurde der deutsche Zollverein, mit Hinsicht auf die während seines Bestehens erreichten glänzenden Erfolge, und in Anbetracht des immer grössern Aufschwunges, welchen die materiellen Interessen der zu ihm gehörenden deutschen Staaten nahmen, von den letztern auf weitere 25 Jahre verlängert. Dieser Umstand erweckte in Deutschland, auch in Oesterreich, ja sogar in einigen ungarischen Kreisen die Idee, ob es denn nicht zweckmässig wäre, die österreichische Monarchie und mit ihr Ungarn mit in die Zollgemeinschaft hineinzuziehen und in beiden Hälften der Monarchie nach einer grössern Gleichförmigkeit in den handelspolitischen Institutionen zu streben.

Diese Frage über den Anschluss an Deutschlands und Oesterreichs Handelsinteressen bildete den Ausgangspunkt für zwei Ansichten. Die Parteigänger der einen Ansicht, welche den Anschluss vertheidigten und welche das Oedenburger Comitat zu ihren Vorkämpfern zählten, wiesen auf die Vortheile hin, welche durch einen innigen Verkehr mit einem der bedeutendsten Culturstaaten Europa's für die volkswirthschaftlichen Interessen Ungarns erblühen würden; die entgegengesetzte Partei hingegen, mit Kossuth und Tréfort an der Spitze, befürchtete durch einen derartigen Anschluss eine Gefährdung der Nationalität, ein Uebergreifen des Deutschthums und ein ungünstiges Verhältniss zwischen dem eventuellen materiellen Gewinne und dem zu erwartenden moralischen und politischen Nachtheile. Ungarn möge — sagte Kossuth — insoferne dem Beispiele des deutschen Zollvereines folgen, als es sich bestrebe, durch Einführung des Schutzzolles auf seinem eigenen Gebiete gegen die starke Concurrenz des Auslandes sich zu schützen und eher mit E n g l a n d als mit Deutschland in eine nähere Verbindung zu treten, weil England für die Rohproducte Ungarns einen bessern und günstigern Markt bilde als Deutschland und durch den engern Anschluss Ungarns an Deutschland uns ganz entfremdet würde. [1]

[1] Vergleiche „Pesti Hirlap" 1842, Nr. 110 ff., 178, 179; ferner die Uebersetzung dieser Kossuth'schen Artikel unter dem Titel „Ueber den

Nach und nach aber machte sich, besonders durch die gleichzeitig veröffentlichten Theorien F. List's angeregt, die Idee geltend, dass die im Innern des Landes bestehenden Zollschranken, insolange Ungarns Industrie mit den Erbländern nicht concurriren könne, als Schutzzölle für die darniederliegende Industrie aufrecht erhalten werden sollen, eine Idee, welche Kossuth, wie wir dies schon früher erwähnt, mit dem ganzen Aufgebote seines Talentes verfocht. Hier stiess Kossuth aber auf mächtige Gegner, die ganze Széchenyi'sche Schule und die conservative Partei wollten den Protectionismus nicht unterschreiben; den List'schen Anschauungen schenkten sie wohl ihre gehörige Würdigung und fanden dieselben für Deutschland gegenüber England auch ausführbar; aber in Ungarn — meinten sie — sei noch nicht die Zeit gekommen, um sich gegenüber dem Auslande abzuschliessen. So erhielt die Discussion von Tag zu Tag eine immer wachsende Ausdehnung und förderte die eingehendsten Besprechungen und Kritiken des Schutzzollsystemes zu Tage. [2]

Die Abgeordneten des 1844er Reichstages konnten sich diesen heftigen Bewegungen im Schoosse der öffentlichen Meinung nicht verschliessen, auch sie waren von der grossen Tragweite der Lösung dieser Frage durchdrungen, und in Wirklichkeit absorbirte dieselbe lange Zeit hindurch die ganze Aufmerksamkeit der Gesetzgeber. Am klarsten wurde die Stellung der beiden Parteien in den zwei Reden gekennzeichnet, mit welchen Koloman Ghyczy und Melchior Lónyay ihren Ansichten Ausdruck verliehen, von denen der Erstere das Schutzzollsystem vertheidigte, während Letzterer im Interesse des Freihandels für das Princip eines Zollverbandes mit Oesterreich und der Niederreissung der Binnenschranken einstand. Der Majorität in den Ausschüssen, welche dem Principe des Schutzzolles huldigte, schloss sich auch die Majorität in der öffentlichen Sitzung an; so wurde auch die

Anschluss Ungarns an den Zollverein", von St. S.; dann „Pesti Hirlap" 1841—1842, insbesondere 1842, Nr. 142; „Dr. Wildner és a magyar Financziák"; 1842, Nr. 110, 203; 1843, Nr. 293; 1842, Nr. 213 ff., 231 ff.
[2] Wir verweisen hier nur auf die Zeitschriften „Vilàg", „Hirnök" und dessen Beiblatt „Századunk" vom Jahre 1842 nnd 1843; dann auf Tréfort's „Nemzetgazdaság rendszerei" im „Tudománytár" 1842 und in der „Vierteljahrschrift aus Ungarn" 1843, II. Bd., 2. Theil; ferner auf Cserházy: „List és társai" (List und seine Anhänger), „Vilàg" 1842, Nr. 83—88.

Adresse an den König im Sinne der Schutzzollpartei abgefasst. In derselben wird die ganze Reihe von Nachtheilen aufgezählt, welche das bestehende Zollsystem für Ungarn im Gefolge hat und um Erlaubniss zur Ausarbeitung eines neuen Zolltarifes nachgesucht. Die Magnatentafel jedoch weigerte sich, den von der Deputirtentafel acceptirten Text der Adresse anzunehmen, so lange nicht diejenigen Sätze aus derselben eliminirt werden, welche einen gar zu grell aufgetragenen protectionistischen Charakter an sich trugen; und erst als diese Ausmerzung vorgenommen war, wurde die Adresse dem Könige unterbreitet. Aber wie so viele andere Angelegenheiten, blieb auch diese brennendste unter allen lange unerledigt, und als hart vor Schluss der Session die Antwort erfolgte, so besagte sie nur, dass die Regierung bisher im Interesse der nationalen Industrie nichts mehr leisten konnte, als sie gethan hatte, und dass sie in Zukunft gewiss bestrebt sein werde, das Versäumte nachzuholen. Diese Antwort nahm der Reichstag mit Ehrfurcht wohl, aber mit erbittertem Gefühle entgegen, und da seine Mühen auf diesem Gebiete fruchtlos blieben, so brachte er den Gegenstand nach einer andern Richtung hin auf's Tapet.

III. Diese neue Richtung war der Weg der öffentlichen Thätigkeit und Agitation im Schoosse der Gesellschaft. Zu allererst handelte es sich um die Constituirung eines Landesvereines, dessen Aufgabe es wäre, speciell die ungarische Industrie zu heben. Die Elemente hierzu waren schon seit einigen Jahren in Wirklichkeit vorhanden. Nach der 1842er Industrieausstellung kamen an verschiedenen Punkten des Landes einzelne Industrievereine zu Stande;[3] immer klarer wurde man sich der Aufgabe bewusst, dass die Nation aus eigener Kraft sich verschaffen müsse, was ihr die störrige Regierung immer wieder zu gewähren verweigerte; so kam es, dass sich am 18. September 1844 der Landes-Industrie-Schutzverein constituirte, nachdem alle Anstrengungen des Reichstages bezüglich der Modificirung des bestehenden Zollsystemes an dem unnachgiebigen Felsen des Widerstandes von Seiten der Regierung wieder Schiffbruch gelitten hatten. An diesen Verein, dessen Hauptzweck es war, durch moralische Aneiferung zur Consumtion vaterländischer Industrieartikel die

---

[3] Vergleiche P u s z t a y „Ungarns Industrie" 1845, p. 12.

einheimische Industie zu unterstützen und an dessen Spitze Kasimir
Batthyányi und Teleki als Präsidenten und Kossuth als Director
stunden, schlossen sich im Laufe eines kurzen Jahres 138 Provinz-
Filialvereine an, deren Mitgliederanzahl sich auf fast 100,000
belief. [4]
Was auf diese Weise practisch verwirklicht worden, das
wurde auch in der Literatur und in der Tagespresse auf's tapferste
vertheidigt. An der Spitze dieses Vertheidigungsheeres stund
hier wieder Kossuth, der die Gründung des Schutzvereines für
den einzigen Weg hielt, welcher zur vollkommenen Selbständigkeit und Unabhängigkeit Ungarns führen kann. [5] Von demselben
Geiste beseelt waren die Reden des Präsidenten Kasimir Batthyányi vom 6. October 1844, 17. November 1845 und
20. August 1846, während Ladislaus Teleki und andere Anhänger des Schutzvereines mit mehr Phantasie, aber mit weniger
Gründlichkeit den Gegenstand behandelten. Hingegen ist die Rede,
welche Franz Deák bei Eröffnung des von ihm zu Szt. Gröt
errichteten Zweigvereines hielt, von bedeutendem Interesse, und
bildete dieselbe längere Zeit hindurch die Grundlage vielseitiger
Discussionen und Debatten. Die materiellen Zustände Ungarns
können sich nur dann bessern — meint Redner, — wenn alle
Schichten der Bevölkerung treu dem Principe der Sparsamkeit
anhängen; der Luxus, für andere Nationen ein Segen, ist für
Ungarn ein Fluch; diesen Fluch abzuwälzen, ist die Aufgabe der
Schutzvereine, deren Zweck ein ganz einfacher und unschuldiger
ist, indem er nichts Anderes erheischt, als dass ich eine Waare, die
ich im Vaterlande bekomme, nicht vom Auslande beziehe. Franz
Pulszky vertheidigte den Zollverein gegen die ausländischen
Angriffe vorzüglich in der „Augsburger Allgemeinen Zeitung"
und in der zu Leipzig veröffentlichten Flugschrift: „Actenstücke
zur Geschichte des ungarischen Schutzvereines" 1847; ihm schlossen sich an Moritz Lukács, [6] Graf Pejachevich, Ferdinand

---

[4] Siehe Kautz' „Vámpolitika" 156; „Der ungarische Schutzverein",
Leipzig 1845, p. 73 ff. und De-Gerando's „De l'esprit public en Hongrie" 1847.
[5] Vergleiche „Hetilap" 1846, Nr. 87, 1847, Nr. 168, ferner Kossuth's
Rede vom 20. August 1846 und Pulszkys „Actenstücke zur Geschichte
des ungarischen Schutzvereines", Leipzig 1847, p. 89 ff.
[6] Siehe seine Abhandlung „Az egyesülési jogról" in Bajza's Taschen-
buch „Ellenőr", p. 117.

Weisz und Lorenz Tóth. Stefan Gorové, früher ein Free-trader, bekannte sich in seinem „Nyugat" gänzlich zu den An-hängern des Schutzollsystemes, so dass er 1847, nachdem Kossuth von der Direction des Landes-Industrie-Schutzvereines abdankte, an seine Stelle trat. Auch Stefan Szokolay und Ladislaus Szalay waren unbedingte Anhänger dieses Systemes; nur August Tréfort wollte nicht alle Sätze desselben unterschrei-ben, obwohl auch er für seine Verwirklichung muthig uud geist-reich einstand. Noch sind zu erwähnen: Paul Hunfalvy, der diese Angelegenheit von mehr wissenschaftlichem Gesichtspunkte und von theoretischer Seite behandelte und endlich die bei Wigand in Leipzig 1845 erschienene Schrift: „Der ungarische Schutz-verein", die offenbar aus der Feder eines ungarischen Fachmannes geflossen. [7]

Eine bedeutende Stütze erhielt der Protectionismus in der Verpflanzung der List'schen Theorie nach Ungarn durch Anton Sárváry, der List's „System" in's Ungarische übersetzte. [8] Auch Karvasy in seinem oben erwähnten Lehrbuche und Fényes in seiner Statistik Ungarns verrathen eine Hinneigung, der Erstere weniger, der Letztere aber entschieden zum Listianis-mus und Protectionismus. Endlich kann auch das Werk De-Ge-rando's „De l'Esprit Public en Hongrie", Paris 1847, nicht still-schweigend übergangen werden, wo neben einer eingehenden Besprechung der Mission Ungarns auch noch die Rolle und der Einfluss des Schutzvereines eine günstige und farbenschillernde Behandlung finden. [9]

Gleichzeitig erfreute sich auch die Frage über die Abschaf-fung der Zünfte einiger Aufmerksamkeit; Pusztay und Dier-ner [10] schrieben deutsche Arbeiten gegen das Zunftsystem und ihnen hatte sich der Rechtsgelehrte Szokolyi [11] angeschlossen. — Was aber die sociale Agitation betrifft, so beginnt hier das Princip der Gewerbefreiheit unter dem Einflusse protectionisti-

---

[7] Siehe „Pesti Hirlap" 1842, 1844, 1845, 1846; ferner „Vierteljahrs-schrift aus Ungarn" 1843, II. Bd., 2. Theil, p. 154, und Hunfalvy's „Orszá-gazzati Tájékozás" in Bajza's „Ellenőr", p. 149—216.
[8] „A politikai gazdálkodás nemzeti rendszere", Güns 1843, III Theile.
[9] Auf Seite 471 heisst es: L'avenir de l'Autriche n'est donc pas ailleurs qu'en Hongrie; c'est un axiome aussi geographique que politique.
[10] „Beitrag zum Kampfe der Meinungen" 1844.
[11] „Czéhek és iparszabadság" 1846.

scher Ideen zu sinken, jedoch ohne dass dies anderswo, als in den Kreisen der Manufacturisten und Gewerbetreibenden zu entschiedenem Ausdrucke gelangt wäre.

Dieses ganze rege Treiben um den Schutzverein war eine offene Anerkennung der Wichtigkeit, welche die materielle Arbeit besitzt; es war ein Aufschrei der Nation gegenüber den schwerlastenden Fehlern der Regierung, eine feierliche Manifestation des Principes, dass die ungarische Nation über ihre eigenen Angelegenheiten nach ihrem Willen und im Sinne ihres eigenen Interesses zu verfügen wünsche und weiss; es war ein Beweis, dass die Nation ihre volkswirthschaftlichen Verhältnisse zu erkennen und über dieselben nachzudenken anfing; es war endlich die Fackel, welche der ungarischen Nation ihre Zurückgebliebenheit auf dem Gebiete materieller Interessen in klarem Lichte zeigte. Andererseits aber vergassen die Führer dieser Bewegung, dass sich eine blühende Industrie nicht erzwingen, nicht durch einen Zauberstab aus dem Boden stampfen lasse; sie wollten durch einen octroyirten Patriotismus Früchte ziehen, die nur unter der Sonne einer steten, organischen und vor allem Andern freien Entwickelung gedeihen, weil sie sonst ein leicht verderbliches Treibhausgewächs bleiben müssen, ohne feste Wurzel und Lebenskraft, das vom ersten Stosse eines politischen oder socialen Sturmes unbarmherzig weggefegt wird; sie vergassen, wie Vieles noch in Ungarn anders werden müsse, bevor man zu einer derartigen Verhätschelung der Industrie übergehen könne; sie waren ungeduldig über den langsamen Schritt der Gegenwart und indem sie mit Sturmschritten voraneilten, dem natürlichen Gange der Geschichte vorzugreifen suchten, schossen sie über das Ziel hinaus, von dem sie sich immer mehr und mehr entfernten.

IV. Als Feind alles Fieberhaften, alles unorganisch Gezwungenen musste Széchenyi bald gegen die Agitationen des Schutzvereines Stellung nehmen. Am besten charakterisirt seine Anschauungen Baron Kemény, wenn er sagt: Széchenyi behielt immer vor Augen, dass immer in erster Reihe jene materiellen und industriellen Unternehmungen geschützt und gepflegt werden müssen, die den Ungarn nützlich, den österreichischen Interessen hingegen nicht fühlbar gefährlich sind. Er befürchtete daher, der Schutzverein werde, indem er die österreichischen Industriellen und

Capitalisten gegen die Ungarn aufhetzt, einen ungleichen Kampf heraufbeschwören; er fürchtet, der Schutzverein werde nur die höchst schwankende Basis für den ephemeren Erfolg einiger Fabriken abgeben; der Idee, welche der ganzen Agitation zu Grunde gelegt wurde, der Idee nämlich, dass Ungarn von Tag zu Tag mehr in Armuth versinke, trat er als einem unwahren, allen Interessen der Nation gefahrdrohenden Satze offen und muthig entgegen; endlich widersetzte er sich der Organisation des Vereines, weil er die Verzweigungen desselben als gefährliche Agitationsadern im ganzen Lande ansah. So kam er auch hier mit Kossuth in Widerstreit, mit Kossuth, der sich immer mehr dem Zenith seiner Popularität näherte und dem gegenüber „der grösste Ungar" aus dem brennenden Zweikampf wohl keine Siegespalme, aber doch die Befriedigung eines beruhigten Gewissens davontragen konnte. Von vorzüglichem Interesse sind Széchenyi's im „Jelenkor" (1845, Nr. 40—66) erschienenen und gegen die oben erwähnte Rede Franz Deák's gerichteten Artikel. [12] „Es ist unsinnig gehandelt, — meint Széchenyi, — einen Schutzverein zu gründen und dabei gleichzeitig an einen Seehandel und an die mercantilische Verbindung mit ausländischen Staaten zu denken. Wer exportiren und verkaufen will, der muss auch importiren und kaufen. Es ist ein unglücklicher Irrthum, dem Schutzvereine eine solche hohe Bedeutung beizulegen, wie dies der Redner von Szt. Grót gethan. Dieser Schutzverein ist wohl ein Medicament, aber zugleich ein Gift, mit dem man behutsam umgehen muss, weil es nicht nur heilen, sondern auch, und das in viel stärkerem Grade, zerstören und vernichten kann."

Széchenyi stund in diesem Kampfe nicht allein, er hatte mächtige Waffenbrüder. In erster Reihe ist hier Graf Emil Dessewffy [13] zu nennen; er wies nach, wie falsch die Mittel sind, welche die Protectionisten zum Zwecke der Hebung der ungarischen Industrie anwenden, und wie diese Mittel früher oder später eine bittere Reaction, eine auflösende Zerrüttelung der socialen Verhältnisse mit sich führen müssen. Ihm zur Seite focht Ladis-

[12] Siehe noch Johann Török: „Gróf Széchenyi politikai iskolája" 1864 im III. Bd. p. 147—256.
[13] Vergleiche den „Budapesti Hiradó" 1846 November, 1847 Nr. 862 und 523; dann Dessewffy's „Vámügyek rendezéséről" und „Parlagi Eszmék".

laus Korizmics.[14] Die sicherste und festeste Grundlage des Wohlstandes einer Nation ist seiner Ansicht nach die Landwirthschaft, die mit der Industrie und dem Handel die Trias der Volkswirthschaft bildet, beiden letztern aber als Basis dient. Damit die Landwirthschaft·in Ungarn erfolgreich blühe, ist vor allem Andern ein inniges Verständniss ihrer Elemente nothwendig, denn selbst der angestrengteste Fleiss ist nur ein halber Arm, den die Kenntniss und die Intelligenz ergänzt. Ein weiteres Uebel ist der Mangel an Bevölkerung und die unverhältnissmässige Vertheilung derselben. Diesem Uebel müsse man aber in nationalem Sinne, nicht durch Einbürgerung fremder Elemente abhelfen. Er weist nach, wie eine Regelung der Besitzverhältnisse dem Lande jährlich eine Ersparniss von 31 Millionen an kurzen Frohnden eintragen und welchen ungemeinen Vortheil die harmonische Verbesserung der Wasser-, Land- und Eisenbahnstrassen bieten würde. Weiters plaidirt er für die Errichtung von Hypothekenbanken, denn es sei nothwendig, dass der Werth mobilisirt werde, der in Ermangelung solcher Institute durch das brachliegende Gut repräsentirt werde. Die Einführung des „Minimum" hält er für ein geeignetes Mittel, um die schrankenlose Zerstückelung des Grund und Bodens zu verhindern, um den Staat vor öfterem materiellen Siechthume zu bewahren, um die Vermehrung des Proletariates hintanzuhalten. Uebergehend auf die Fragen der Zollpolitik und des Schutzvereines sträubt er sich dagegen, dass man die Industrie unter allen Umständen, koste es was es wolle, heben müsse; es hiesse Kreuzer gewinnen und Gulden verlieren, wenn man auf Kosten des bedeutendsten volkswirthschaftlichen Zweiges Ungarns, der Agricultur, die Industrie befördern wollte. Mit der Errichtung von Schutzzöllen wäre die Entwickelung der Industrie sehr theuer erkauft; man müsse Acht geben, um das Nacheinander der Verhältnisse nicht aus den Augen zu verlieren und beginne dort, von wo aus man am leichtesten enden kann. „So lange die volkswirthschaftliche Fachkenntniss auf so schwachen Füssen stehen wird, wie bisher.... so lange Robot und Zehnten unsere Schultern drücken; so lange wir uns durch Errichtung von Banken nicht aus den Krallen der Wucherer entreissen;

14 Siehe „Magyar Gazda" 1846.

so lange neben den grössten Latifundien winzige Parcellen bestehen; so lange dürfen wir auch an einen mächtigen, allgemeinen, materiellen Aufschwung gar nicht denken, sondern müssen noch darüber staunen, dass wir dort stehen, wo wir stehen." So endigt Korizmics seine geistreiche und mit dem Aufwande eines reichen Wissens geführte Polemik gegen die Anhänger der Schutzzölle. — Gleichzeitig trat auch Melchior L ó n y a y auf, der in seinem „Hazánk anyagi érdekei" (Die materiellen Interessen unseres Vaterlandes) sich als würdiger Schüler Széchenyi's bewährt und gegen die Mittel und Zwecke des Schutzvereines seine mächtige Stimme erhebt, während ein Anonymus im „Világ" 1844 durch eine mit „Y." gezeichnete Artikelreihe (in den Nummern 13, 17—23, 30—38, 45—48) nicht wenig zur Klärung der obschwebenden Frage beitrug. [15] Von besonderem Interesse ist es, dass Friedrich L i s t selber gegenüber den „sanguinischen Leitern" des Schutzvereines den Gedanken aussprach, dass seine für Deutschland aufgestellten Theorien durchaus nicht in Ungarn unbedingte Anwendung finden dürfen, und dass der Schutzverein bei weitem nicht die Folgen haben werde, welche man von ihm erwartet. [16] Zu den Gegnern des Schutzvereines gehörten ferner noch die Kreise der Regierung, dann ein grosser Theil der conservativen Partei und besonders der Grossgrundbesitz, der durch die schutzzöllnerischen Bestrebungen seine Interessen für gefährdet hielt, ferner die officielle und officiöse Presse, wie „Budapesti Hiradó" und „Pester Zeitung"; endlich ausserhalb der Grenzen Ungarns noch verschiedene Fachmänner, von denen wir nur Dr. Karl H o c k erwähnen, dessen einzelne, den Schutzverein in Ungarn behandelnden Artikel 1845 gesammelt in Leipzig erschienen.

V. Die Bestrebungen des 1844er Reichstages waren in der Angelegenheit der Zollreform von keinen Erfolgen begleitet; das war ein Stachel mehr, um die ohnehin schon aufgeregten Kreise der Gesellschaft zu noch rührigerer Thätigkeit anzuspornen. Die Reichsregierung war wohl schon etwas nachgiebiger und liess sich dem Drängen der neuen ungarischen Regierung, an deren Spitze Apponyi stand, nachgebend, in eine Modification der Zollpolitik

---

[15] Siehe noch P u s z t a y : „Die Industrie Ungarns", Leipzig 1845.
[16] Vergleiche B i e d e r m a n n : „Die politische Oekonomie in Ungarn", S. 27.

ein; doch diese hatte keine Befriedigung der ungarischen Nation zur Folge, theils weil sie nur Unwesentliches betraf, theils weil das Princip von der Aufrechterhaltung der Binnenzölle bei der weitaus grössern Majorität der volkswirthschaftlichen Kreise Anerkennung gefunden hatte. Da begann in den Kreisen der österreichischen Regierung die Idee zur Geltung zu gelangen, dass es denn doch zweckmässig wäre, den ältern Wunsch der Ungarn zu erfüllen, die völlige Niederreissung der Binnenzölle zu bewerkstelligen, das ganze Reich in ein grosses Zollgebiet zu verwandeln und sich so wenigstens die Partei Széchenyi's und seiner Anhänger zu sichern. Aber nun war es schon zu spät geworden. Von jeder mindesten Annäherung an Oesterreich befürchtete man einen neuen Schachzug gegen die Interessen Ungarns und die Einbürgerung der cisleithanischen Finanzcalamitäten, vorzüglich des Tabakmonopoles. So kam die Zollfrage wieder auf's Tapet, und die Meinungen über die Lösung derselben waren nach drei Richtungen hin getheilt.

Die Gegner des Schutzzolles mit Széchenyi an ihrer Spitze bildeten die eine Partei, die, wenn auch nicht in Verbindung, so doch in Interessengemeinschaft mit der Regierung stand. Ihre Organe waren das „Jelenkor", der „Budapesti Hiradó" und der „Magyar Gazda". Der Anschluss an das Zollgebiet Oesterreichs war die Devise, unter der sie ihre Fahne schwangen. — Emil Dessewffy, der schon 1844 in seinen „Parlagi Eszmék" vorzüglich darauf hinwies, wie Völker mit untergeordneter volkswirthschaftlicher Cultur durch freien Handel mit entwickelteren Völkern nur gewinnen können, widmete jetzt noch einmal in einer besondern Schrift: „A magyar vám- és kereskedési ügy" (Das ungarische Zoll- und Mercantilwesen) 1847, dieser wichtigen Frage seine glänzende Dialectik und beredte Feder. Das ganze Werk ist ein classisches Plaidoyer für die Aufhebung der Zollschranken zwischen Oesterreich und Ungarn und für die Handelsfreiheit mit dem Auslande. Korizmics und Johann Török versäumten ebenfalls nicht, die Argumente der Gegenpartei mit nicht zu unterschätzenden Argumenten zu widerlegen.

Eines grössern Anklanges von Seiten des ungarischen Volkes als die eben skizzirte Freihandelspartei erfreute sich die schutzzöllnerische mit Kossuth an der Spitze; erstens weil sie mehr

democratischen Principien huldigte und im Tone der Opposition
sprach, zweitens weil sie mehr die Interessen der Mittelklassen vor
Augen zu haben schien, während man den conservativ-aristokra-
tischen Elementen der ersten nicht vollkommenes Zutrauen
schenkte. Ihr bedeutendster Wortführer war Kossuth, aber
auch Pulszky, Ferdinand Weisz, Paul Szabó und Andere
führten mit geschickter Hand ihre spitzen Federn in den Spalten
des „Hetilap". Ihr Losungswort war die Schützung der einheimischen Industrie durch Schutzzölle an den österreichischen Grenzen.
Eine systematische Uebersicht ihrer Anschauung gewährte Kossuth
in seiner am 20.' August 1846 in der Plenarversammlung des
Schutzvereines gehaltenen Rede, in welcher er alle seine früher
abgeschossenen Pfeile noch einmal zusammenraffend die völlige
Unabhängigkeit des ungarischen Handels verlangt. Es darf dieser
schutzzöllnerischen Partei nicht vergessen bleiben, dass sie sich
noch immer nicht ganz vom Mercantilismus losreissen konnte und
über die Ausfuhr des Goldes und Silbers aus dem Lande laut
Klage führte. [17]

Zwischen diesen beiden, sich extrem gegenüberstehenden
Parteien, den Freihändlern und den Schutzzöllnern, hatte sich eine
dritte, vermittelnde Partei gebildet, die auf die ganze Reformbewegung Ungarns von entscheidendem Einflusse gewesen, deren
Hauptstreben dahin ging, Ungarn durch Einführung des Repräsen-
tativsystemes, einer verantwortlichen Regierung und der übrigen
Institute des Parlamentarismus, in einen wahrhaft modernen europäischen Staat umzuändern und die auch in Bezug auf die Zollfrage
in ihrem Organe, dem „Pesti Hirlap", ein neues Programm aufstellte,
welches auf der Idee eines österreichisch-ungarischen Zollbundes
basirte; es war dies die Partei der Centralisten im ungarischen
Sinne des Wortes, zu deren Häuptern Szalay und Eötvös,
Csengery und Lónyay, dann Tréfort gehörten. Diesem,
auf die Initiative Csengery's und Tréfort's hin ausgearbei-
teten, Programme zufolge wären die Binnenzölle aufzuheben und
an ihre Stelle solle der „Zollbund" treten. Die Stellung der
Monarchie im europäischen Staatensysteme und Ungarns zu Oester-

---

[17] Stefan Gorove arbeitete im Jahre 1847 einen im protectionistischen Sinne gehaltenen Zolltarif aus, welcher von der Generalversamm-
lung des Schutzzollvereines auch angenommen wurde.

reich schliesst die Möglichkeit eines Schutzzollsystemes aus. Das Band, das zwischen den Erbländern und Ungarn besteht, kann ohne Gefährdung der ungarischen Interessen weder gelockert noch mehr befestigt werden; es müssen also die materiellen Interessen beider Länder aufs innigste verbunden sein. Die Verwirklichung dieser Verbindung liegt in dem Zollbunde, demzufolge jeder einzelne Staat auf die Festsetzung des Zolltarifes Einfluss nimmt. Anfangs erklärte sich Kossuth mit Bitterkeit gegen dieses Programm, später aber streckte auch er die Waffen, und indem er erklärte, dass die Errichtung strenger Schutzzölle gegen Oesterreich factisch unausführbar ist, willigte auch er darein, durch Vertrag und Uebereinkunft eine Lösung der schwerwichtigen Frage herbeizuführen.

Dieselben Schattirungen zeigten auch die Ansichten, welche bei der Behandlung dieser Fragen in den Comitaten auftauchten, als es sich um die Festsetzung der Instructionen handelte, die den zum 1847er Reichstage zu entsendenden Abgeordneten ertheilt werden sollten. Unter diesen drückte die (nach den Intentionen Kossuths) verfertigte Instruction des Pester Comitates die Anschauungen der Opposition am getreuesten aus. Wir schliessen die Skizze dieser Bewegungen mit den Worten Lónyay's: „Die Frage betreffend das Zollwesen ist wohl von hoher Wichtigkeit, aber selbst eine glückliche Lösung derselben wird in unseren volkswirthschaftlichen Verhältnissen keine grosse Veränderung hervorrufen, denn zum materiellen Aufblühen einer Nation gehört viel mehr als dies."

VI. Schon in einem frühern Zeitraume haben wir geschildert, welche Ideen und Pläne aufgetaucht waren, um die grösstentheils in ungangbarem Zustande sich befindlichen Verkehrsstrassen, den Bedürfnissen des aufblühenden Handels gemäss zu verbessern. Wir haben die Bewegung um die Errichtung der Kettenbrücke und um die verschiedenen Flussregulirungen schon früher kurz skizzirt, nun liegt es uns ob, den Discussionen, welche den Bau der Wien-Pest-Fiumaner Eisenbahn einleiteten, einer kleinen Aufmerksamkeit zu würdigen. An der Schwelle der Vierziger Jahre tauchten wieder zwei neue Pläne auf, von denen der eine den Bau einer Eisenbahn am linken Donauufer von Wien nach Pest, der andere den einer Bahn am rechten Donauufer von Raab nach Wien bezweckte. Der erstere, zu dessen Ausführung auch schon die Vorarbeiten fertig waren, erfreute sich eines grössern Beifalles, doch konnte er wegen der ihm von entgegengesetzter Seite in den Weg gestellten vielfachen Hindernisse nicht zur Thatsache werden. Diese Verzögerung einer für das Land so brennenden Angelegenheit erweckte die Idee, dass es für das allgemeine Wohl zweckmässiger wäre, wenn der Staat selber den Ausbau des Eisenbahnnetzes in die Hand nehmen würde, anstatt denselben zum Gegenstande privater Eifersüchteleien werden zu lassen. Eine Angelegenheit von so hochwichtiger Bedeutung konnte sich nicht der Aufmerksamkeit Kossuth's entziehen, und weil er befürchtete, dass der fernere Ausbau der Strecke Wien-Raab, wie dies projectirt war, bis nach Triest oder Fiume den ungarischen Handel beträchtlich schädigen müsse, indem der einzige Hafen Ungarns dann mit Wien und nicht mit Pest in directer Verbindung stünde; so begann er für eine Bahn von Vukovár nach Fiume zu agitiren, und indem er auf die vielen Fälle hinwies, in denen die österreichische Regierung, ihrer Handelspolitik getreu, Triest auf Kosten Fiumes bevorzugte, appelirte er an die ganze Nation, damit sie diesen schädlichen Bestrebungen zuwider Fiume in ein Emporium des ungarischen Handels umgestalte. Seine Agitation blieb nicht erfolglos; die Eisenbahnlinie Vukovár-Fiume erhielt trotz der Anfeindungen der conservativen Partei eine ausserordentliche Popularität und in den Instructionen für die Deputirten zum 43er Reichstage stund diese Frage unter den ersten und wichtigsten. Die von dem genannten Reichstage entsendete Handelscommission, deren Elaborat bezüglich des Ausbaues eines Verkehrsnetzes sehr wichtige und fachmännische Grundsätze enthält, erklärte sich ebenfalls für den Bau dieser Bahn und verlangte, wegen ihrer hohen Bedeutung für den ausländischen Handel, die Uebernahme des Baues von Seiten des Staates. Nachdem noch der Reichstag das Princip aussprach, den Bauunterehmungen Zinsengarantie zu bieten, war das Zustandekommen der Linie fast gesichert. Trotzdem ging der Reichstag auseinander, ohne in dieser Angelegenheit ein erfolgreiches Resultat erzielt zu haben, so gross waren die Hindernisse, welche ihm theils von Seiten der Regierung, theils von der Triester Capitals- und Handelswelt in den Weg gestellt wurden. [18]

[18] Siehe Paul Szabó's Abhandlung in der „Vierteljahrschrift aus Ungarn" 1843, II. B., 2. Theil.

12*

Bald aber trat die Frage in eine ganz neue Phase, denn auch hier sollten sich Kossuth und Széchenyi als principielle Gegner entgegenstehen. Széchenyi hatte nämlich in der eigends für ihn errichteten Communicationsabtheilung im Schoosse des Statthaltereirathes die Stelle eines Präsidenten angenommen und durch den Beginn der Theissregulirung, welche ein riesiges Gebiet dem Lande gewinnen und dem verheerenden Elemente der Theiss entreissen sollte, ferner durch andere segensreiche Thätigkeit auf dem Gebiete des Verkehrswesens die Regeneration desselben nicht unbedeutend gefördert. Nun trat er gegen Kossuth's Lieblingsplan, den Ausbau der Linie Vukovár-Fiume auf und plaidirte für eine Linie Pest-Fiume, erstens weil er in Communications-Angelegenheiten von jeher strenger Centralist gewesen, zweitens weil die von Kossuth vertheidigte Linie dem eigentlichen Ungarn gar keinen Vortheil brachte, da sie kein einziges ungarisches Dorf berührte, drittens weil ihm das übertriebene Hochschätzen und die lärmende Schwärmerei betreffs des ungarischen Seehandels missfiel. Dennoch behauptete Kossuth die Oberhand, und sein Plan war es, unter dessen Fahne sich die überwiegende Majorität der öffentlichen Meinung schaarte.

In der Literatur erhielt das Communicationswesen durch die Arbeiten Szécheny's, Dessewffy's und Lónyay's einen bedeutenden Vorschub. Sowohl in seinem „Véleménye jelentés a Tiszaszabályozásról"(Pest 1846—1848), in den „Eszmetöredékek, különösen a Tisza ügy rendezéset illetőleg"(1848), in „A balatoni gőzhajózás" (1846), sowie auch in dem epochemachenden „Javaslat a magyar közlekedési ügy rendezéséről" bestrebte sich Széchenyi den Beweis zu führen, dass die Communicationsverhältnisse Ungarns nur dann in Wirklichkeit den Interessen des Landes entsprechen werden, wenn Budapest als das Centrum des Handels und Verkehres auch den Mittelpunkt in dem ganzen Strassennetze bilden wird, wenn ferner die staatlichen und nationalen Interessen mit den industriellen und commerciellen in harmonischer Wechselwirkung zu einander stehen werden. Die Verkehrsmittel sind mit Hilfe staatlicher Unterstützung zu bauen, dafür aber hat der Staat bei der Festsetzung der Tarife einen Einfluss zu üben; das Schwergewicht ist in Ungarn auf den Bau der Eisenbahnen zu legen. Ausserdem werden noch alle einschlägigen Fragen einer klassischen und

wahrhaft staatsmännischen Behandlung unterzogen, so dass selbst
',Hetilap" die Vorzüge und glänzenden Seiten des „Javaslat" nicht
ohne Anerkennung lassen konnte.

In vieler Hinsicht hatte D e s s e w f f y schon um Vieles früher
als Széchenyi in der Literatur auf eine nothwendige Reform des
Communicationswesens hingewiesen; in den „Alföldi Levelek"
schon betont er dieselbe mehr wie einmal und stützt sich dabei
auf das Zeugniss der ausländischen Autoritäten. Auch er scheint
sich mehr dem Staatsbahnsysteme anzuschliessen, obwohl er sich
für keines der vorgeschlagenen Systeme unbedingt entscheidet. In
Ungarn wird man wohl — meint er — nicht anders als mit Staats-
unterstützung und mit Hilfe eines Anlehens Bahnen bauen ; dabei
entwickelt er den Grundsatz, dass zu productiven Zwecken aufge-
nommene Anlehen für ein Land durchaus nicht gefährlich sind,
wenn sie wirklich productiv verwendet werden. Dessewffy nährt
keine Hoffnung, dass ungarische Eisenbahnen auf dem Wege der
Association zu Stande kommen werden. Hingegen will er die Regulirung der Flüsse gänzlich in den Händen des Staates und die
Interessen des Staates selbst in dem Falle gewahrt wissen, wenn
die Verkehrsstrassen durch Privatunternehmungen in's Leben gerufen werden, damit ihr monopolistischer Charakter nicht zu sehr
drohend werde ; doch findet es nicht seine Billigung, dass der Staat
das Verkehrsinstitut nach Ablauf einer bestimmten Zeit gegen Entschädigung solle an sich bringen können. Ergänzt werden diese
Ansichten in einem andern Werke Dessewffy's, in den 1844 veröffentlichten „Parlagi eszmék". Hier wünscht er, dass das Communicationswesen, als ein organisches Ganze, der Leitung einer verantwortlichen Landesbehörde unterstehe, welche zur Aufgabe
hätte, ein grossartiges, das ganze Land durchziehendes Strassen-
system auszuführen, die Flüsse zu reguliren, die Schifffahrt zu
befördern, den Ueberschwemmungsgefahren vorzubeugen, namentlich die Donau und die Theiss durch einen Canal zu verbinden, den
Hafen von Fiume zu verbessern, das Ludoviceum an sich zu bringen
und zwei Eisenbahnen zu bauen, von denen eine die untere Donau
mit dem ungarischen Küstenlande zu verbinden hätte.

Der Dritte, der mit einem selbständigen Werke auftrat, das
dem Communicationswesen gewidmet war, ist Melchior L ó n y a y,
der 1847—48 zu Pest seine Arbeit über die materiellen Interessen

Ungarns „Hazánk anyagi érdekeiről" veröffentlichte. Durch dieses Werk, in welchem die practischen und theoretischen Seiten des Communicationswesens mit seltener Klarheit und Umsicht behandelt werden, wurde Lónyay in Wirklichkeit der Bahnbrecher für die ungarische Fachliteratur in dieser Richtung, und als treuer Anhänger der englisch-französischen Schule, dabei aber doch nicht ohne Originalität und Selbständigkeit, kann er mit Recht als Volkswirth den Celebritäten des Auslandes an die Seite gestellt werden.

Ausserdem beschäftigten sich noch mit dem Communicationswesen Pulszky und Tréfort in einigen gründlichen Artikeln des „Pesti Hirlap", ferner Poroczkay, der über die Erweiterung des Franzenscanales, und ein Anonymus, der über den Fiumaner Hafen schrieb.

VII. Hinsichtlich der Landesfinanzen und deren Regelung war es eine schwierige Frage, deren Beantwortung von Tag zu Tag brennender wurde, und diese Frage lautete: Wie könnte man in Ungarn ein finanzielles System begründen, welches die Ausführung der unaufschiebbar gewordenen volkswirthschaftlichen und Culturzwecke ermöglicht, ohne das materiell ungünstig gestellte Volk gar zu hart zu bedrücken? Diese Frage wurde immer lauter, je mehr es klar wurde, dass die zu ihrer Lösung aufgetauchten verschiedenen Pläne nur durch Staatsmittel ihre Verwirklichung finden können. Vor Allem wichtig ist der Ausspruch der vom 1843—44er Reichstage entsendeten Handelscommission. Dieselbe basirt das ganze Finanzsystem auf das Princip der allgemeinen Besteuerung, lässt das Einkommen der Staatskassa theils aus einem Anlehen, theils aus der Emittirung von Papiergeld, theils wieder aus directen, und indirecten Steuern, theils endlich aus den Einkünften der Staatsgüter fliessen; als Richtschnur für die ganze Operation müsse aber die grösstmögliche Sparsamkeit und Schonung der nationalen Erwerbsquellen dienen. Hierauf stellt sie einen Plan auf, nachdem das Finanzwesen zu organisiren wäre und bringt so ein, wenn auch heute nicht mehr befriedigendes, doch ein Elaborat zu Stande, das seinerzeit jedenfalls einen Fortschritt in den Anschauungen bedeutete. Jedoch alle diese Bestrebungen blieben ohne jede practische Verwirklichung; weder der Reichstag noch die Regie-

rung machten Schritte, welche die Lösung dieser hochwichtigen
Reformfrage befördert hätten.

Literarisch behandelten die Frage K i s s in seinem „Magyar
kincstár jövedelmei" (Ofen 1846); R ó t h : „Ueber den Geldmangel
in Siebenbürgen (Kronstadt 1848); L ó n y a y in seinen „Materiellen Interessen"; K a r v a s y in seinem Lehrbuche und den
wir zuerst hätten nennen sollen, Emil D e s s e w f f y in seiner
Schrift: „Fizessünk mennyit becsülettel elbirunk magunknak
magunkért", die erst unter dem Titel „Magyar financziáról",
„Ueber ungarische Finanzen" im „Budapesti Hiradó" (1847, Juli),
dann aber gesammelt und überarbeitet, selbständig erschienen ist.
Sie enthält das erste practische System eines ungarischen Finanzwesens, welches den Anforderungen des Zeitgeistes entspricht und
auf gründlichen Studien beruhend nicht von leeren Hirngespinnsten, sondern von reifer Erwägung der concreten Lebensverhält-
nisse ausgeht.

Von anderer Seite zeigte Ludwig B e n i c z k y in seinem:
„Magyarország pénzviszonyai, bányászata és kamara rendszere" (in
Bajza's Ellenör), wie das bestehende Finanzsystem das ungarische
Montanwesen und die Eisenindustrie unterdrückt, während
K o s s u t h in seiner Abhandlung „Adó" (Die Steuer) das Princip
der allgemeinen Besteuerung als ein Postulat der Civilisation hin-
stellt und die Einnahmsquellen des Staates einer eingehenden
Besprechung unterzieht. Endlich lieferte auch T r é f o r t einige
Beiträge zur Organisirung des Finanzsystemes im 1845er Jahrgange des „Pesti Hirlap" und bringt er daselbst die Einführung
der Stempelgebühren, der Verzehrungssteuer und der Brannt-
weinaccise in Vorschlag.

Um nicht später noch einmal den hier unterbrochenen Faden
aufnehmen zu müssen, wollen wir einige Arbeiten registriren, die
erst im Jahre 1848 das Licht der Welt erblickten. So: Baron D.
K e m é n y : „Adórendszer" (Pest 1848); P a l t a u f : „Die Kunst
aus Nichts Geld zu machen" (Tyrnau 1847), ein von R a u zu den
Geldmystikern gezähltes Werk, welches die Emittirung von
uneinlösbarem sogenannten Volksgelde empfiehlt und endlich die
werthvollen „Pénzügyi Levelek" (Finanzielle Briefe 1848) von
Melchior Lónyai, welche einige finanzielle Verwaltungsmassregeln
der ungarischen Regierung einer scharfen Kritik unterziehen

und die Art und Weise der Grundentlastung mit vielem Tact und richtigem Urtheile behandeln.

Von literarischem Interesse ist es noch, dass auch die schwärmerischen Ideen der Socialisten und Communisten in Ungarn eifrige Vertreter fanden; das beweist die Artikelreihe im „Századunk" über den Socialismus und Communismus (1845, Nr. 34 bis 37) und eine Arbeit des Freiherrn Josef von D e r c s é n y i, die unter dem Titel „Tanulmányok a Communismusnak egy humanus ellenszeréről", Pest 1846, ein humanistisches nationalökonomisches System empfiehlt, aber aller Originalität und Selbständigkeit baar ist, und die kämpfende Menschheit nicht um eines Haares Breite der Lösung ihrer schwierigen Gesellschaftsprobleme näher gebracht hat.

VIERTES KAPITEL.

Die 1848er Umgestaltung und ihr volkswirthschaftlicher Ideenkreis. — I. Die Anfänge und Vorzeichen der Krisis. — II. Der 1847—48er Reichstag und dessen volkswirthschaftliche Beschlüsse. — III. Die neue ungarische Regierung und die volkswirthschaftlichen Verordnungen und Beschlüsse der 1848er Pester Nationalversammlung. — IV. Die Revolution und deren Folgen. — V. Kurzer Rückblick auf den ganzen Zeitraum.

I. Die wenigen Monate, welche zwischen den hier geschilderten Kämpfen und dem epochalen Reichstage von 1848 dahinflossen, tragen einen vorwiegend politischen Charakter und bieten in Bezug auf die volkswirthschaftliche Ideenentwickelung nur wenig des Interessanten. Doch sind die von den Conservativen und der Opposition aufgestellten Programme, sowie die Instructionen der Comitate für ihre Deputirten auch in volkswirthschaftlicher Beziehung nicht ohne alle Bedeutung.

Der Ausgangspunkt der Conservativen bildete das Princip einer starken Regierungsgewalt, eine stufenweise Lösung der Reformfragen und eine gründliche Verbesserung der materiellen und volkswirthschaftlichen Zustände. Wenigstens nicht entschieden war aber in demselben Programme die Rechtsgleichheit, die allgemeine Besteuerung, die Gleichheit vor dem Gesetze, das Princip der Volksvertretung ausgesprochen, ebenso viele Vorbedingungen, ohne die eine materielle Regeneration in einem civilisirten Staate

nicht möglich, ein industrieller und wirthschaftlicher Fortschritt
nicht denkbar ist.

Hingegen betonte das Programm der Opposition diese Vor-
bedingungen viel nachdrücklicher; es stellte eine harmonische
Reform sowohl im Gebiete des öffentlichen als socialen Lebens,
sowohl in der Verfassung als in der Volkswirthschaft in die erste
Reihe des zu Leistenden. Es strebte die Interessengemeinschaft
aller Schichten der Bevölkerung an, verlangte die Aufhebung der
Unterthanenverhältnisse und die Ausdehnung der bürgerlichen
Rechte des Adels auch auf alle Nichtadeligen des Landes.

Diesen Programmen gemäss verfertigten auch die Comitate
ihre Instructionen; der Ausbau der Verkehrsstrassen mit Hilfe des
Staates durch Zinsengarantie, die Einführung der Grundbücher
und andere vom Geiste der modernen Zeitbewegung durchhauchte
Principien fanden in ihnen die Anerkennung der ungarischen
Nation.

II. Selbst wenn uns die grossen politischen Errungenschaften
dieses Reichstages nicht so frisch noch im Gedächtnisse wären,
als sie es in Wirklichkeit sind, würden wir es kaum unternehmen,
hier eine Schilderung derselben zu liefern, einmal weil sie nicht
direct in den Rahmen unserer Aufgabe passt, zweitens weil wir
uns viel zu schwach fühlen, um der epochemachenden Umgestaltung einen, wenn auch nur halbwegs getreuen Ausdruck verleihen zu können. Worauf wir uns hier beschränken, ist die Skizzirung des Ideenkreises und der Institute, wie sie sich im Laufe
dieses Reichstages auf dem Gebiete der Volkswirthschaft kund-
gegeben.

Schon die königlichen Vorlagen tragen den Stempel der
Nachgiebigkeit in Ansehung der Reformfragen an sich; die
Abschaffung der Aviticität, die Einbürgerung der Grundbücher,
die definitive Regelung der Urbarialverhältnisse, die Aufhebung
der Zollschranken zwischen Ungarn und Oesterreich waren die
Anforderungen, die sie stellte, welche wohl auch jetzt noch keine
endgiltige Erledigung fanden, aber doch einen Fortschritt in den
Regierungskreisen bedeuten. In dem Reichstage selber wurde
diese Nachgiebigkeit in weitem Maasse ausgenutzt und so entstanden die Gesetzartikel 8, 9 und 12, von denen der erste das
Princip der allgemeinen Besteuerung festsetzte, der zweite die

bisher bestandenen Frohnden, Robot, Zehnten und andere Zahlungen in Geld auf ewig aufhob und die Entschädigung der Grundherren unter den Schutz der nationalen Ehre stellte, der letzte hingegen die staatliche Entschädigung der durch den 9. G.-A. aufgehobenen Einkünfte aus den privaten Herrschaftsdomänen behandelt. Hiermit im Zusammenhange steht die Commassirung, die Ausscheidung der Weide, die Regelung der Holznutzung (X. G.-A.), die Aufhebung der grundherrlichen Gerichtsbarkeit (XI. G.-A.), die Aufhebung der geistlichen Zehnten (XIII. G.-A.), die Errichtung eines Creditinstitutes mit staatlicher Unterstützung, des Bodencreditinstitutes, (XIV. G.-A.); ferner die principielle Aufhebung der Aviticität (XV. G.-A.).

Das sind die hochwichtigen volkswirthschaftlichen Gesetze des 48er Reichstages; fügt man noch hinzu, dass dieser Reichstag in Ungarn ein verantwortliches Ministerium schuf und das Princip der Volksvertretung durch Repräsentation verwirklichte, daher dem Lande eine vollkommene staatliche Selbständigkeit sicherte, so wird man die Tragweite jenes Einflusses zu schätzen wissen, den dieser Reichstag auf die Neugestaltung der ungarischen Nation genommen.

III. Im Schoosse der neuen Regierung waren drei Portefeuilles den volkswirthschaftlichen Interessen gewidmet, das des Ackerbaues, der Industrie und des Handels, das der Communication und das der Finanzen. Alle drei Minister entfalteten mit Hilfe der ersten nach Pest einberufenen Nationalversammlung eine rege Thätigkeit, die heilsame Früchte hätte tragen können, würde nicht der rasende Sturm der Revolution die Früchte sammt dem Baume hinweggefegt haben.

Die erste wichtige Frage bildete die Entschädigung der Grundbesitzer. Im Sinne der 1848er Gesetze unterbreitete Kossuth, als Finanzminister, der Pester Nationalversammlung einen diesbezüglichen Gesetzesvorschlag, demzufolge diese Entschädigung vermittelst der vom Staate zu emittirenden fünfpercentigen consolidirten Staatsschuldbriefe und der ebenfalls fünfpercentigen „interimistischen Versicherungsscheine" bewerkstelligt werden sollte. Nach einigen Modificationen wurde dieser Gesetzesvorschlag von der Legislative zum Beschlusse erhoben. In Bezug auf die Ablösung des Weingartenzehntes wurde festgesetzt, dass sich das Princip der Entschädigung von Seiten des Staates auf dieselbe nicht unbedingt erstrecke, während man bezüglich der „Colonisationen" darin überein kam, dass dieselben vorderhand nur auf Staatsgütern bewerkstelligt werden sollen und auch da mit Berücksichtigung der nationalen und politischen Interessen. Zu gleicher Zeit wurde auch die Frage, ob Staatsgüter verkauft werden mögen oder nicht, dahin entschieden, dass die Feilbietung derselben in kleinern Partien zu geschehen habe.

Aus dem Bereiche der Industrie und der Fabrication ist nichts Besonderes zu verzeichnen, höchstens das Gewerbestatut K l a u z a l's, das wohl den modernen Anschauungen nach mehren Seiten hin huldigt, aber doch noch einige Mängel des Zunftsystemes beibehält. .

Von grösserer Bedeutung ist die Behandlung des Zollsystemes. Die Regierung sowohl, als auch die Legislative bestand der Majorität nach aus Anhängern des Schutzzollsystemes; selbst in dem wirthschaftlichen Landesvereine, der doch vor allem Andern die freihändlerische Richtung hätte vertreten sollen, erlangten protectionistische Zwecke die Oberhand; in der Literatur und Journalistik unterschrieben jetzt Viele von denen die Grundsätze des Protectionismus, die früher erbitterte Feinde derselben gewesen; [1] K l a u z a l selber, der das Ministerium des Handels leitete, hielt im Reichstage eine derartige von protectionistischen Principien gesättigte Rede, [2] dass es zu verwundern ist, wie eine solche Rede von einem Minister gesprochen werden konnte, der ein College Széchenyi's gewesen. Andererseits hingegen verlangte der Minister die Erlaubniss zum Abschlusse von Handelstractaten mit fremden Staaten und nicht nur mit den österreichischen Erbländern, an deren Grenzen die Regierung die Zollschranken in wirkliche Landeszolllinien umwandeln wollte.

Die neue Regierung hatte noch ein grosses Hinderniss zu überwinden, das in der Beschaffung des zum Regieren und zur Ausführung der projectirten Reformen nöthigen Geldes bestand. Da gab es nun einen Weg, die Emittirung von Banknoten. Zur

[1] So z. B. Johann T ö r ö k in „Magyar Gazda" Nr. 34. Siehe noch über T r é f o r t: Erkövy's Arbeit im „Magyar Világ" 1866 vom 20. April, Nr. XXV.
[2] Vergleiche Dionysius P a p: „A pesti nemzetgyülés" (Die Pester Nationalversammlung) II. p. 118—128.

Herbeischaffung der hierzu nöthigen Fundation erliess Kossuth einen Appell an den Patriotismus der Nation, dem Staate leih- oder geschenkweise Geld vorzustrecken; von den in Folge dieses Nationalanlehens einlaufenden Summen beabsichtigte die Regierung vorderhand fünf Millionen Gulden als Fundation der in Ein- und Zweiguldennoten zu emittirenden $12\frac{1}{2}$ Millionen zu verwenden. Dieses Verhältniss sollte ein ständiges bleiben. So sollte die erste ungarische Nationalbank entstehen. Ein zweites Mittel war die Reform des ungarischen Steuersystemes. Diese bewerkstelligte Kossuth in einer dem Reichstage unterbreiteten Schrift, derzufolge von nun ab auch in Ungarn die Steuern in directe und indirecte eingetheilt wurden. Zu den ersten wurden gezählt: die Grund-, die Haus-, die Erwerbs-, die Personal- und die Absenteistensteuer; zu den zweiten: die Branntwein-, die Schank-, die Tabakverkaufssteuer, die Stempel- und Registrirungsgebühr. Was die Repartirung und Einsammlung der Steuer betrifft, heben wir nur Folgendes hervor: Nur wahres Vermögen und wahre Zahlfähigkeit bilde das Steuerobject; die Steuer schone die Industrie und ersticke nicht den Fleiss, sie treffe nie das Capital selber; den Steuerschlüssel setzt der Reichstag fest; die Steuer wird gemeindeweise ausgeworfen, sowohl die Repartirung, als die Einsammlung geschieht durch Regierungsbeamte. Mit Rücksicht auf die Grundsteuer wird das Land in neun Klassen getheilt, in jeder Klasse wird der Boden nach Verhältniss seiner Qualität und seines wahrscheinlichen Ertrages besteuert; Steuereinheit ist das Joch. Die Erwerbssteuer beträgt sechs Percent des Reineinkommens. — Bei der nur kurzen Debatte über diesen Vorschlag tauchten auch schon das Princip der Progressivsteuer auf und zog besonders Lónyay durch seine gründlichen und richtigen Bemerkungen die allgemeine Aufmerksamkeit auf sich.

Wenden wir uns nun zu einer andern wichtigen Frage, zu der von den Staatsschulden. Wir können hierbei kurz sein, denn die Frage hat einen mehr politischen als volkswirthschaftlichen Charakter. Durch die neue Stellung, in welche Ungarn zufolge der 1848er Umgestaltung zu Oesterreich kam, wurde es fraglich, ob Ungarn verpflichtet sei, zur Tilgung der österreichischen Staatsschuld beizutragen oder nicht? Der König verlangte nun, der Reichstag möge den Beitrag des vierten Theiles zu der jährlich zu zahlenden Zinsensumme in der Höhe von zehn Millionen übernehmen. Doch hierzu hielt sich der 1848er Reichstag nicht für competent und überliess die Lösung der Frage dem neu zu berufenden Reichstage, der schon auf dem Repräsentativsysteme beruhen sollte. Unterdessen hatte aber Kossuth mächtig gegen die Uebernahme dieser Quote agitirt, und die Agitation war ihm diesmal besonders leicht, da die Nation nie eine grosse Lust verspürte, an der Sühne für österreichische Staatsverschuldungen und an der Tilgung österreichischer Staatsschulden Theil zu nehmen. Man machte geltend, die österreichische Regierung habe das Geld ohnehin zur Knechtung Ungarns und zur Beeinträchtigung seiner Interessen verwendet; andererseits meinte man, Ungarn habe durch seine Beiträge zur Deckung der durch die französischen Kriege verursachten Kosten den ihm von der pragmatischen Sanction auferlegten Pflichten mehr wie Genüge geleistet. So blieb die Staatsschuldenfrage inmitten der heissen Reibungen und Kämpfe, welche zwischen der österreichischen und ungarischen Regierung entstanden, ungelöst und diente den österreichischen Regierungsmännern nur als ein Mittel mehr, um die Selbständigkeit Ungarns zu unterdrücken und die Völker der übrigen Länder gegen dasselbe aufzuhetzen.

IV. Da brach auf einmal die Reaction herein. Der Reichstag wurde aufgelöst, und die Nation griff zu den Waffen, um ihre heiligen Rechte der Unabhängigkeit zu wahren. An die Stelle fruchtbarer Thätigkeit trat furchtbarer Krieg, alle die schönen Pläne zur Hebung der materiellen Interessen wurden von den Kugeln durchrissen, die ein Bruder auf den andern losfeuerte; was die organisatorische Kraft der aufstrebenden Nation geschaffen, wurde schon in zarter Jugend von dem verheerenden Kampfe verwüstet, und wo früher ein rühriges Leben und Weben zur Pflege des Geistes geherrscht, da gab es jetzt ein heldenmüthiges wohl, aber trauriges Schlachten für die Freiheit und die Selbständigkeit.

Und wohin kamen die grossen Männer, deren Geist eine Nation geleitet, deren Wort Millionen von Herzen in Bewegung setzte, deren Thaten die Blüthe eines Landes beförderten? Was aus ihnen wurde? Jener grosse Mann, der die Fahne der Reform vorangetragen, „der grösste Ungar" wanderte mit umnachtetem Geiste in die enge Zelle eines Irrenhauses, er, dessen Seele die

Welt umfasste; der schwere Fall der Nation brach ihm das Herz, das tiefe Unglück seines Volkes webte den Schleier des Wahnsinnes um sein klares, gedankenreiches Gehirn. Und die Andern? Wer dem Beile entrann, suchte Zuflucht in fremdem Lande; mit gebrochenem Herzen und zur Unthätigkeit verdammt ihrer Heimat gedenkend irrten sie umher. So hatte die Revolution auf unproductive, ja fluchwürdige Weise die Capitalien vernichtet, welche die Völker in den Tagen des Friedens im Schweisse ihres Angesichts mühsam zusammengetragen.

V. So sehr auch der volkswirthschaftliche Ideenkreis in diesem Zeitraume von dem des ihm unmittelbar vorangegangenen in einzelnen Punkten sich unterscheidet, so muss er doch im Ganzen als eine organische Stufe in der Entwickelung der volkswirthschaftlichen Anschauungen angesehen werden. Die einzelnen Principien erhielten jetzt nur eine klarere und präcisere Gestaltung, sie gewannen an Umfang und Tiefe. Ein Characterzug dieses Zeitraumes ist das Vorwiegen des Protectionismus und mit dem Stärkerwerden des nationalen Gefühles auch das Streben nach materieller Isolirung und die Selbstgenügsamkeit, ferner die realistische Richtung der Ideenentwickelung, die dem Projecte und der Idee gleich die Ausführung und Praxis auf dem Fusse folgen lässt. Von besonderer Bedeutung ist der Einfluss, den die auswärtige Literatur auf die ungarischen Geistesproducte jetzt übte; nicht als ob früher und das besonders seit 1790 die ausländische Literatur in Ungarn unberücksichtigt geblieben wäre; aber in so hohem Masse und mit so weiter Anwendung auf das practische Leben und die vaterländischen neuen Institutionen, wie in diesem Zeitraume, wurden die Theorien und Principien der ausländischen Capacitäten nie zuvor nach Ungarn verpflanzt. Es genügt hier, wenn wir nur auf den mächtigen Einfluss hindeuten, den List's: „Nationales System der politischen Oekonomie" auf die Lenker der ungarischen öffentlichen Meinung genommen, um unsere Behauptung in genügendem Masse zu rechtfertigen.

Und wie gross ist nicht die Anzahl der Irrthümer, in denen sich die besten Köpfe zum Nachtheile des öffentlichen Wohles wiegten!? Wir wollen hier nur auf einige hinweisen. War es kein arger Fehler, wenn man die Industrie eines Volkes für eine todte Maschine ansah, die man nach Lust und Belieben zu regeln vermeinte? Der Fehler rächte sich und gebar und verbreitete den Protectionismus. — Ein bedeutender Fehler war es, dass man das Studium der Nationalökonomie nur leicht hinnahm; wer etwas geraden Verstand hat, meinte man, könne in national-ökonomischen Dingen das Wort führen; so kam es, dass die Stimme der Uneingeweihten zum Nachtheile der Nation und zur Beeinträchtigung der Parteiwürde sehr oft auch dort laut wurde, wo es des tiefen Blickes und scharfen Urtheiles des Eingeweihten bedurfte. Es fehlte endlich noch ein klares System in der Organisation der volkswirthschaftlichen Verhältnisse; daher die vielen Widersprüche, daher das unsichere Herumtappen, denen wir noch so oft begegnen. Hieraus ist ersichtlich, dass die Entwickelungsstufe des national-ökonomischen Ideenkreises auch in diesem Zeitraume nur noch ein Uebergangsstadium bildete; und dass Ungarn noch immer weit ab stand von dem Punkte, bis zu dem die westeuropäischen Völker schon angekommen waren.

Was insbesondere die national-ökonomische Literatur anbelangt, so hatte sie in Ungarn während dieses Zeitraumes ihre erste Blüthezeit durchgelebt; denn die Werke eines Széchenyi, Dessewffy, Lónyay, Tréfort, Korizmics, und theilweise auch die Schriften Kossuth's können wir den contemporären Arbeiten der ausländischen Nationalökonomen würdig an die Seite stellen; wir müssten denn hier die Productionen des deutschen Geistes ausnehmen, deren philosophische Tiefe, abstracte Methode und strenge systematische Gliederung unter den ungarischen Schriftstellern keine Anhänger, — oder sollen wir sagen Rivalen? fand. Im Gegentheile haben sich dieselben immer mehr den leichten Styl und die practische Behandlungsweise der Franzosen, Italiener und Engländer zum Vorbilde genommen.

Sechster Zeitraum.

Die Erhebung des volkswirthschaftlichen Ideenkreises auf ein universelles Niveau.

ERSTES KAPITEL.

Der politische, volkswirthschaftliche und Culturzustand Ungarns während der Jahre 1850—1865. — I. Die Sistirung der Verfassung und die Regierungsexperimente des österreichischen Absolutismus. — II. Der volkswirthschaftliche Zustand Ungarns; die diesbezüglichen Bestrebungen und Kämpfe während dieses Zeitraumes. — III. Die Culturzustände und die wissenschaftlichen Fortschritte Ungarns von 1850—1865.

I. Verstummt war die letzte Kanone vor Világos, und es trat Stille ein im Lande Oesterreich; doch es war die Stille des Friedhofes. Die siebzehn langen und bangen Jahre, die von dem Freiheitskriege bis zur Eröffnung des 1865er Reichstages dahingeflossen, sie bilden den dunkeln Hintergrund für immer neue und neue Experimente, mit denen man eine Nation zu knechten, ihre Vergangenheit zu verwischen, ihre Selbständigkeit und Eigenthümlichkeit zu untergraben und ihre Zukunft zu vernichten suchte. Bald war es der rauhe Hauch der Bureaucratie, welcher das autonome Leben in Ungarn vergiften, bald die eiserne Faust des Centralismus, die jede freie, nationale Regung ersticken sollte. An die Stelle der Reichstagsgesetze traten kaiserliche Patente; die Nation musste schweigen, wo Aristocraten und Ultramontane unter der Fahne des Feudalismus und der Volksverfinsterung ihre freiheitsmörderische Stimme erhoben, und „Ruhe herrschte überall; trieb doch die spionirende Polizei ihr fluchwürdiges Handwerk mit seltener Anstrengung.

Theilweise findet wohl die absolutistische Unificationsbestrebung der österreichischen Staatsmänner eine leise Entschuldigung

in der allgemeinen Richtung des europäischen Geistes; andererseits kann nicht geläugnet werden, dass man bestrebt gewesen,
mehr wie eines zur Hebung der Industrie, des Handels, der Landwirthschaft und aller übrigen Zweige der Volkswirthschaft beizutragen; hie und da liess man sich sogar herbei, durch eine democratische Hülle, in die man die eine oder andere Institution warf,
derselben ein gefälligeres Aeusseres zu verleihen; eine süssliche
Schale sollte den bittern Kern verhüllen; aber die Nation schied
die Pille von der Enveloppe, und der Fluch, der allen absolutistischen Regierungsformen anhängt, verhinderte und beeinträchtigte
die Ausführung und die Erfolge selbst jener Verordnungen, die
unter freiheitlichern Umständen von beglückendem Segen begleitet worden wären.

Doch auch diese Nacht nahm ihr Ende. Die Jahre 1861 und
1865 bildeten den Wendepunkt zum Bessern. Durch den immer
grössern Verfall der Monarchie, durch die wuchtigen Unglücksschläge, die dicht nach einander das Reich und seinen Monarchen
trafen, erwachte Letzterer aus dem Zauberschlafe, in den ihn
heuchlerische und falsche Rathgeber eingewiegt; er zerbrach den
Ring, den eine verblendete Partei um ihn gespannt, und nachdem er mit eigenen Augen die wahre Lage seiner Völker wahrgenommen, gab er, dem aufrichtigen Rathschlage wahrer Freunde
des Landes und der Dynastie sein Ohr leihend, der Nation ihre
Freiheit wieder und setzte sie in ihre alten Rechte ein.

II. Mit der politischen Umgestaltung ging auch die volkswirthschaftliche Hand in Hand. Während der siebenzehn Jahre des
Absolutismus erlitten Industrie und Landwirthschaft mehr als
einen mächtigen Stoss, welcher das gesammte volkswirthschaftliche Leben der Nation auf neue Grundlagen stellte, neue Bedürfnisse schuf und neue Ausgaben in's Leben rief. Es wurden die
Fesseln gelöst, welche die Urproduction in ihrer Entwickelung
hinderten; die noch bisher bestandenen feudalen Institutionen
wurden abgeschafft, die Naturalwirthschaft durch die Geldwirthschaft abgelöst, neben dem Grund und Boden erhoben sich auch
Capital und Arbeit zu einer einflussreichen Geltung, das Uebergewicht des Grundbesitzes hörte auf und gegenüber der Geburts-
aristocratie traten nun democratische Bürgerelemente und die
Geldaristocratie in den Vordergrund. Der Credit, dieser mächtige

Factor des moderen Volkslebens, gewann von Tag zu Tag eine wichtigere Rolle im Gebiete der Volkswirthschaft und wies auch in Ungarn der materiellen Entwickelung neue Bahnen an. Eine andere wichtige Folge der politischen Umgestaltung war die Aufhebung des Dualismus und die Verschmelzung der materiellen Interessen und des finanziellen Haushaltes beider Theile der österreichisch-ungarischen Monarchie. Unter dem Einflusse dieser Factoren bewegte sich die ungarische Volkswirthschaft, bald vorwärts schreitend und blühend, bald tief in den Abgrund des Verfalles gestürzt und faulend, angefressen von dem immer nagenden Krebs der österreichischen Finanzwirren. Ein Fortschritt lag in der Beseitigung des Hemmschuhes, den die feudalen Institutionen dem Grundbesitz angelegt, in der technischen Vervollkommnung des wirthschaftlichen Betriebes, in der Einbürgerung zahlreicher Errungenschaften auf dem Gebiete des Verkehres und der Industrie, in der Hebung des Credites und in der vielseitigern Berührung, in welche jetzt Ungarn zu andern Culturstaaten trat. Man begann Handel und Gewerbe als eine selbständige Lebensbeschäftigung zu üben, die Fachkenntniss und der Unternehmungsgeist wuchsen, das Capital war nun nicht mehr der Industrie und den Verkehrszweigen abgeneigt, und wo man früher auf Staatshilfe vertraute und Alles von der Thätigkeit des Staates erwartete, da griff jetzt der private Fleiss selber zu und die Initiative von Seiten der Einzelnen trat in den Vordergrund.

Aber nicht kleiner ist die Reihe der Nachtheile und Unglücksschläge, welche während dieser Zeit die ungarischen volkswirthschaftlichen Verhältnisse trafen. Theils waren es elementare Unfälle (Viehseuche, Ueberschwemmung, Frost und Dürre), theils die Folgen der politischen Umgestaltung (Theilnahme an den österreichischen Finanzwirren, Schwankungen des Agio, riesige Steuern), welche schwer auf dem Lande lasteten. Die kleinlichen Nergeleien und Plackereien von Seiten der Finanzorgane, die künstlich in die Höhe geschrobene Theuerung der Production und des Verkehres, der überaus hohe Stand des Arbeitslohnes und des Capitalzinses, die drückenden Steuern auf den natürlichsten Industriezweigen des Landes hielten die besten Kräfte gefesselt und verhinderten einen Aufschwung, den Production und Verkehr unter gesunden Umständen in hohem Masse hätten nehmen müssen.

III. Hinausgedrängt aus dem weiten, gefährlichen Meere autonomer, politischer Thätigkeit, suchte die Nation Zuflucht in dem Hafen der Wissenschaft, der Literatur und der socialen Entwickelung. Die besten Kräfte schaarten sich hier um die verwaiste, zusammengerollte Fahne der nationalen Bestrebungen, und den Faden, den das Schwert des Absolutismus auf der rauhen Bahn des practischen Lebens abgeschnitten, webten sie hier fort an dem Webstuhle des Geistes. Auf allen Gebieten der Cultur und des Wissens erwachte neues, geistiges Leben, Philosophie und Geschichte, Ethnographie und Sprachwissenschaften, Jus und Politik, Statistik und National-Oekonomie werden auf das Niveau europäischer Wissenschaft gehoben; in selbständigen Arbeiten und Zeitschriften gibt sich eine lebendige Thätigkeit kund, die productive Fähigkeit nimmt zu und der Fortschritt zu einer universellen Weltanschauung wird von Tag zu Tag sichtbarer.

Auch auf dem socialen Gebiete regt es sich mächtig. Die ungarische Academie erwacht zu neuem Leben und erzielt auf den verschiedenen Gebieten der Wissenschaft nicht ganz zu unterschätzende Erfolge. In dem wirthschaftlichen Landesvereine wächst die Zahl der Mitglieder, und das Interesse an seiner Thätigkeit wird immer allgemeiner. Das Unterrichtswesen vervollkommnet sich und an den Hochschulen, wo hochbegabte Männer wirken, beginnt unzweifelhaft eine wissenschaftlichere Richtung zu herrschen; kurz in allen öffentlichen und Privatkreisen bricht sich die Ansicht Bahn, dass sich Ungarn nur in Folge eines Vorschreitens auf dem Wege der Wissenschaft am ehesten den übrigen europäischen Culturstaaten nähern könne.

ZWEITES KAPITEL.

Der volkswirthschaftliche Ideenkreis während dieses Zeitraumes im Allgemeinen und die national-ökonomische Literatur insbesondere. — I. Der volkswirthschaftliche Ideenkreis. — II. Die national-ökonomische Literatur. — III. Die bedeutenderen Vertreter der ungarischen, volkswirthschaftlichen Literatur.

I. Es ist nicht zu verkennen, dass die neuere national-ökonomische Geistesrichtung an Breite und Tiefe zugenommen, dass sie einen universelleren Charakter trägt, was sich besonders in dem Umstande ausspricht, dass sich die modernen Anschauungen

13*

bezüglich der Volkswirthschaft immer mehr Anerkennung verschaffen, dass man immer mehr die Interessengemeinschaft nicht nur zwischen den verschiedenen Klassen eines und desselben Volkes, sondern auch zwischen verschiedenen Völkern einzusehen beginnt, dass der Protectionismus nun wieder gegenüber dem Freihandelssysteme in den Hintergrund zurücktritt, dass die Wichtigkeit und Bedeutung der Volkswirthschaftslehre und das Studium derselben immer mehr erkannt wird, dass ihre Theorien auf dem Gebiete der Literatur sich ein immer grösseres Feld aneignen, dass sich endlich die volkswirthschaftlichen Ideen zu einem einheitlichen Ganzen, zu einem Systeme gestalten.

Die Quellen, aus welchen die volkswirthschaftlichen Anschauungen während dieses Zeitraumes fliessen, haben wohl durch das Darniederliegen der legislativen Thätigkeit der Nation einen unersetzlichen Verlust erlitten; dafür sprudelten jene um so reichlicher, die auf socialem Gebiete lagen. Die zahlreichen landwirthschaftlichen Vereine, welche um diese Zeit an verschiedenen Punkten des Landes sich constituirten, die statistische und national-ökonomische Section der Academie der Wissenschaften, die Handels- und Gewerbekammern und vor allen Andern der landwirthschaftliche Landesverein verfolgten alle national-ökonomischen Regungen mit lebhafter Aufmerksamkeit und spiegelten in den diesbezüglichen Debatten und Arbeiten den volkswirthschaftlichen Ideenkreis der Nation am getreuesten wieder. Hieran reiht sich die ungarische Journalistik, die trotz des schweren Druckes, mit dem die Censur, jeden freien Gedankenausdruck hemmend, auf ihr lastete, seit 1857—58 doch einen mächtigen Aufschwung nahm; da verdient an der ersten Stelle der „Pesti Napló" (seit 1850), das Organ der gemässigten Opposition, genannt zu werden, und neben ihm „Magyar Sajtó", „Magyarország", „Ország" und „Hon", ferner „Független", „Pesti Hirnök" und „Sürgöny", letzteres das Organ der Regierung und conservativen Partei; und endlich in deutscher Sprache, aber mit echt ungarischer und patriotischer Richtung der „Pester Lloyd", der sich in politischer Beziehung dem „Pesti Napló", in volkswirthschaftlicher hingegen mehr dem democratischen und liberalen „Hon" näherte. Ausser diesen politischen Tagesblättern beschäftigten sich noch eingehend mit den national-ökonomischen Verhältnissen die „Gazdasági

Lapok" (seit 1850), der „Magyar Közgazda" von Rózsaági (seit
1863), Érkövy's „Gazdasági füzetek" (seit 1862), Szathmáry's
Wochenblatt „Anyagi érdekek" (von 1864—65), Pesti's „Delejtü" (Temesvár 1860 und 1861), Toldy's „Uj magyar muzeum" (1850 bis 1858) und endlich das ausgezeichnete, von Csengery und Lónyay redigirte „Budapesti Szemle" (von 1856—57
bis 1870).

II. Die vorangeschickte kurze Skizze der publicistischen
Literatur findet ihre Ergänzung in der Schilderung der einschlägigen Fachliteratur, die jetzt reichlichere Früchte zu Tage förderte wie je zuvor. Die Literatur wurde bald als jenes neutrale
Gebiet erkannt, auf dem allein sich noch der Gedanke freier bewegen konnte und wo er nicht so leicht von der streichenden Hand
der Censur getroffen wurde. Die Arbeiten, welche diese Fachliteratur hervorbringt, haben nun schon den Charakter der Partei-
lichkeit abgeworfen, den sie noch im vorigen Zeitraume getragen,
und zeichnen sich durch grössere Objectivität und Systematik aus,
ihr Standpunkt und Ideenkreis ist ein vorurtheilsfreierer geworden,
und wird ihr Anschluss an die ausländische Literatur immer
bemerkbarer, wenn auch kein fremdes System sich einer ausschliesslichen oder auch nur vorwiegenden Herrschaft erfreut.
Aber noch immer zeigt sich nur wenig Geneigtheit zu tieferen
Studien, noch immer sind gründliche Argumente und detaillirte
Daten seltener als schillernde Phrasen und oberflächliche Urtheile;
die abstracteren Theile der Theorie sind noch immer die vernach-
lässigten; immer gibt es noch eine grosse Zahl derjenigen, die oft
Sophismen in die Wissenschaft verpflanzen, und die in der Meinung leben, es gehöre, um ein Volkswirth zu sein, nur etwas
practischer Verstand dazu, während sie dem Studium der Nationalökonomie und ihrer Theorien eben kein besonderes Gewicht bei-
legen. Eine verfehlte Anschauung ist es auch, wenn Einige mit
chauvinistischer Prahlerei auf die Existenz eines nationalen
Systemes pochen und ohne Rücksicht auf den absoluten und universellen Charakter der Wissenschaft mit der Begründung einer
„magyarischen" National-Oekonomie coquettiren. So ist wohl die
ungarische national-ökonomische Literatur in diesem Zeitraume
nach einzelnen Richtungen hin bedeutend vorgeschritten; aber
wie wenig bedeutet dieser Fortschritt gegenüber dem allgemeinen

wissenschaftlichen Aufschwunge, den die Culturvölker Europa's in derselben Zeit nahmen?!

III. Untersuchen wir nun, welches die geistigen Producte waren, mit denen die einzelnen Vertreter der Literatur dieselbe zu bereichern bestrebt gewesen. In erster Reihe sind hier zu nennen:

Graf Emil Dessewffy. Er gehört zu den vorgeschritteneren Conservativen, würdigt aber in volkswirthschaftlicher Beziehung die Anforderungen der neuen Verhältnisse vollkommen, so dass er nach dieser Seite hin einen entschieden modernen Charakter zeigt. Seine „Pénzügyi kérdések" (Finanzielle Fragen), das Resultat seiner Studien über Credit-, Bank- und Finanzwesen (Pest 1856) sind das erste systematischere Werk, das sich mit der Theorie des Geldes und der Banken beschäftigt. [2]

Melchior Lónyay, der glückliche Vermittler zwischen Theorie und Praxis, gehört zu den Anhängern der modernen, liberalen, volkswirthschaftlichen Schule; in der Handelspolitik huldigt er dem Systeme der gemässigten Verkehrsfreiheit; seine Anschauungen bezüglich finanzieller Fragen schliessen sich denen der ansehnlichsten Autoritäten Englands und Deutschlands an, während er das Communicationswesen betreffend das Princip der Staatsbahnen vertritt. Seine Werke, von denen wir schon einige früher kennen gelernt und von denen hier nur noch „Közügyekröl" (Ueber öffentliche Angelegenheiten, 1863) und seine im Jahre 1872 veröffentlichte Schrift über „Die Regelung der ungarischen Finanzen" genannt werden sollen, zeichnen sich durch ihren Reichthum an Gehalt aus und bilden bleibende Schätze der ungarischen Geistesproduction.

Ladislaus Korizmics ist vorwiegend Landwirth und eine technische Fachautorität. Er beschäftigte sich zumeist mit den Studien über die Urproduction und die Communication. Ausser dem schon oben genannten „Korszerü agitatio" betitelten Artikelcyclus erwähnen wir nur noch das 1858 erschienene „Anglia haszonbérlési állapotai" (Die Pachtverhältnisse Englands) und seine im „Pesti Napló" und in den „Gazdasági Lapok" veröffentlichte Abhandlung über das Geld- und Creditwesen; und wenn auch

---

[2] Mit seinen andern Werken wurden wir schon früher bekannt.

nicht alle die hier entwickelten Anschauungen unbedingt zu unterschreiben sind, so sind sie doch als Manifestationen, welche die
Zeit charakterisiren und in den traurigen Zuständen der ungarischen Wirthschaft wurzeln, von einiger Bedeutung. In jüngster
Zeit veröffentlichte er noch eine schätzenswerthe (practisch-volks-
wirthschaftliche) Arbeit unter dem Titel: „Gazdasági Levelek"
(Oekonomische Briefe).

August Tréfort, einer der fleissigsten national-ökonomischen Publicisten; sein Hauptverdienst besteht darin, dass er einer
der Ersten war, welche die Volkswirthschaftslehre mit der im
Auslande zur Geltung gelangten socialen Richtung in Verbindung
behandelten; die ausländische Literatur verfolgt er mit gewissenhafter Aufmerksamkeit und nie verfehlt er, darauf aufmerksam zu
machen, dass es im Bereiche der Nationalökonomie keine Panaceen
gibt, dass vielmehr ein wahrhaft erfolgreicher Fortschritt nur dann
zu erwarten ist, wenn man nach allen Seiten hin eine organische
Thätigkeit entwickelt. In seinen Anschauungen neigt Tréfort zu
einem gemässigten Schutzsystem.

Adolf Érkövy, einer der unermüdlichsten Forscher auf
dem theoretischen und practischen Gebiete der Volkswirthschaft.
Von besonderem Werthe sind ausser den schon früher genannten
Arbeiten aus seiner Feder: „Az 1863-iki aszályosság a magyar
alföldön" (Die 1863er Dürre auf dem ungarischen Tieflande, Pest
1863), dann: „Emlékirat az aszályosság okai és elhárítása módja
fölött" (Memorandum über die Ursachen und die Art und Weise
der Beseitigung einer Dürre, 1864); „Tervezet a népbankokról"
(Project zu Volksbanken, 1865) und insbesondere der 1866 im
„Magyar Világ" veröffentlichte Artikelcyclus; „Nemzetgazdasági
irók" (Ungarische national-ökonomische Schriftsteller), eine ver-
dienstvolle und umfassendes Wissen des Autors bekundende Arbeit, der aber eine kritische Sichtung des behandelten Stoffes
mangelt. Vielfache Verdienste hat er sich auch um die Idee der
Canalisirung des Tieflandes erworben, die er mit besonderem Eifer
angeregt und die den Ausgangspunkt jener interessanten wissenschaftlichen Debatte bildete, in die er sich mit dem tüchtigen
Geographen Johann Hunfalvy einliess.

Anton Csengery, der glücklichste Handhaber des Gedan-
kenausdruckes auf publicistischem Gebiete und einer der vielsei-

tigsten Gelehrten Ungarns. Er zog zuerst durch seine Abhandlung über Soldatenverpflegung die allgemeine Aufmerksamkeit auf sich, die er sich dann auch durch seine meisterhaft stylisirten Arbeiten über Communicationswesen, Volksbanken, Bodencreditanstalten u. s. w. zu wahren wusste. Aus der Feder dieses Fachmannes ist ein grosser Theil jener gediegenen volks- und staatswirthschaftlichen Berichte, Denkschriften u. s. w. geflossen, die sich auf den im Jahre 1867 mit Oesterreich geschlossenen Ausgleich beziehen.

August Karvasy, Universitätsprofessor. Seine Arbeiten, wie die volksthümliche Nationalökonomie (1861, 1864), die Lehre vom Staatshaushalte, oder Finanzwissenschaft (1862, 1866), Polizeiwissenschaft (1862, 1866), Verfassungs- und Justizpolitik; das individuelle Recht und die freie Concurrenz; die neueste Richtung der Staatswirthschaftslehre, zeichnen sich durch gründliche Fachkenntniss, didactischen Tact und eine grosse Belesenheit des Verfassers aus. Karvasy ist Eklectiker, sein Standpunkt vermittelt die Schule Smith's mit der List's und neigt sich auch theilweise zu Roscher hin.

Johann Török, der bedeutendste Verfechter der feudalen Institutionen, denen er nach 1848 in eben demselben Masse huldigte, wie vor der Revolution. Sein Hauptwerk trägt den Titel: „Publicistikai és nemzetgazdasági némely dolgozatok" (Publicistische und national-ökonomische Arbeiten, Pest 1858), und ist eine Sammlung von publicistischen Aufsätzen, die er in den 50er Jahren in Zeitschriften veröffentlichte.

Noch sind zu erwähnen: Morócz und Benkö, die Stephen's „Landwirthschaftliches Handbuch" in's Ungarische übertrugen.

Hiermit hätten wir die Reihe der „Alten" abgeschlossen, die schon vor 1848 eine reiche Thätigkeit entfaltet; wir wollen nun zu den „Neuern" übergehen, deren eigentlicher Wirkungskreis erst diesseits dieses verhängnissvollen Jahres liegt:

Ernst Hollán, in Communications-Angelegenheiten eine der bedeutendsten Capacitäten Ungarns. Er schrieb: „Magyarország vasuthálózatának rendszere 1856" (Das System des Eisenbahnnetzes in Ungarn); „A vasutak keletkezése" (Entstehung der Eisenbahnen, academische Antrittsrede) 1862; „Magyarország forgalmi szükségletei és vasut ügyének ujabb kifejlődése, Pest 1864 (Die Verkehrsbedürfnisse Ungarns und die neuere Entwickelung des Eisenbahnwesens); „Emlékirat az olcsó vasutakról" (Memorandum über billige Eisenbahnen, 1865) und zahlreiche Artikel in Szathmáry's „Magyarország anyagi érdekei" im „Pesti Napló" und in „Magyar Sajtó".

Vinzenz W e n i n g e r zeichnete sich besonders durch seine „Politikai számtan" (Politische Rechenkunst) und andere statistische und mathematische Arbeiten aus. In neuerer Zeit beschäftigte er sich auch eingehend mit der Theorie des Bankwesens, der Versicherungsanstalten, des Credites, der Sparcassen, des Geldes und der national-ökonomischen Seite der „gemeinsamen Angelegenheiten". [1] Er ist einer der gründlichsten Schriftsteller, ein nüchterner Beobachter und scharfer Kritiker; er ist Anhänger der liberalen Schule, Freihändler und Vertheidiger der Bankfreiheit; er plaidirt für die Einführung des Metersystemes, für die Reform der ungarischen Sparcassen und Creditverhältnisse, und in einer interessanten Polemik, in die er sich betreffs der Bankfrage mit Albert Vodjaner eingelassen, vertheidigt er das System der mehreren Banken und der Bankfreibeit gegenüber dem Bankmonopole.

Karl K e l e t i begann seine Thätigkeit auf dem Felde der Journalistik ; 1863 überarbeitete er für die ungarische Leserwelt B a u d r i l l a r t's : „Manuel de l'Economie Politique" und bereicherte dieses Werk mit mehren auf die Verhältnisse Ungarns bezüglichen Anmerkungen. In der neuesten Zeit veröffentlichte er in den statistisch-national-ökonomischen Mittheilungen der ungarischen Academie sehr interessante Arbeiten, sowie auch ein grösseres statistisch-nationalökonomisches Werk : „Hazánk és Népe" (Unser Vaterland und Volk) und sucht Dühring'sche Ansichten in die ungarische Literatur zu verpflanzen. Uebrigens ist er entschiedener free-treeder, Anhänger Bastiat's und der Bankdecentralisation in Oesterreich. Bemerkenswerth jedenfalls ist seine Ansicht, dass die Industrie in Ungarn einen rein ungarischen Charakter tragen und dadurch Festigung des nationalen Elementes fördern sollte.

[1] Siehe seine Arbeiten in den statistischen und national-ökonomischen Mittheilungen der Academie, II. B. 1866 ; im „Magyar Világ", „Pesti Napló", „Hon" und „Pester Lloyd" von 1865 und 1866.

Karl Szathmáry schrieb über die Eisenbahn Zimony-Fiume (1864) und eine national-ökonomische Studie: („Alföld és Fiume") Das Tiefland und Fiume (1864). Er redigirte „Magyarország anyagi érdekei (erst in Heften und dann als Wochenblatt herausgegeben) und war zugleich ein fleissiger Mitarbeiter dieses Blattes.

Emil Récsy, ausgezeichneter Staatsrechtslehrer an der Pester Universität, übersetzte 1851 Kudlers: Grundlehren der Volkswirthschaft, und versah das Werk mit Anmerkungen, welche dasselbe mit den Fortschritten der Wissenschaft bereicherten.

Albert Vodjaner, tüchtiger Banktheoretiker und entschiedener Vertreter des einheitlichen Banksystemes.

Ludwig Kubinyi untersuchte die national-ökonomischen Theorien vom Gesichtspunkte der Moralpolitik, der socialen und culturhistorischen Aufgaben. [3]

Karl Galgóczy veröffentlichte die erste landwirthschaftliche Statistik, Pest 1855; Anton Hideghéthy lenkte die Aufmerksamkeit auf den landwirthschaftlichen Unterricht und einige landwirthschaftliche Zustände; Paul Sporzon lieferte mehrere tüchtige Arbeiten für die „Gazdasági Lapok", „Gazdasági füzetek" und die von ihm redigirten „Erdészeti Lapok"; Gabriel Péterdy schrieb ebenfalls einige schätzenswerthere Journalartikel. Der früh verstorbene Reviczky hatte sich mit lobenswerthem Fleisse dem Studium der Nationalökonomie gewidmet, was seine Arbeiten im „Pesti Napló" und „Jövő" beweisen; der practische Kaufmann Moritz Jellinek veröffentlichte mehrere Artikel, unter denen „Die niedrigen Getreidepreise" (Pester Lloyd 1865) die bedeutendsten sind; Alexander Matlekovich, Privatdocent an der Pester Universität, bereicherte die national-ökonomische Literatur mit zwei einschlägigen Brochuren und einem Lehrbuche; ferner mit einigen grössern Abhandlungen über das Börsewesen, über Handelsgeschichte und über die Frage der Differenzialtarife bei Eisenbahnen; Wolfgang Deák verfasste eine kurze Skizze der Geschichte der Nationalökonomie (1866); Wilhelm Fest, Techniker, schrieb ausführlichere Abhandlungen über das Communications- und Bauwesen; Julius Schnierer behan-

---

[3] Siehe: „Vezéreszmék jobblétünk elömozditására", Pest 1858, und „Viszonyaink és teendőink", Pest 1866.

delte 1866 die Zollfrage; August M a y g r u b e r schrieb über das
Docks-System, endlich Ludwig K o v á c s, Max F a l k, Emerich
I v á n k a, Peter K i s s, Emerich F e s t, Emerich H a l á s z (über-
setzte Carey), Johann P o m p é r y, J á n o s s y, M a r i á s s y,
R ó z s a á g i, Leon B e ő t h y, Karl M é s z á r o s, Andr. G y ö r g y,
K ő r ö s i, Béla W e i s s, F e n y v e s s y, B. W e i s s, Graf Ferd.
Z i c h y, H y e r o n y m i, Prof. G e r l ó c z y, H e g e d ü s, Ro-
d i c z k y und M u d r o n y, thaten sich besonders durch ihre Thätig-
keit theils auf dem Gebiete der Journalistik, theils als Verfasser
werthvoller Abhandlungen über Eisenbahnpolitik, Finanzwesen,
Steuern, Zollfragen u. s. w. hervor.

Alexander K o n e k und Johann H u n f a l v y haben durch
ihre ausgezeichneten statistischen Werke nicht wenig zur Hebung
der Nationalökonomie in Ungarn und zur Lösung einiger Fragen
derselben beigetragen.

Es wäre ungerecht, wollten wir hier einen Nationalökonomen
verschweigen, der wohl nicht in ungarischer Sprache geschrieben,
aber doch als ein geborener Ungar durch seine national-ökonomischen Arbeiten sich einen europäischen Ruf erworben hat, um
so eher, da derselbe wieder nach Ungarn zurückgekehrt und hier
seine national-ökonomische Thätigkeit in der Legislative und
Tagespresse mit bedeutenden Erfolgen fortsetzt; wir meinen
Eduard H o r n, den Verfasser von „Jean Law", eine finanzwissen-
schaftliche Studie; „Les finances de l'Autriche", „La Liberté des
Banques", Paris 1866 (in ungarischer Uebersetzung 1870); „Ueber
den ungarischen Staatshaushalt" (1874) und anderer bedeutender
Arbeiten im „Journal des Débats", dem „Journal des Econo-
mistes", dem B l o c k'schen „Dictionnaire générale de la Politique", etc. Ferner sei es uns noch erlaubt, hier eines Mannes zu
gedenken, der sowohl durch seine unermüdliche Thätigkeit auf
dem Gebiete der Literaturgeschichte, durch seine aufopfernde Hin-
gebung für die Wissenschaft, durch seine anregenden Ermunte-
rungen der studirenden Jugend, sowie auch durch seine Leistungen
auf dem Gebiete der Legislative sich einen wohlverdienten Ruf
erworben, der weit die Grenzen des Ungarlandes überschritten;
wir meinen den Verfasser dieses Werkes, den Professor Julius
K a u t z. Ein würdiger Schüler Roscher's und wohlvertraut mit den
Erscheinungen der national-ökonomischen Literatur des gesammten

Auslandes, hat er in seiner „Geschichtlichen Entwickelung der Nationalökonomie und ihrer Literatur", 2 Bände 1860 (ein ungarischer Auszug findet sich in Csengery's „Budapesti szemle"), eine fühlbare Lücke der deutschen Literatur ausgefüllt, sowie er in dem vorliegenden Werke, gleichsam als detaillirte Ausführung der dort aufgestellten Behauptung von der organischen Zusammengehörigkeit der geistigen Producte aller Nationen, die historische Entwickelung der volkswirthschaftlichen Ideen seiner eigenen Nation auf eine Weise schildert, wie dies bisher in keiner Literatur anzutreffen ist. Er schrieb ferner : „Smith Adam és az ujkori nemzetgazdaságtan" (Adam Smith und die Nationalökonomie der Neuzeit, in Török's Zeitschrift: Kelet népe 1851).

„Die Nationalökonomie als Wissenschaft", 1858.

„A nemzetgazdaság- és pénzügytan", (Nationalökonomie und Finanzwissenschaft, ein Handbuch in zwei Theilen, 1863, dritte bedeutend umgearbeitete Auflage 1874).

„Politika vagy Országászattan" (Politik oder Staatslehre, ein Handbuch, 1861, neue, ganz umgearbeitete Ausgabe 1875).

„Nemzetgazdaságunk és a vámpolitika." (Unsere Nationalökonomie und die Zollpolitik. 1866. Von der ungarischen Academie mit dem grossen Fáy'schen Preise gekrönt).

„Jelentés az 1862. Londoni világtárlatról" (Bericht über die 1862er Londoner Weltausstellung), 1863.

„A Socialismus és Communismus rendszerei" (Der Socialismus und Communismus ; in Csengery's „Budapesti szemle").

„Nemzetgazdaságtan és jogtudomány" (Nationalökonomie und Rechtswissenschaft, academische Abhandlung, 1868).

„A társulási intézmények a nemzetgazdaságban" (Die Institutionen der Vergesellschaftung in der Nationalökonomie"), eine von der ungarischen gelehrten Academie preisgekrönte Arbeit; endlich Abhandlungen in den „Gazdasági Lapok", im „Delejtü" (unter dem Pseudonym Kervei), in den statistischen und nationalökonomischen Mittheilungen der Academie und in dem publicistischen Organ : „Pesti Napló".

DRITTES KAPITEL.

Die volkswirthschaftlichen Verordnungen und Massnahmen der absolutistischen Regierung seit 1850. — I. Die Organisirungsversuche der Regierung und deren volkswirthschaftliche Folgen. — II. Die volkswirthschaftlichen Verordnungen insbesondere.

I. Bezüglich der volkswirthschaftlichen Verordnungen der absolutistischen Regierung während des Zeitraumes, der vom Jahre 1850 bis zur Wiedereröffnung des ungarischen Parlamentes dahinfloss, muss man zwei Abschnitte unterscheiden, die Zeit von 1850—1860 und die folgenden Jahre. Während in den erstern zehn Jahren die deutsch-österreichische Centralisation und ein bureaucratisch-polizeiliches Regierungssystem jede nationale Regung unterdrückten und auch den leisesten Wunsch der Nation unerfüllt liessen; erfreute sich die nationale Autonomie während der letzten fünf Jahre schon einer grössern Gunst; vielen Klagen wird ein williges Ohr geliehen, vielen gerechten Forderungen der Nation wird Genüge geleistet. So erhält Ungarn wohl ein Bodencreditinstitut und Gewerbebanken, ungarische Stiftungen erhalten eine ungarische Verwaltung, die Communicationsinteressen erfuhren eine theilweise Förderung; aber nur bezüglich Eines wollte sich das Verhältniss nicht ändern: die finanziellen Interessen des Landes blieben auch nach 1860 den drückenden Händen der österreichischen Centralisten anvertraut.

Es handelte sich darum, den Dualismus auf volkswirthschaftlichem Gebiete zu vernichten, Ungarn seiner Selbständigkeit zu berauben und es zu einer Provinz zu degradiren. Die Reformbestrebungen, die bis jetzt grossentheils aus dem Schoosse der Nation selbst entsprossen, kamen nun von oben und erschienen in der Hülle des Zwanges und des polizeilichen Octroy, so dass statt des frühern regen Lebens unthätige Stille eintreten musste.

II. Unter den volkswirthschaftlichen Verordnungen der absolutistischen Regierung ist an erster Stelle das Urbarialstatut zu erwähnen, das im Jahre 1853 seine Effectuirung erhielt. Dasselbe sicherte die persönliche Freiheit des Landmannes und die Unverletzlichkeit des Eigenthumes auf ewige Zeiten, regelte definitiv das Verhältniss zwischen Grundherren und Bauern, bestimmte die zu leistende Entschädigung und bereitete die Zusammenlegung der Güter und die Lösung anderer wichtigen Fragen vor. Das Aviticitätspatent verursachte eine den Anforderungen

der Neuzeit einigermassen entsprechende Umgestaltung der besitzrechtlichen Verhältnisse; die Waldbestände wurden durch ein
besonderes Statut vom 24. Juni 1857 geschützt, welches gleichzeitig einer rationellern Forstcultur die Wege bahnte. Die Einführung des Grundbuches, die Errichtung mehrerer landwirthschaftlicher Anstalten und die Umgestaltung der Feldpolizei
führten manche heilbringende Resultate im Gefolge, wenn auch
die letztere hie und da der freien Bewegung einen Hemmschuh
ansetzte und den ungarischen Verhältnissen nicht ganz entsprach.

Die Viehzucht und besonders die Pferdezucht, die Weincultur und Seidenproduction erfreuten sich durch Prämiirungen
besonders gelungener Erzeugnisse, ferner durch die freiere Richtung, welche die Zollpolitik nahm und die Ausfuhr ungarischer
Rohproducte mehr begünstigte, eines bedeutenden Aufschwunges.
Ein Patent vom 23. December 1858 verlieh, mit Rücksicht auf
den Mangel an Arbeitskräften, den Colonisten mehrfache Begünstigungen, während ein Patent vom 23. Mai 1854 schon früher
das Montanwesen einer gänzlichen Reform unterwarf.

In Bezug auf Gewerbe und Verkehr sind zwei Patente zu
erwähnen; das eine — vom 6. Februar 1851 — ersetzte das Zunftsystem durch das Concessionssystem, und setzte das Princip fest,
dass Geburt, Nationalität, Religion oder Stand bei der Ertheilung
von Gewerberechten nicht in Anbetracht zu nehmen sind, während
das zweite — vom 23. December 1859 — die Gewerbefreiheit
einführte, das frühere System nur aus polizeilichen, sanitären u. s. w.
Ursachen für manche Fälle aufrechterhaltend; der technische
Unterricht erhielt durch Errichtung von Realschulen, durch die
Einführung des naturwissenschaftlichen Unterrichtes in den Gym-
nasien, ferner durch die Errichtung eines Polytechnicums einen
wohlthätigen Vorschub. Auch Handel und Communication nahm
einen nicht zu verkennenden Aufschwung; der Unternehmungsgeist wurde reger, die Fesseln, welche den inländischen Handel
und die Schifffahrt drückten, wurden gebrochen, das Postwesen
unterlag einer gänzlichen Reorganisation und der Ausbau der
Eisenbahnen nahm von Tag zu Tag grössere Dimensionen an. In
Bezug auf die letzteren hatte die Regierung anfangs dem Staatsbahnsysteme gehuldigt, von 1854 aber schloss sie sich dem Systeme
der Privatbahnen an, indem sie sich durch die Concessionirung,

die Tarifbestimmung und Zinsengarantie einen staatlichen Einfluss auf dieselben sicherte. Es darf jedoch diesbezüglich nicht verschwiegen bleiben, dass die centralistischen Unificationsbestrebungen der österreichischen Regierung auf dem Gebiete des Eisenbahnbaues ihre meiste Geltung erhielten, und dass auf Kosten der für Ungarn günstigern Strecken (Pest-Fiume, Grosswardein-Klausenburg), die nicht in diese Categorie gehörigen (Wien-Triest, Arad-Hermannstadt) einer auffallenden Unterstützung und Begünstigung sich erfreuten.

Das Zollwesen erlitt ebenfalls eine grössere Umgestaltung. Einerseits fielen (1850—1851) die Zollschranken zwischen Ungarn und den andern Kronländern, und wurde der innere Handel zwischen Ungarn und Oesterreich gänzlich frei; andererseits ermöglichte das Aufgeben des Prohibitivsystemes eine freiere Bewegung im internationalen Handel. Die Verträge, welche um diese Zeit mit fremden Staaten (Deutschland, Frankreich, Italien, Türkei und Russland) geschlossen wurden, strebten ebenfalls die Erleichterung der Ein- und Ausfuhr an und setzten die Tarifposten um ein Bedeutendes herab. Zum Zwecke der Verbesserung des Creditwesens wurde die Wiener Nationalbank einer Reorganisation unterzogen und mit einer Hypothecarabtheilung versehen (1856), die Sparcassen erhielten ebenfalls eine gesündere Organisation und die Concessionirung von Creditbanken, Bodencreditinstituten (das ungarische wurde 1861—1862 errichtet) und Volksbanken wurden leichter ertheilt; Gewerbe- und Handelskammern wurden errichtet, in den grössern Handelsplätzen des Auslandes wurden Consulate und Agenten mit der Wahrung der österreichischen Handelsinteressen betraut, während man im Inlande den Instituten zur Hebung des mercantilen Unterrichtes staatliche Unterstützung angedeihen liess; doch alle Vortheile, die hierdurch zu erreichen gewesen wären, gingen durch das leidige Steuersystem und die unglücklichen Finanzoperationen verloren.

Den schneidendsten Einfluss auf die volkswirthschaftlichen und socialen Verhältnisse Ungarns aber übte das österreichische Finanzsystem aus. Um den in seinen Grundfesten erschütterten österreichischen Staatshaushalt wieder herzustellen, legte man, besonders Ungarn, das nach der Revolution wie ein erobertes Land angesehen wurde, die drückendsten Steuern auf, die dem

Aufschwunge jedes Zweiges der Volkswirthschaft hemmend im Wege stunden. Von 1851 angefangen ist eine ganze Reihe von Patenten aufzuzählen, die neue Steuern, directe und indirecte, einführten; das Tabakmonopol wurde eingebürgert, der Preis des Salzes und Schiesspulvers erhöht, die Regalien und die Rechte des Fiscus erweitert, während die Manipulation der ungarischen Domanial- und Krongüter österreichischen Händen anvertraut wurde. Endlich bezüglich der Creditoperationen genüge es auf die Vernichtung der ungarischen Bancozettel, auf das 1854er Anlehen, auf die Verpfändung der Krongüter, auf die neuere Regelung der Wiener Nationalbank (December 1862) und auf die Einführung der Staatsnoten hinzuweisen, um den Abgrund zu bezeichnen, dem die österreichischen Finanzverhältnisse mit jedem Tage näher kamen.

VIERTES KAPITEL.

Die Ideenbewegung um die practischen Fragen der Volkswirthschaft, namentlich in der Literatur, in der Tagespresse, in den Vereinen und in der Legislative.

I.

Ansichten und Bestrebungen bezüglich der Landwirthschaft und der Besitzverhältnisse. — I. Allgemeine Gesichtspunkte. — II. Ansichten und Bestrebungen betreffend die neuen besitzrechtlichen Institutionen und die mit ihnen in Verbindung stehenden Verhältnisse. — III. Ansichten und Bestrebungen betreffend die landwirthschaftlichen Systeme und Culturmethoden, ferner bezüglich des Bodencredites.

I. Theils in Folge der oben erwähnten Regierungsverordnungen, die nicht immer das Interesse Ungarns vor Augen hatten, theils aber durch den in den Jahren 1856—57 und 1861—62 in hohem Massstabe stattgefundenen Getreideexport, hatte man der Rohproduction, den landwirthschaftlichen Gewerben und den besitzrechtlichen Verhältnissen eine intensive Thätigkeit zugewendet; man begann einzusehen, dass die dem Lande so nothwendige Industrie nur dann aufblühen könne, wenn die Landwirthschaft einen höhern Grad der Entwickelung erreicht. Wieder betont man den vorzüglich agriculturellen Charakter Ungarns, und eine ganze Reihe von Plänen und Verordnungen wird sichtbar, welche die Organisirung der Besitzverhältnisse, eine radicale Reform des Fachunterrichtes,

der Colonisation und Commassirung, die Einführung einer inten-
siveren Betriebsweise, die Anwendung von Maschinen, vorzüglich
aber die Hebung des Credites und die Beförderung des Communicationswesens bezweckten.

Eine erfreuliche Erscheinung bietet die aufmerksamere Würdigung der landwirthschaftlichen Theorien und Principien theils
von Seiten eifriger Fachmänner, theils aber von Seiten der Presse,
theilweise auch der Regierung, vorzüglich aber von Seiten der
landwirthschaftlichen Vereine. Um diese Zeit begann man die
Landwirthschaft einerseits mit den Naturwissenschaften, andererseits mit der National-Oekonomie in glückliche Verbindung zu
bringen ; Andere wieder wendeten sich der landwirthschaftlichen
Statistik (Galgóczy, Keleti) zu, während die wissenschaftlichen
Fachblätter die Fortschritte der ausländischen Literatur mit
gewissenhafter Aufmerksamkeit verfolgten.

II. Den Gegenstand eines lebhaften Ideenaustausches bildeten in erster Reihe die Regelung der Urbarialverhältnisse, nicht
nur weil deren Reform eine Umgestaltung der ganzen Landwirthschaft nach sich zog, sondern auch weil damit eine radicale Modification der socialen Verhältnisse in enger Verbindung stand.
Mit Freuden begrüsste man allenthalben die Aufhebung des Ur-
bariums, man beantragte die Ablösung des Weinzehntes, aber
nicht auf Staatskosten, und liess sich in eine Erläuterung aller jener
Verhältnisse ein, die sich auf die finanzielle Seite der Grundentlastung bezogen und der ungarischen besitzenden Klasse nach
dieser Richtung hin eine neue Stellung verschaffen sollten. [1]
Ausser dem Institute von den Fideicommissen, dessen Beschränkung sich die ungarische Aristocratie nicht so leicht gefallen liess,
und gegen welche auch Johann Török heftig aufgetreten war,
nahm besonders die Frage über das „Minimum" eine grosse Aufmerksamkeit in Anspruch, welche Frage mehre Male, so bei der
Gründung der belgischen Bank und ähnlicher Geld- und Credit-
Institute auftauchte und immer den Gegenstand heftiger Debatten
bildete. Ein berühmter Capitalist, L a g r a n d Dumonceau, kam
nämlich auf die an und für sich ganz heilsame Idee, die länder-

---

[1] Vergleiche Lorenz T ó t h : „Utmutató urbéri ügyekben" 1857 ;
„Pesti Napló" 1853, 1854, 1855, 1856 ; „Gazdasági Lapok" 1862 ; T ö r ö k :
„Public. dolgozatok"; „Pester Lloyd" 1854.

grossen ungarischen Gütercomplexe, welche sich aus Mangel an
genügendem Capital und erforderlicher Arbeitskraft keiner rationellen Cultur erfreuen konnten, durch Parcellirung und Auftheilung
einer gesündern Bewirthschaftung zugänglich zu machen und so
zu gleicher Zeit dem ausländischen Capitale auf diesem Wege in
Ungarn eine gewinnreiche Bahn zu eröffnen. Die zu diesem
Zwecke entwickelte Thätigkeit der belgischen Bank bildete nun
den Ausgangspunkt von zwei sich widerstreitenden Parteien. Die
eine befürchtete den Einfluss der ausländischen Capitalisten, die
Zerstückelung des Bodens und eine Verletzung der Landesinteressen durch die erleichterte Verschleuderung des Grundbesitzes, deshalb widersetzte sie sich den Lagrand'schen Projecten; die andere
Partei hingegen vertheidigte dieselben, indem sie von der Ansicht
ausging, die Parcellirung der Latifundien werde eine rationellere
Cultur derselben und ein vortheilhaftes Herbeilocken des ausländischen Capitales im Gefolge haben. [1] — Einen andern Gegenstand
eingehender Debatten bildete die Acclimatisirung des Pachtsyste-
mes; diesbezüglich sind erwähnenswerth die für das Pachtsystem
plaidirenden Arbeiten der „Gazdasági Lapok", ferner die von
Ladislaus Korizmics in demselben Sinne verfassten diesbezüglichen Artikel, sowie das von ihm aus dem Englischen des George
Wingrow Cooc übersetzte Werk, welches das englische Farmer-
system bekannt machte; endlich ein Artikelcyclus von Karl Seres
(„Gazdasági Lapok" 1862), die alle den Beweis führen, dass das
Pachtsystem in der ungarischen Landwirthschaft eine fühlbare
Lücke ausfüllen würde. Die Schulhoff'schen sehr zweideu-
tigen Finanzoperationen auf den Gütern des Fürsten Eszterházy
haben diese Frage neuerdings zum Ausgangspunkte lebhafter
Debatten gemacht. Wir verweisen hierüber nur auf den „Pester
Lloyd" und die „Gazdasági Lapok" von 1862, in welchen letztern
die Schulhoff'schen Projecte von „Agricola" entschieden ver-
urtheilt werden. [3]

[1] Für das Project waren: „Magyar Sajtó" und „Hon" 1862—1864
(vorzüglich Emerich Ivánka); „Pesti Napló", „Sürgöny" 1862 und „Pester
Lloyd"; contra: „Gazd. Lapok" 1864, besonders Tréfort und Erkövy;
vergleiche noch über ein ähnliches Project von Simitsch den „Pesti
Napló" und „Magyar Világ" von 1866.
[3] Bezüglich der Grundbuchsinstitution, die wegen ihrer national-
ökonomischen und juridischen Bedeutung keiner so lebhaften Behandlung
sich erfreute, wollen wir nur anführen: Halmossy und Schnierer:

III. Mit der Beseitigung der letzten feudalen Fessel vom Grundbesitze musste die Culturmethode desselben die regste Aufmerksamkeit beanspruchen. Die Frage, ob man intensive oder extensive Landwirthschaft betreiben solle, tauchte diesmal mit allen den Fragen, die an ihr hängen, mächtiger auf wie je zuvor, und verlangte nach einer endgiltigen richtigen Lösung. Zwei Parteien hatten sich gebildet; die eine (zu ihr gehörten Gabriel Lónyay, Kenessey: „Miként gazdálkodjunk" 1857; Peterdy, Galgóczy) meinte, der Aufschwung der ungarischen Landwirthschaft hänge einzig und allein von dem je frühern Uebergange zur intensiven Cultur ab; die andere hingegen (zu ihr gehörten Érkövy, Darányi, Sporzon und Kautz) hielt die Anwendung dieser Cultur nur an einzelnen Orten für ausführbar; besonders Kautz war es, der in längerer Artikelreihe („Gazdasági Lapok" 1861, p. 499—806) auf der von Roscher und Thünen vorgezeichneten Bahn vorwärtsschreitend nachwies, dass ein intensives landwirthschaftliches System mit wahrem Erfolge nur dort eingebürgert werden kann, wo Capital und Arbeit billig sind, das Communicationswesen entwickelt, die Bevölkerung dicht ist und der Preis der Rohproducte auf den Märkten verhältnissmässig eine ständigere Höhe erreicht; nicht aber in Ungarn, wo diese Vorbedingungen grösstentheils noch fehlen. Auch die Drainirung, Bodenberieselung und Canalisirung erfreuten sich grosser Aufmerksamkeit von Seiten der Fachmänner. Um den Mangel an Arbeitskräften zu ersetzen, wurde zuerst die Einführung von Maschinen am zweckmässigsten gefunden; ein anderes Mittel war die Colonisirung, die aber nicht ausländische Elemente einbürgern, sondern eine zweckmässigere Vertheilung der Bevölkerung bewerkstelligen sollte. Noch ein drittes Mittel wurde angerathen, das in der Beförderung der Volksvermehrung durch positive, staatliche Institutionen bestand; diesem gefährlichen Rathe aber trat besonders K a u t z heftig entgegen, der nachwies, wie durch bürgerliche und politische Rechtsgleichheit, durch Erleichterung des Handels, durch Verbreitung des materiellen Wohlstandes und endlich durch humanistische Verordnungen zum Wohle der arbeitenden und untern Klassen

„Telekkönyv rendszere" (Das Grundbuchssystem 1863 und 1864), ferner einige Arbeiten von G a l g ó c z y, M é s z á r o s („Pesti Napló" 1856) und Fényes (ibid.)

14*

die Vermehrung der Bevölkerung am sichersten und gesündesten bewerkstelligt werden könne.

Zu den diesbezüglichen vielbesprochenen Fragen gehörte ferner noch die Frage, betreffend die verschiedenen landwirthschaftlichen Culturzweige. Die unverhältnissmässige Begünstigung einzelner Culturzweige, die Abhängigkeit von fremden Märkten, in welche Ungarn durch seine übermässige Getreideproduction gerieth, die Aussaugung des Bodens führten bald zu der Frage, ob es denn für die ungarische Landwirthschaft nicht sehr nachtheilig sei, dass sie ihre grösste Aufmerksamkeit dem Getreidebaue zuwendet und dabei die Viehzucht, die Wein- und Forstcultur, die Tabak-, Lein- und Hanfproduction, ferner die landwirthschaftlichen Industriezweige, die Zuckerfabrication, Oelproduction und Spirituserzeugung mehr oder minder vernachlässigt? Die Folge hiervon war, dass man nun auch wirklich den übrigen landwirthschaftlichen Culturzweigen eine erhöhtere Aufmerksamkeit schenkte; Fachmänner bereisten das Ausland, um die dort eingesammelten Erfahrungen zu Hause zu verwerthen und um ungarische Producte aufzusuchen. [4]

Aber alle diese Bestrebungen wären erfolglos geblieben, wenn man dem Grundbesitzer nicht die Möglichkeit geboten hätte, billige Capitalien zur Bearbeitung seines Bodens erhalten zu können. Diesen Zwecken diente die Errichtung des schon durch die 1848er Gesetze principiell in's Leben gerufenen Bodencredit-Institutes. Trotz der vielen Hindernisse, welche die Errichtung dieses Institutes von Seiten der centralisirenden österreichischen Regierung und der egoistischen Nationalbank in den Weg gelegt wurden, kam dasselbe doch zu Stande, nachdem man nachgewiesen, dass die Hypothekarabtheilung der Nationalbank, welche ungarischem Grund und Boden nur gegen 8½ Percent Capitalien zukommen liess, zur Hebung der ungarischen Landwirthschaft durchaus nicht genüge. Ein besonderes Verdienst erwarb sich der landwirthschaftliche Landesverein, durch dessen unermüdliche Aneiferung das Institut am 1. October 1863 in's Leben trat. Dasselbe schliesst sich in vielen Beziehungen den ähnlichen preussisch-schlesischen und galizischen Instituten an, beruht wesentlich auf

[4] Siehe besonders Jellinek: „Die niedrigen Getreidepreise" (Pest, 1865); Érkövy: „Emlékirat".

der Solidarität des Grundbesitzes und trägt daher den Charakter eines reinen Creditvereines, nicht aber den eines von eigennützigen Zwecken geleiteten Hypothekar - Bankgeschäftes. [5] Ein anderes Creditinstitut, die „Banque du crédit foncier", welches aber eine ausschliesslich geschäftliche Tendenz hatte, rief wieder in Folge der durch dasselbe bewerkstelligten Güterparcellirung und anderer den Kauf und Verkauf des Grund und Bodens bezweckenden Manipulationen eine heftige Debatte hervor, die mit der oben anlässlich der Lagrand Dumonceau'schen Unternehmung geschilderten viel Aehnlichkeit hatte.

Die Ungunst der Elemente, welche in Ungarn und besonders auf dem Alföld so oft ihr launenhaftes, schädliches Spiel treiben, sollte ebenfalls den Sporn zu schätzenswerthen literarischen Arbeiten liefern. Die 1863er Dürre regte zu eingehenden Studien über climatische Verhältnisse an; so entstanden Érkövy's Studie „Die 1863er Dürre" (Pest 1863) und einige bedeutendere Arbeiten von Hunfalvy, Ribáry, Hideghéthy und andern Fachmännern, welche den schädlichen Folgen derartiger climatischer Uebelstände ihre schärfste Spitze abzubrechen suchten.

II.

Ansichten und Bestrebungen betreffend Gewerbe und Handel, Zollpolitik und Communicationswesen. — IV. Gewerbe und Fabrication. — V. Handel und internationaler Verkehr. — VI. Die Zollpolitik insbesondere. — VII. Ansichten bezüglich des Communicationswesens, vorzüglich der Wasser- und Landstrassen. — VIII. Das Eisenbahnwesen.

IV. Gleichzeitig mit der Beförderung der Landwirthschaft trat auch immer mehr die Nothwendigkeit einer Begründung ungarischer Industrie in den Vordergrund; Viele machten hiervon die Stellung Ungarns im europäischen Staatenconcerte abhängig; Alle aber kamen darin überein, dass ohne höhern Aufschwung der Industrie kein gesunder Wohlstand der Nation, keine Hebung der Volkswirthschaft möglich sei. Dieser Ansicht huldigten die verschiedenen Handelskammern, huldigte die Tagespresse, ihr huldigten die Gewerbevereine, ihr endlich huldigte auch der volks-

---

[5] Vergleiche Anton Csengery. einer der bedeutendsten Urheber dieses Institutes, in seiner Schrift: „A magyar földhitelintézet ügyében", Pest 1866.

wirthschaftliche Ausschuss des 1865—66er Reichstages. Dabei
aber liess man nicht ausser Acht, dass Gewerbe und Fabrication
nicht dem zwingenden Commandoworte der eifrigen Patrioten
gehorchen, sondern einer organischen und natürlichen Entwickelung bedürfen; weshalb sich die Bestrebungen in erster Reihe auf
jene Industriezweige wendeten, die in den ungarischen wissenschaftlichen und natürlichen Verhältnissen die genügende Basis
besassen, so die Zucker-, Bier- und Oelfabrication, die Spiritus-,
Mehl- und Eisenproduction, ferner die Industrie mit Holzgattun-
gen und Steingefässen. Für den Protectionismus und Listianismus
hatten jetzt die letzten Stunden geschlagen, denn ausser einigen
von den Lehren Carey's und Dühring's influirten Schutzzöllnern
(Leo Beöthy, Friedrich Pesti, Emerich Halász) stehen alle ungarischen Fachmänner und Publicisten auf dem Boden des Freihandelssystemes und der freien Concurrenz. Unter den einschlägigen Arbeiten sind besonders zu erwähnen die Eröffnungsrede
des Baron E ö t v ö s ; mit der er am 14. März 1864 die Thätigkeit
des Gewerbevereines eröffnete ; Ludwig K u b i n y i : „Viszonyaink
és teendőink" (Unsere Verhältnisse und Agenden) p. 25 ff. ;
K a u t z : „Vámpolitika" ; Karl K e l e t i's Arbeiten im 1865er
Jahrgange der „Magyar Sajtó" und in den Jahrbüchern der Academie, in welchen zugleich die Nothwendigkeit der Magyarisirung
der vaterländischen Industrie und der Industriellen betont wird,
und endlich die schon oft erwähnte Schrift J e l l i n e k's über die
niedrigen Getreidepreise. Mit den Gewerben und der Industrie
ging die Modificirung des Zunftwesens Hand in Hand. Doch während die Fachmänner und Publicisten die unbedingte Beseitigung
des ganzen Zunftsystemes forderten, hingen die Manufacturisten
und Gewerbetreibenden mit Zähigkeit an demselben und wollten
nur schwer von den ihnen durch dasselbe gebotenen Begünstigungen lassen. Nach dieser zweifachen Richtung hin wurden die
Verordnungen der Regierung beurtheilt, welche das freie Gewerbe-
system zur Geltung brachte, wurden 1865 und 1866 mehrere
Memoranda abgefasst und traten mehrfache Erscheinungen in der
Literatur zu Tage.

V. Wenn auch Johann Hunfalvy mit vollkommenem Rechte
behauptet, Ungarn werde in Folge seiner geographischen Lage
kaum je in dem Welthandel eine grosse Rolle spielen, so kann es

doch andererseits nicht geläugnet werden, dass man in Ungarn trotzdem bestrebt sein muss, mit dem internationalen Waarenverkehr in Berührung zu kommen und aus dem grossen internationalen Welthandel für sich so viel zu retten, als nur möglich ist. Von dieser Ansicht geleitet, war man in Ungarn überall, sowohl auf dem Gebiete der Theorie als auch dem der Praxis bemüht, dem Handel und allen Interessen, die mit demselben in naher Verbindung stehen, einen erwünschten Vorschub zu leisten.

Was nun den Handel im Innern des Landes betrifft, so wendete sich die Aufmerksamkeit seit dem Anfange der Fünfziger Jahre auf die Beseitigung aller die Freiheit des Verkehres hindernden Schranken, auf die Vervollkommnung und Vermehrung der Wasser-, Landstrassen und Eisenbahnen, auf die Aufhebung der Preislimitationen, der Fleisch- und Mehltaxen, auf die Abänderung des Wucherpatentes, auf die Regelung der Schifffahrt und auf die Errichtung von Häfen, freien Lagerplätzen, Effecten- und Waarenbörsen, Docks u. s. w. Noch grösseres Interesse aber erregte der Handel mit dem Auslande. Nachdem 1850 die Zollschranken zwischen Oesterreich und Ungarn gefallen waren und die Zollpolitik der Centralregierung von 1852 an eine etwas freiere Richtung nahm; meinte man in Ungarn die Zeit gekommen, in welcher eine grössere und wirksamere Thätigkeit auf dem Gebiete des Handels mit dem Auslande entwickelt werden müsse.

Diese vorherrschende Ansicht erhielt in den 1856—57er und 1860—62er, für den Export so günstigen Constellationen eine kräftige Nahrung; ein Export in der Höhe von 50—60 Millionen zog nothwendigerweise die Aufmerksamkeit der Culturvölker auf Ungarn, das auf einmal als die Nahrungskammer für Westeuropa erschien. So kam es, dass Export, Export um jeden Preis das Losungswort bildete; vom Exporte sollte aller Segen kommen, auf den Export hatte man alle Hoffnungen gebaut, die geschwächten Verhältnisse wieder einer Besserung zuzuführen. Dieser Ideenbewegung verdankten viele ausgezeichnete, literarische Arbeiten ihre Entstehung, von denen hier nur: „Die Rolle Ungarns in der Verpflegung Europa's" 1861 von dem geistreichen Director der Südbahn erwähnt werden soll. [1] Bontoux führt oder will in dieser

---

[1] Diese Brochure erschien zuerst französisch in der „Revue des deux Mondes" und dann auch ungarisch bei Emich in Pest.

Brochure den Beweis führen, dass Ungarn in Folge der Verbindung des Tieflandes mit dem Küstenlande durch die Südbahn, nicht nur berufen ist, die nahe gelegenen Theile des Auslandes im Falle einer Missernte mit Getreide zu versehen, sondern überhaupt dem Westen Europa's als Getreidekammer zu dienen, ja dass es sogar in fruchtbarern Jahren, wenn das Ausland auch keinen Mangel an Getreide leidet, dennoch im Stande ist, seine Cerealien mit Gewinn auf den ausländischen Märkten abzusetzen und folgert hieraus, dass einerseits die Entwickelung der Rohproduction, andererseits hingegen die Vervollkommnung der Verkehrsmittel die nothwendigsten Vorbedingungen zur Verwirklichung eines blühenden Wohlstandes in Ungarn sind. Diese Brochure lenkte wohl die Aufmerksamkeit aller Fachmänner auf sich, ihre eingehendste Würdigung aber fand sie von Seiten Lónyay's im „Budapesti Szemle" (1862), wo er einzelne Angaben Bontoux's mit neuen Argumenten unterstützt, andererseits aber mit kritischer Nüchternheit auf die in vielen Fällen zu sanguinische Anschauung des geistreichen Bahndirectors hinwies. Auch Érkövy äusserte sich in ähnlichem Sinne über Bontoux's Arbeit; Karl Szathmáry trat in seinem (mit Unterstützung Tréfort's geschriebenen) Werke „Alföld és Fiume" gegen die Bevorzugung Triests gegenüber Fiume auf und plaidirte für den je frühern Ausbau einer, das Alföld mit Fiume verbindenden Bahn. Mit dem Exporthandel beschäftigten sich noch Korizmics in „Dunai hajózásról" (Ueber die Schifffahrt auf der Donau) und in dem Berichte über seine Reise nach Konstantinopel; ferner Jellinek in „Magyar Sajtó" 1862, in seiner Monographie über die niedrigen Getreidepreise. Doch dieses allzulaute Betonen des Exportes führte zur Verbreitung eines gefährlichen Sophismus; denn der Exporthandel kann ja nur dann ein gesunder genannt werden, wenn er auf lebhafter Production und Consumtion im Innern, auf erhöhter Zahlungsfähigkeit und Capitalskraft beruht; so dass die vielseitig entwickelte Production der Fluctuirung auf dem Weltmarkte ein Gegengewicht zu bieten vermag. Als eine practische Consequenz dieses Sophismus erscheint der Plan zur Gründung einer allgemeinen Export- und Importgesellschaft (1864—1865), welche es sich zur Aufgabe stellte, als Brennpunkt und Organ eines grossartigen Waarenverkehres mit dem Auslande zu dienen; ein in seinen Grundlagen und Zwecken verfehlter Plan, der mit der Natur und den Interessen des Handels in geradem Widerspruche steht und dessen Ausführung die Bereicherung eines oder zwei Unternehmer, dabei aber andererseits ein drückendes Monopol und die Stockung des Verkehres im Gefolge hätte.

VI. Wir haben schon oben gesehen, wie gegenüber dem in den Vierziger Jahren florirenden Protectionismus nun wieder das Freihandelsystem das Uebergewicht erhielt. Aber die Frage der Zollpolitik wusste nicht die Aufmerksamkeit der Fachmänner und der Literatur — freilich gab es auch hier Ausnahmen — in jenem Masse auf sich zu lenken, als dies bei den übrigen, schon behandelten Fragen aus dem Gebiete der Volkswirthschaft der Fall gewesen. Erst als die zwischen den Ländern Mittel- und Westeuropa's abgeschlossenen Zollverträge einerseits, andererseits hingegen die veränderte Stellung der österreichischen Zollpolitik gegenüber Deutschland in den Jahren 1862 – 1863 bekannt geworden, da trat auch Ungarn aus seiner passiven Haltung heraus und wie mit einem Schlage brachte die Zollpolitik eine lebhafte Bewegung hervor. Die Regierung unterstützte diese Bewegung, indem sie ungarische Fachmänner und Handelskammern zur Meinungsabgabe aufforderte; während die von den englischen Handelskammern in der Form einer Adresse an die Bewohner Oesterreichs ergangene Aufforderung zum Anschlusse an die Freihandelspolitik den ohnehin schon ins Fliessen gerathenen Ideenstrom noch mehr vorwärts drängte.[1] Die Tagespresse und Literatur wandte sich nun mit mächtigem Eifer der Behandlung dieser Frage zu, und selbst die Academie der Wissenschaften schrieb einen Preis auf eine eingehende Darstellung der ganzen Angelegenheit aus.

Die erste Forderung, die nun in Bezug auf das Zollsystem zum Ausdrucke gelangte, bezog sich auf die Aufhebung der protectionistischen und prohibitiven Zollpolitik von Seiten der österreichischen Regierung und auf den Uebergang zu einem, die Interessen Ungarns mehr wahrenden freieren Systeme. Dem bisherigen Zollsysteme schrieb man es zu, dass selbst die vorzüglichsten Landesproducte, wie der ungarische Wein, keinen weitern Absatzplatz finden und überall gegen grosse Importzölle anzukämpfen gezwungen sind. In zweiter Reihe wies man auf einige

[1] Vergleiche Kautz: „Vámpolitika", II. Theil.

schädliche indirecte Steuern hin, welche Production und Verkehr nach jeder Richtung hin hemmen. Nachdem die Export- und Transportzölle seit 1863 theils herabgesetzt, theils gänzlich aufgehoben wurden, setzten die Ungarn den Hauptzweck der Zollreform einerseits in eine bedeutende Herabsetzung der Importzölle, andererseits in den Abschluss von Handelsverträgen mit dem Auslande, insbesondere mit England, dem deutschen Zollvereine, Frankreich, Italien und Russland.

In Bezug auf die inländische Industrie sah man ein, dass Schutzzölle durchaus nicht das geeignete Mittel zur Hebung derselben sind; doch wollte man dieselben zum Schutze gegen die mächtige Concurrenz Englands bezüglich der Eisenproduction aufrecht erhalten wissen; ferner machte man geltend, dass bezüglich solcher Industriezweige, welche grössern Verzehrungssteuern zur Grundlage dienen, zum Zwecke der Ausgleichung dieser Lasten, ebenfalls noch Schutzzölle aufrecht zu erhalten sind, damit sie in der eröffneten freien Concurrenz ohne ihre eigene Schuld aus finanziellen Rücksichten nicht erdrückt werden.

Was den Anschluss Oesterreichs an das deutsche Zollgebiet betrifft, so wollte man nicht, dass derselbe ein völliger, die zollpolitische Selbständigkeit des Landes bedrohender sei; man verlangte vielmehr Oesterreich solle mit dem Zollvereine in eine nahe Verbindung treten, und seine Thätigkeit dahin richten, dass die deutschen Importzölle bezüglich jener inländischen Producte, welche im Zollvereine einen guten Absatz finden können, herabgesetzt werden, dafür aber von Seiten Oesterreichs den deutschen Industrieproducten ebenfalls ein freierer Markt eröffnet werde. In der Literatur entstanden hierüber zwei Parteien, von denen die eine (Karl Keleti, Schoch, Károlyi, Ferd. Zichy, Szathmáry) den unbedingten und allsogleichen Anschluss Oesterreich-Ungarns an den deutschen Zollverein verlangte, während die andere (Kautz, Lónyay, Tréfort, Vodjáner, F. Zichy, Volny, Weninger und Andere) für schrittweise Annäherung plaidirte. Die Anhänger der ersten Partei, welche den noch unentwickelten Zustand der ungarischen volkswirthschaftlichen Verhältnisse ausser Acht lassen, irren eben so sehr, wie jene Fachmänner, die nach Westen hin das Princip absoluten Freihandels, hingegen nach Osten hin den Protectionismus und monopolistische Zwecke vertheidigen.

Bedeutendere literarische Producte, welche die Zollpolitik behandeln, sind: K a u t z „Nemzetgazdaságunk és a vámpolitika" („Unsere Nationalökonomie und die Zollpolitik"), ein Werk, welches die anziehende, aber schwere Frage von jeder Seite aus einer Untersuchung unterzieht, die historischen, statistischen, staatsrechtlichen und legislativen Momente klar beleuchtet und auf den Principien des gemässigten Freihandelssystemes beruhend darauf hinweist, dass die radicale Reform der Zollpolitik eine brennende Nothwendigkeit geworden, dass sie aber nur dann von wahrem Erfolge begleitet sein werde, wenn gleichzeitig das ganze System der Volks- und Staatswirthschaft verbessert, das politische und sociale Leben auf neuere, gesündere Grundlagen gestellt wird. Julius S c h n i e r e r veröffentlichte: „A vámügyi reform, Magyarország termelése szempontjából" 1866 (Die Reform des Zollwesens vom Standpunkte der Production Ungarns), Karl S z a t h m á r y schrieb eine Abhandlung über den Freihandel mit England im 1865er Jahrg. der „Magyarország anyagi érdekei", wo sich auch eine Arbeit V o l n y's über die Eisenproduction und den Freihandel befindet. Ausserdem sind noch zu erwähnen die Reden Lónyay's, Tréfort's und Klauzal's im 1861er Reichstage, das vom 3. März 1865 datirte Memorandum des „Landwirthschaftlichen Landesvereines" und einzelne Artikel von Tréfort, Falk, Érkövy, Jellinek, Schoch, Keleti, Graf Alexander Károlyi, Graf Ferdinand Zichy, Albert Vodjáner, Grafen Heinrich und Franz Zichy in den Tagesblättern und Fachzeitschriften.

VII. Es ist wohl einleuchtend, dass unter den obwaltenden Verhältnissen die Vervollkommnung des ungarischen Communicationswesens sich der lebhaftesten Aufmerksamkeit erfreuen musste; denn wollte man eine blühende Industrie und einen regen Handel haben, so mussten die Wege verbessert, die Strassen gangbarer werden. Doch hatte man es jetzt, im Gegensatze zu der im vorigen Zeitraume herrschenden Anschauung, aufgegeben, Alles von dem Staate zu erwarten, sondern überliess auch der Privatunternehmung die Initiative; andererseits werden die den Interessen einzelner Volkswirthschaftszweige dienenden Tendenzen bei Seite geschoben und an ihre Stelle treten Anschauungen, welche das Gesammtinteresse des Landes umfassen und einen wahren Fortschritt bedeuten.

Der zu riesigen Dimensionen angewachsene Getreidehandel des Banates und des ungarischen Tieflandes machte nicht nur eine Regelung der Donau und ihrer Nebenflüsse zum Zwecke einer Beförderung der Dampfschifffahrt wünschenswerth; sondern es drängte sich auch immer mehr die Nothwendigkeit auf, dem ungarischen Getreidehandel in Pest-Ofen einen Brennpunkt zu bieten und hier die Ufer der Donau mit Haffen, Docks, offenen Lagerräumen zu versehen und in einer Waaren- und Effectenbörse die Circulation des Geldes und der Waaren zu erleichtern und zu concentriren.

Beüzglich der Dampfschifffahrt wendete man sich in erster Reihe gegen die priv. vom Staate durch Zinsengarantie unterstützte Donaudampfschifffahrts-Gesellschaft, die jede Concurrenz verhinderte, die ungarischen Handelsinteressen nicht genug berücksichtigte und ihrem wichtigen Berufe nicht gänzlich entsprach. Diesem Umstande verdankte die auf dem Wege der Privatunternehmung entstandene Erste ungarische Dampfschifffahrts-Gesellschaft ihre Entstehung. — Einen andern Gegenstand von höchstem Interesse bildete die Theissregulirung, die schon seit dem Anfange des 18. Jahrhundertes die bessern Köpfe beschäftigte und in den Vierziger Jahren durch die eifrige Thätigkeit des Palatins Josef, vorzüglich aber des unvergesslichen Grafen Széchenyi so mächtige Fortschritte machte. In dem uns vorliegenden Zeitraume beschäftigten sich eingehend mit dieser Angelegenheit Graf Emanuel Andrássy, der die technische Seite der grossartigen Unternehmung einer fachmännischen Besprechung unterzog; Melchior Lónyay in zwei Schriften: „Tiszaszabályozás törtenete" (Geschichte der Theissregulirung; academische Antrittsrede 1860) und „Nézetek a Tisza-szabályozás körüli teendőkről" (Ansichten bezüglich der bei der Theissregulirung zu leistenden Agenden), in welchen er darauf hinweist, dass die Regulirung zugleich mit Wiesenberieselungsarbeiten in Verbindung gebracht werde, dass die Constituirung eines aus den Interessenten bestehenden Centralcomités neuerdings nothwendig geworden; und dass endlich ein Einfluss von Seiten des Staates für die ganze Angelegenheit nur fördernd sein könne.

Die Verbesserung der sprichwörtlich gewordenen ungarischen Landstrassen findet eine schätzenswerthe Fürsprache in der von

Wilhelm Fest in den statistischen und national-ökonomischen Mittheilungen der ungarischen Academie (1866, II. B.) veröffentlichten Arbeit über die Landstrassen Ungarns: „Magyarország álladalmi és országos utjái".

VIII. Unter allen, die Communication befördernden Anstalten aber, bildete das Eisenbahnnetz das Schoosskind der Tagespresse, der Literatur und, der fachmännischen Discussion; der Gründe waren hier nur zu genug vorhanden. Erstens liess der schon oft erwähnte Exporthandel, der einen nie geahnten Aufschwung genommen, und die leichtere Beförderung der einen grossen Raum beanspruchenden Rohproducte dies wünschenswerth erscheinen; zweitens erfuhr das ungarische Eisenbahnwesen von Seiten der österreichischen Regierung, welche unentschlossen zwischen dem Staatsbahn- und Privatbahnsysteme stehend, bald dem einen, bald dem andern huldigend, bei dem Ausbau der Bahnen nicht nur Ungarns Interessen nicht vor Augen hielt, sondern dieselben geradezu zu schädigen bedacht war, eine höchst stiefmütterliche Behandlung. Dem entgegen schärften Literatur und Tagespresse Zungen und Federn; bot sich doch hier reichlich die Gelegenheit dar, die politischen, nun ohne constitutionellen Anwalt dastehenden Interessen Ungarns mit patriotischem Nachdrucke zu betonen. Unter diesen literarischen Manifestationen nimmt die erste Stelle ein von Melchior L ó n y a y, Anton C s e n g e r y und Ernst H o l l á n ausgearbeitetes und am 2. Juni 1862 in der Plenarversammlung des landwirthschaftlichen Landesvereins verlesenes Memorandum ein, welches gegenüber der von den österreichische Staatsmännern vertheidigten Eisenbahnlinie Arad-Hermannstadt für die den Interessen der beiden Schwesterländer mehr entsprechende Linie Grosswardein-Klausenburg-Kronstadt plaidirte. Dieses Memorandum zählt sechs Hauptlinien auf, welche den Zweck haben, Ungarn nach allen Seiten hin mit dem Auslande zu verbinden: 1. die Westbahn oder die Pest-Wiener Linie; 2. die Süd- oder Pest-Ofen-Fiumaner Bahn; 3. die Ostbahn, welche die Strecke Pest-Grosswardein-Klausenburg-Kronstadt umfasst; 4. die Nordbahn, welche von Pest über Miskolcz und Kaschau zu der galizischen Bahn führt; 5. die nordwestliche Linie, welche von Pest ausgehend über Grán-Nána, Schemnitz und Neusohl führend, sich der Oderberger Bahn anschliesst; und

6. die südöstliche oder Pest-Báziáser Bahn. Ein anderes Memorandum, welches noch detaillirter die billigen Bahnen behandelt,
wurde ebenfalls von einem aus den Mitgliedern Melchior Lónyay,
Hollán und Karl Szathmáry bestehenden Comite, das der landwirthschaftliche Landesverein zu diesem Zwecke entsendet hatte,
ausgearbeitet und in der Plenarversammlung desselben Vereines
vom 15. März 1865 angenommen. Die Seele dieses Comite's war
Ernst Hollán, der ausgezeichnete Techniker, der die um diese Zeit
in Schottland, Deutschland und Frankreich auf die Tagesordnung
gestellte Frage über den Bau billiger Bahnen in den Bereich seiner
fleissigen Studien hineinzog, um dieselben auf die ungarischen
Verhältnisse anzuwenden. Diesem Memorandum zufolge wären
die zu erbauenden Bahnen in drei Klassen zu theilen: Haupt-
bahnen, welche dem internationalen Verkehre dienen; dieselben
sind nach dem theurern Systeme auf Landeskosten herzustellen;
Transversalbahnen, welche zwei Bahnen ersten Ranges oder Wasserstrassen mit Eisenbahnen verbinden; zum Ausbau dieser Bahnen
ist die Verleihung staatlicher Zinsengarantie zu empfehlen; drittens
Local- und Zweigbahnen, die mit Unterstützung von Seiten des
Staates, aber doch grösstentheils aus Privatcapitalien auszuführen wären. Eine detaillirte Erläuterung der in diesen beiden
Memoranden zum Ausdrucke gebrachten Principien bietet Lónyay
in seiner Arbeit: „Die zwei Memoranda des landwirthschaftlichen
Landesvereines betreffend die vaterländische Eisenbahnfrage", in
welcher das Princip der Staatsbahnen gegenüber dem der Zinsengarantie, eine geistreiche Vertheidigung findet. — Von hoher Bedeutung für das ungarische Eisenbahnwesen sind noch Hollán's
Arbeiten: „Magyarország vasut hálozatának rendszere" 1865; seine
academische Antrittsrede vom 26. Mai 1862: „A vasutak keletkezése
és általános elterjedése" und „Magyarország forgalmi szükségletei
s vasut-ügyünk ujabb kifejlődése" (Pest 1864), in welchen der
Verfasser sowohl den technischen als auch volkswirthschaftlichen
Gesichtspunkt der Frage nicht nur einer eingehenden, sondern auch
lehr- und geistreichen Behandlung unterzieht und die Zinsengarantie für das einzige, zweckmässige Mittel hält, um in Ungarn
den Ausbau der Bahnen zu befördern. Verdienstvoll ist auch sein
Hinweis auf die Grenzen, welche die volkswirthschaftlichen Zustände dem Eisenbahnbau setzen, und die daher nie ausser Acht

gelassen werden sollen. Von Bedeutung sind noch Karl Szathmáry's schon erwähntes „Alföld és Fiume" und: „A tervezett
Zimony-Fiumei vasut" (Die projectirte Bahnstrecke Zimony-
Fiume, 1864); ferner die academische Antrittsrede Johann Hunfalvy's: „Közlekedési eszközeinkről" (Unsere Verkehrsmittel,
gehalten am 24. Februar 1864), wo das bisherige Verfahren einer
strengen Kritik unterzogen und darauf hingewiesen wird, dass
man die geographischen und physicalischen Verhältnisse berücksichtigen, die Wasserstrassen neben den Eisenbahnen nicht vernachlässigen und ein allen Landesinteressen entsprechendes ein-
heitliches Verfahren und System festsetzen solle. Auch August
Tréfort, Moritz Jellinek und Professor Alexander Konek
haben bezüglich des ungarischen Eisenbahnwesens, Erstere in verschiedenen Journalartikeln, Letzterer in seiner grossen „Statistik
von Oesterreich-Ungarn" sehr schätzenswerthe Daten geliefert. —
Im Grossen und Ganzen fand in Ungarn das Princip der Privatbahnen keine unbedingten Anhänger; vielmehr wird fast einstimmig die indirecte Unterstützung von Seiten des Staates und die
active Einflussnahme desselben auf das Gebahren der Eisenbahn-
unternehmungen und die Regelung der Tarife gefordert; insbesondere wurde an die Privatunternehmungen, in deren Händen
sich Eisenbahnen befanden, die Anforderung auf eine Modificirung
der drückenden Reglements, auf Beschleunigung der Fahrge-
schwindigkeit, auf Beseitigung der Schwerfälligkeiten und vorzüglich auf die Herabsetzung der überhoch gespannten Frachtsätze
gestellt.

III.

Ansichten und Discussionen betreffend das Geld-, Credit-
und Bankwesen, ferner die Steuern und die Staatshaushaltung. — IX. Die Geld- und Creditfrage im Allgemeinen. — X. Die Vermehrung des Papiergeldes und die Bankfrage. — XI. Finanzwesen, Steuern
und Staatsschulden.

IX. Die seit dem Jahre 1848 circulirenden, entwertheten
Tauschmittel (Banknoten und Papiergeld) und die aufmerksame
Beobachtung ihrer schädlichen Einflüsse führten zu einer richtigern Auffassung der Natur und Rolle des Geldes; man begann
einzusehen, wie der materielle Fortschritt nur bei gesundem Zustande der Finanzverhälteisse möglich wird, und so kam es, dass

die Valutafrage und die mit ihr zusammenhängenden Agioverhältnisse in erster Reihe die Geister beschäftigte. Und da war es vor Allem das Verhältniss der österreichischen Regierung zu der privilegirten Nationalbank, das vollauf Anlass zur Klageführung bot. Man verlangte eine Decentralisation und Autonomie im Geld- und Creditwesen, und da es aus den Ausweisen der Bank ersichtlich war, dass sie kaum den zwanzigsten Theil ihrer Mittel ungarischen Unternehmungen zukommen lässt, so petitionirte man um die Aufhebung des drückenden Bankmonopoles (im Jahre 1867, wo dasselbe abläuft) und um die Verleihung des Rechtes an die einzelnen Länder, Geld- und Creditinstitute errichten zu dürfen, welche der Beförderung vaterländischer Interessen dienen sollen. Aber alle diese Klagen sind noch bis heute von keinem practischen Erfolge gekrönt, die Nationalbank nimmt noch immer ihre monopolistische, dominirende Stellung ein, und ihr Verhältniss zur Wiener Regierung bietet einer radicalen Sanirung unserer Geldverhältnisse noch immer die grössten Schwierigkeiten.

In der Theorie führten die ungeregelten Geldverhältnisse zu den schädlichsten Sophismen, die oft selbst in ernster denkenden Fachmännern Vertheidiger fanden. So die Ansicht, dass man nur die Circulationsmittel mit Grazie fort vermehren solle, damit die betreffenden Gewerbetreibenden leicht und billig zu Capitalien kommen. So zweitens, dass das Agio eigentlich gar keine Calamität sei, sondern vielmehr den Export befördere, der damals am grössten ist, wenn das Agio steigt. So drittens die gefährliche Ansicht, dass man dem Capital- und Creditmangel Ungarns am leichtesten durch eine Mobilisirung des Grund und Bodens und durch Benutzung desselben als Fundation für die Emittirung von Papiergeld abhelfen könnte. Man sieht also, dass man in Ungarn noch viele Wahrheiten der Nationalökonomie entweder missverstand oder gar nicht kannte.

X. Durch das 1862er Bankgesetz wurde die privilegirte Nationalbank angewiesen, ihre circulirenden Noten in dem Masse einzulösen, dass sie 1867 im Stande sei, ihre Zahlungen in Silber aufzunehmen. Es entstand nun die Frage: Ist es, mit Rücksicht auf die Capitalsarmuth Ungarns, richtig und zweckmässig, das Circulationsmittel, d. i. die Papiernoten zu vermehren? Einige bejahten geradezu die Frage; es verfüge, meinten sie — die ungarische Production nicht über die genügende Summe der Circulationsmittel, was eine Theuerung des Geldes verursacht; ohne Furcht vor dem hohen Agio hielten sie die Vermehrung des Circulationsmittels durch ein selbständiges, ungarisches Bankinstitut für das zweckmässigste Mittel, um der Geldnoth abzuhelfen. Einer gesündern Ansicht huldigte eine zweite Partei, welche wohl ebenfalls die Quelle der volkswirthschaftlichen Uebel in dem Mangel an genügenden Circulationsmitteln fand, die aber eine Vermehrung der letztern auf einer reellen Fundation basirt wissen wollte. Zu dieser Partei bekannten sich Koloman G h y c z y, Philipp E r d e y in mehren einschlägigen Journalartikeln, Vincenz J a n k ó in seinem Werke „Birtokbank" und in mehren Journalartikeln; Josef M a r s c h a n, der 1866 „Die Lösung der finanziellen Frage" im Sinne dieser Partei behandelte und für die Errichtung einer auf die reichen Metallschätze Ungarns fundirten „Montanbank" plaidirte; practischer war der Antrag Paul S o m s i c h's, der auf die Emittirung von Eisenbahnnoten ging; von grossem Interesse sind ferner noch die diesbezüglichen Arbeiten von Ladislaus K o r i z m i c s, denn Korizmics hält die im Verkehre sich befindliche Geldmenge für ungenügend und die Vermehrung derselben um 4—500 Millionen für nothwendig, wovon 250 Millionen auf die Tilgung der alten Schulden der Grundbesitzer, 50 Millionen auf die definitive Abschaffung der Urbarialinstitute und 200—250 Millionen auf landwirthschaftliche Investitionen, auf Anschaffung von Maschinen u. s. w. verwendet werden sollten. Ueber die Art und Weise, wie diese Operation durchzuführen wäre, erklärt sich Korizmics nicht näher; es gebe hierzu viele Wege und die Aufgabe der Legislative sei es, den besten und zweckmässigsten zu wählen. Nun gab es aber auch noch eine dritte Partei, die überhaupt gegen alle Vermehrung des Circulationsmittels anfocht, weil sie von derselben die gänzliche Entwerthung der Noten und ein noch gefährlicheres Schwanken der Valuta befürchtete. Zu dieser Partei gehörten Peter K i s s und der Hauptmitarbeiter des „Pester Lloyd" S c h o c h, welcher in seinen „Volkswirthschaftlichen Irrthümern" („Pesti Napló" 1865 und „Pester Lloyd" 1865) entschieden gegen Korizmics und Ghyczy auftrat.

Eine andere lebhafte Discussion drehte sich um die Frage: „Bankmonopol oder Bankfreiheit?", in welcher Albert V o d -

jáner und Vincenz Weninger die bedeutendste Rolle spielten.

Weninger schildert die drückende Lage des Geldmarktes, die schädlichen Schwankungen des Agio als eine traurige Folge der Centralisation der Geldcirculation und des Monopoles der Centralbank, weshalb er für das Princip der Bankfreiheit einstehend die Errichtung von mehren Banken fordert, wobei man aber mit der grössten Strenge und Vorsicht vorzugehen und auf die grösstmögliche Garantieleistung zu sehen hätte.

Dem gegenüber behauptet Vodjáner, die Valutafrage werde durch die Annahme des Currencybanksystemes durchaus nicht im mindesten gelöst; dass insolange neben der Nationalbank keine andere Bank bestehen könne, als die Noten der ersten mit Zwangscurs versehen sind; dass das System der Bankfreiheit mit grossen Gefahren für den Geldmarkt verbunden sei, weshalb er das Bankmonopolsystem, für das sich auch Robert Peel in der berühmten Bankacte von 1844 und neben ihm die ausgezeichnetsten Autoritäten des Auslandes ausgesprochen hatten, für die Interessen und Verhältnisse Ungarns entsprechender und angemessener hält. .Dies war der Anfang jenes höchst interessanten Federkrieges, in dem Weninger mit strenger Logik und den von der Theorie gebotenen scharfen Waffen der Argumentation, Vodjáner hingegen mit dem Hinweis auf den praktischen Erfolg focht, der aber von beiden Seiten mit tiefer Sachkenntniss und in objectiver Würdigung des Gegenstandes mit viel Geist und Tact geführt wurde. Ein entschiedenes Urtheil zu fällen, oder gar einen unzweideutigen Anschluss an einen der beiden Vorkämpfer auszusprechen, ist um so schwieriger und unzeitgemässer, da die Debatte in der später von Horn angeregten Bankfrage vollkommen bewies, dass die Angelegenheit selbst im Jahre 1871 noch nicht zum Urtheilsspruche herangereift war.

In der Literatur bildete die Geld- und Bankfrage die Arena, auf der sich die Gelbschnäbel und Naturalisten kecker und kühner benahmen, wie sonst irgendwo; wer nur ein wenig mit der Angelegenheit vertraut geworden, hielt sich schon für berufen, die weitgehendsten und schwärmerischen Pläne zu schmieden und die Welt mit seinen Hirngespinnsten zu beglücken. Deshalb würde es uns viel zu weit führen, wollten wir alle Erscheinungen aufzählen, die

wie Pilze in der Literatur betreffs der vorliegenden Frage auftauchten. Von den bedeutenderen Arbeiten auf diesem Felde sollen
nur erwähnt werden: Graf Emil Desscwffy, der 1856 über die
„Obwaltenden Finanzfragen" schrieb (Fenforgó pénzügyi kérdésekről, Pest); Melchior Lónyay, der diesen Gegenstand in seinen
„Finanzwissenschaftlichen Abhandlungen" besprach (Pénzügytani
értekezések im „Pesti Napló" 1857 Nr. 285—290); Karl
Keleti veröffentlichte im Budapesti Szemle 1865 eine Arbeit
unter dem Titel „Bankmonopol oder Bankfreiheit"; Franz Jánosi
schrieb über „Die Ursachen und Heilmittel der Geldkrisen" (Budapesti Szemle 1865, II. Heft); Professor Weninger gab eine
„Theorie des Bankwesens" heraus, ein Werk, das der ungarischen
Literatur zur Zierde gereicht und nebst den übrigen, grösstentheils
in Zeitschriften erschienenen Arbeiten, seinem Verfasser eine der
ersten Stellen unter den ausgezeichnetesten Nationalökonomen Ungarns sichert. Endlich sind noch zwei von Csengery und Érkövy auf „Volksbanken" bezügliche Arbeiten anzuführen, die
ihren Gegenstand klar beleuchten und auf die Verhandlungen des
landwirthschaftlichen Landesvereins nicht ohne Einfluss blieben.

XI. Eine ständige Klage bildete der drückende Zustand, den
das in Ungarn eingebürgerte „österreichische Finanzsystem" auf
allen Gebieten der Volkswirthschaft heraufbeschwor. Die nega-
tiven Bestrebungen auf Abschaffung dieses Systemes sind daher
vorwiegend, während positive, kritische Reformanträge nur die
Ausnahme bilden. Vor Allem verlangte man völlige Unabhängigkeit Ungarns auf dem Gebiete seiner Finanzen und Staatshaushaltung und das Recht, die Disponirung über dieselben in die
Hände der constitutionellen Factoren zu legen. In erster Reihe
richtete sich die Opposition gegen die überstürzt eingeführte und die volkswirthschaftlichen Interessen Ungarns in höchstem Grade gefährdende Grundsteuer. Bezüglich der Staatsgüter
neigt man sich in Ungarn der Ansicht hin, welche gegen die Veräusserung derselben spricht; hingegen ist man einer Verpachtung
derselben nicht abgeneigt, zumal traurige Erfahrungen lehren,
dass sie in den Händen des Staates schlecht verwaltet werden und
nur ein sehr geringes Einkommen zu Tage fördern. — Zu den bedeutenderen Schriftstellern auf dem Gebiete des Finanzwesens sind zu
zählen: Graf Émil Dessewffy, der in seinem Werke „A fenforgó

15*

pénzügyi kérdésekről" (Pest 1856) auf die Ursachen hinweist, welche die finanziellen Uebel hervorriefen, und für die Decentralisation der Banken laut seine Stimme erhebt. Bei allen Vorzügen dieses Werkes kann nicht verschwiegen werden, dass Dessewffy von den irrigen Anschauungen Oppenheims über die „Natur des Geldes" geleitet, über die Rolle dieses Circulationsmittels durch Verwischung der Grenzen zwischen Papier- und Metallgeld, zwischen Papiergeld und Banknoten nicht ganz im Klaren ist und zu Folgerungen gelangt, welche mit dem neuern Standpunkte der Volkswirthschaftslehre nicht in Einklang zu bringen sind. Zur Klärung der Anschauungen über Finanzwesen und Steuern trug Melchior Lónyay in seinen Arbeiten „Pénzügyikérdések", „A földadóról" und „Ujabb adatok a magyarországi földterületi és adóviszonyokról" wesentlich bei. Ludwig Kovács sucht in seinem Werke; „Kisérlet a rendezési kérdések megoldására, (Pest 1863) den Beweis zu führen, dass Industrie, Zoll- und Steuerfragen in engem Zusammenhange stehen und dass Capital, Gewerbe ued Communication Weltgesetzen gehorchen, die keine Opposition dulden. Diese Periode hat auch ihre systematischen Werke über das Finanzwesen, nämlich Karvasy's: „A pénzügyi vagy állainháztartási tudomány" (1863 und 1865) und Julius Kautz: „Nationalökonomie" (1863) aufzuweisen. — So fühlen wir uns berechtigt die völkswirthschaftliche Ideenentwickelung in den Jahren 1850—1865 in mehreren Beziehungen als eine fortschrittliche zu bezeichnen. Die literarischen Producte und Manifestationen der Fachvereine beurkunden einen engen Anschluss an die moderne Ideenrichtung Europas; die Wissenschaft gewinnt an sachlicher Intensivität, sie bewegt sich auf einer universellen Basis und wird von höhern und vielseitigern Gesichtspunkten geleitet. Und wenn auch hie und da Sophismen und Irrthümer zu Tage treten, so lässt sich doch nicht in Abrede stellen, dass die gesündern und richtigern Anschauungen die vorherrschenden sind, und in allen Schichten der Bevölkerung zur Geltung gelangen.

FÜNFTES KAPITEL.

Schlussbetrachtungen.

Das allgemeine Gesetz der Continuität und des stufenweisen Aufsteigens der Ideen ist auch — wie wir aus dem Vorhergegangenen ersehen — auf dem Gebiete der ungarischen Volkswirthschaft zur Geltung gelangt. Im Kampfe der Anschauungen gegen Anschauungen, im Kampfe der Ideen gegen Ideen, in dem Treffen zwischen Principien und Principien ist der endliche Sieg dem Bessern, dem Fortschritte, dem Vollkommeneren gesichert, wenn auch zeitweise Irrthümer und Gebrechen die Oberhand zu gewinnen scheinen. So trat auch der volkswirthschaftliche Ideenkreis in Ungarn aus bescheidenen Anfängen und Ahnungen im 18. Jahrhunderte als selbständiges Ganzes auf, eroberte sich, nachdem mit Uebergehung des Physiocratismus und Mercantilismus der Smithianismus zum Ausgangspunkte und zur Basis angenommen wurde, im Beginne unseres Jahrhundertes einen wichtigen Platz in der nationalen Literatur und hat sich seit dem Auftreten Széchenyi's zu einem wohlgeordneten Systeme emporgeschwungen; und während er in dem Vorbereitungsstadium bis auf Széchenyi in vorzüglichem Masse nur die Legislative und die practische Staatsthätigkeit beschäftigte, hat er sich in der auf Széchenyi folgenden Periode der Systemisirung auch noch alle übrigen Kräfte des socialen Lebens dienstbar gemacht.

Ein charakteristisches Merkmal der volkswirthschaftlichen Ideenentwickelung in Ungarn ist die Gruppirung der Anschauungen und Bestrebungen in jeder Periode um einen bestimmten Centralgedanken, welcher der periodischen Entwickelung ein eigenthümliches Colorit, einen eigenthümlichen Charakter verlieh; wie nicht weniger der Umstand, dass in Ungarn die volkswirthschaftlichen Principien nicht nur in stetem Contacte, sondern oft im allerengsten Zusammenhange mit den politischen und staatsrechtlichen Verhältnissen standen und von den Interessen derselben sich immer beeinflussen liessen. Rechnet man noch den vorwiegend practischen Charakter hinzu, dessen sich die volkswirthschaftliche Ideenentwickelung in Ungarn niemals entkleidete; so ergeben sich die Resultate dieser Erscheinungen von selber.

Erst spät wurde in Ungarn auf die Einheit der nationalökonomischen Wahrheiten und der systsmatischen Erfassung derselben einiges Gewicht gelegt; und während in den Zeiträumen vor Széchenyi eine directe Beeinflussung des Auslandes nur selten wahrgenommen wird; kann die neuere Entwickelung ihre stetige Berührung mit den im Westen Europas zur Herrschaft gelangten Principien der Volkswirthschaft nicht mehr verläugnen; wenn sie sich auch immer ihre nationale und nicht jeder Selbständigkeit entbehrende Auffassung zu wahren weiss.

An Irrthümern und Sophismen fehlte es wohl auch auf dem Gebiete der Volkswirthschaft in Ungarn nicht; es muss jedoch constatirt werden, dass die practische Gedankenrichtung der Magyaren die Nation vor jenen ungeheuren Aberrationen vom Richtigen und Wahren schützte, die in andern Ländern mehr wie einmal zu Tage traten. Nie und nimmer wurden in Ungarn Industrie und Privatgeschäfte als „droit-domanial" bezeichnet, nie und nimmer hat der Mercantilismus in Ungarn jenen bevormundenden, polizeilichen Einfluss gehabt, dessen er sich in Deutschland, Spanien oder Frankreich erfreute; nie und nimmer liess sich der nüchterne Sinn der Nation von Hirngespinnsten und Utopien verführen, denen im Westen Europas so viele Menschenopfer dargebracht wurden.

Wenn wir nun mit kritischem Auge auf die Entwickelungsgeschichte der einzelnen volkswirthschaftlichen Categorien in Ungarn zurückblicken; so können wir uns nicht der Wahrheit verschliessen, dass es eines langen Zeitraumes bedurfte, bis die Grundprincipien der Wissenschaft, wie die bezüglich der Güter und des Werthes, des Preises und des Geldes, des Credites und Verkehres, des Einkommens und Gewinnes, des Capitals und der Arbeit, der Rente und des Zinses, der Production und Consumtion, nach ihrer ganzen Bedeutung gewürdigt wurden. Dies war in Ungarn, so wie in andern Ländern der Fall; und auch hier ging eine grosse Reihe von practischen Institutionen der theoretischen Begründung derselben voraus; auch hier erfreute sich die auf das practische Leben einflussreichsten Zweige der Volkswirthschaft, die Industrie und die Landwirthschaft schon einer regen Aufmerksamkeit, als noch die übrigen Zweige in argem Dunkel lagen. So sehen wir, wie die Begriffe über Geld (Metall- und Papiergeld) und Preis, Verkehr und Communication sich nach und nach aus

der dunklen Hülle herausschälen, mit denen sie die herrschenden
Ideen des Mittelalters umgeben, um als wichtige und segensreiche
Factoren der modernen socialen und staatlichen Entwickelung
erkannt zu werden. Wir sehen, wie sich die Anschauungen über
die materiellen Grundlagen des Volkslebens, über Production,
Credit, Capital u. s. w. von Tag zu Tag klären, wie Hand in Hand
mit dieser Klärung die Bestrebungen um die Regelung der Urbarialverhältnisse, die Hebung des Handels und das Platzgreifen
richtiger Principien auf dem Gebiete der Handels- und Verkehrs-
politik gehen.

Das sind die Posten, aus denen wir nun beim Sehlusse ange-
langt, die Bilanz für den gegenwärtigen Stand der volkswirthschaftlichen Ideenentwickelung in Ungarn zu ziehen haben. Wir
halten uns, dem Vorhergegangenen zufolge, für berechtigt den
Satz aufzustellen, dass in volkswirthschaftlicher Hinsicht der
finn-ugrische Stamm, der wie ein erratischer Block an den Saum
der europäischen Cultur geschleudert, im Schatten der heiligen
Stefanskrone Jahrhunderte lang für seine Verfassung und Freiheit
gefochten, einen würdigen Platz neben dem romanischen, germa-
nischen und slavischen Elemente des alten Continentes einnimmt,
ja sogar das letztere Element an Selbständigkeit bei weitem über-
trifft. Denn wenn auch der ungarische volkswirthschaftliche Ideenkreis in allen seinen Momenten eine mit den Principien und
Anschauungen der übrigen Culturvölker verwandte Richtung ein-
schlägt, so muss doch jeder Unbefangene eingestehen, dass innerhalb dieses Ideenkreises rein nationale, vom Genius der Nation
geschaffene Elemente sich bewegen, welche der ganzen Entwickelung einen eigenthümlichen und selbständigen Charakter verleihen.
Ein glücklicher, und nicht der einzige Charakterzug dieses Ideenkreises ist es, dass er bisher — und wohl noch für lange Zeit
hinaus — dem Eindringen und der verheerenden Wirkung der
„socialen Frage" ein mächtiges Halt gebot, und so die Nation vor
einer Gefahr bewahrte, welche die westlichen Länder des Continentes mit so vielen Unglücksschlägen traf. Mit Befriedigung
können wir ferner auf die Thatsachen hinweisen, dass Theorie und
Praxis auf dem Gebiete der Volkswirthschaft nunmehr Hand in
Hand gehen, eine Erscheinung, die wie überall in den cultivirten
Ländern auch in Ungarn nicht verfehlen wird, sowohl auf dem

Gebiete der Theorie als auf dem der Praxis die herrlichsten Früchte zu tragen. Wohl können wir, was insbesondere die Literatur der Volkswirthschaft in Ungarn betrifft, angesichts der riesigen Errungenschaften Englands, Frankreichs, Deutschlands und Italien, dem auf diesem Gebiete bisher in Ungarn Geleisteten nur ein bescheidenes Plätzchen anweisen; doch möge dies nicht entmuthigend wirken, es soll vielmehr einen Sporn bilden, um die in Ungarn noch brach liegenden Kräfte zu erhöhter Thätigkeit anzueifern, um die grossen Wahrheiten der Wissenschaft einzubürgern und zu verbreiten, und sie mit den practischen Anforderungen des nationalen Lebens und Bestandes in harmonischen Einklang zu bringen.

Namensverzeichniss.

(Die Ziffer bedeuten die Seitenzahl.)

Kautz-Schiller: Entwickelungsgeschichte.

Druck:
Customized Business Services GmbH
im Auftrag der KNV-Gruppe
Ferdinand-Jühlke-Str. 7
99095 Erfurt